JN066351

エリア・スタディーズ
17
シンガポール
を知るための
65
章
田村慶子（編著）
【第5版】
明石書店

はじめに

日本人にとってシンガポールは魅力ある旅行地である。２０１８年にシンガポールを訪れた外国人はシンガポール総人口をはるかに上回る１８５０万人、うち日本人は83万人と第6位で、この5年間に40万人も増えている。大手旅行会社の「２０１９年人気海外旅行先（都市）ランキング」では、シンガポールは第8位であった。日中関係の悪化によって中国旅行を控えた人が多かったことと、カジノを付設した総合リゾートやガーデンズ・バイ・ザ・ベイなど次々と作られる新しい観光スポットの効果であろう。シンガポール観光の魅力は、「飛行機でひとっ飛びに行ける手ごろな場所にありながら、中国、マレー、インドの伝統文化と料理が味わえ、イギリスのハイティーも楽しめる異国情緒たっぷり、そしてカジノで遊べる国」である。

もちろんこのようなお手軽な観光だけでなく、シンガポールは日本にとって重要な貿易相手国であり、日本からの投資も活発に行われている。シンガポールの駐留邦人は２０１９年10月で3万６７９７人（大使館に在留届を出している人数）、進出している日系企業は８０５社（日本商工会議所登録企業数、２０２１年4月）という巨大な日本人コミュニティが存在している。日本の大手デパートや書店、ラーメン屋なども目立ち、シンガポールでは日本と変わらない生活を送ることができる。なお、日本に滞在するシンガポール人は2020年6月で3037人である。

もっとも、1970年代末頃まではシンガポール人の日本を見る眼には厳しいものがあった。シンガポールは日本の東南アジア軍政の中心として中央軍政局が置かれ、抑圧的な支配が行われた。シンガポール占領直後の1942年2月下旬には多くのシンガポール華人が「抗日分子」として摘発され、大虐殺が行われた。「粛清」と称されたこの虐殺を今でも鮮明に覚えている高齢のシンガポール人は多い。

本書は2001年に刊行した『シンガポールを知るための60章』、2008年の第2版『シンガポールを知るための62章』、2013年の第3版『シンガポールを知るための65章』、2016年の第4版に続く第5版である。第5版の目的は当初と変わらない。小さな都市国家がどのように世界史に登場したのか、アジアを中心とする世界各地からの移民がどのように「シンガポール人」になっていったのか、世界で最もビジネスのしやすい国として多国籍企業のハブとなり成長を続ける経済の現状や課題は何か、急激な経済成長のなかで人々の暮らしはどのように変容していったのか、近隣のアジア諸国やアメリカとはどのような国家間関係を築いているのか、長期にわたる抑圧的な政治体制はどのように形成され、なぜ継続しているのか、今後どうなるのかなど、シンガポールの歴史や社会、文化や娯楽、人々の暮らし、経済、国際関係や政治などについてより深く知ってもらうことである。さらに、2020年新型コロナウィルス（Covid-19）によってもたらされた未曾有の経済危機とその対応にも1章を割き、他の章のいくつかでもコロナ禍について触れ、海外からシンガポールに帰国した人のホテル隔離生活についての生々しい体験をコラムにした。

各章の執筆は、それぞれの分野についてシンガポールや日本の第一線で活躍している研究者のみならず、シンガポール人との結婚や日系企業・メディアなどの研究員や特派員などとしてシンガポールに長く居住して仕事をされている方々にもお願いした。お忙しいなか、原稿を引き受けてくださったすべての執筆者の方々に、心からのお礼を申し上げたい。

本書を読まれる方は、どこからでも興味のある章から自由に読んでいただければと思う。コラムを先に読んでくださっても構わない。章やコラムにはテーマに沿った写真や図表も多く挿入しているので、それらを眺めてシンガポールに思いをはせていただきたい。本の最後には関連書ガイドがついているので、より深く学びたい方はぜひガイドを利用してほしい。本書がシンガポールをよりよく理解する手引きとして、またシンガポール研究、東南アジア研究の入門書となれば、執筆者一同これにまさる喜びはない。

本書で使用するいくつかの用語について、簡単に説明する。華語とは標準中国語のことであり、華人とは中国系住民のことである。日本では現在でも華僑という呼称が使われるが、厳密にいえば華僑とは中国国籍を有したままで中国（香港と台湾も含む）以外の地に長期に居住する中国系住民のことで、華人とは現地国籍を取得した中国系住民のことである。ただ、長期に中国を離れて居住国の社会に定着している住民を華僑と呼ぶことは実態にあわないので、今日では国籍の有無にかかわらず華人という呼称が定着している。したがって本書でも中国系住民の呼称では華人を使っている。

また、１９５７年にシンガポール市民権条例が成立して、シンガポールに居住する華人、マレー人、インド人などの多くはシンガポール市民となったため、この時期以降はマレー人ではなくマレー系（マレー系シンガポール人の意味）、インド系（インド系シンガポール人の意味）とした。なお、シンガポール政府は華人、マレー系、インド系という人口の分類の基準として「人種（race）」という用語を公式に使い、その分類は持って生まれた変更できない特質であるとしている。しかし、多くの研究者は「人種」ではなく、華人、マレー系、インド系を「民族」あるいは「エスニックグループ」と記述しているため、混乱を招くことがある。本書では原則として「民族」に統一しているが、政府の公式文書の引用あるいはその説明の場合は、あえて「人種」を使う章もある。

人物の敬称は原則として省略した。シンガポールドル（Sドル）は２０２１年８月現在で約81円である。

この第５版をこれまで同様に２００７年９月に亡くなられた田中恭子先生に捧げたい。先生は、１９８０年代からシンガポール、マレーシアの政治、外交研究をけん引してこられ、その気さくな温かいお人柄ゆえに私を含めて多くの若手・中堅研究者が先生のもとに集まり、ご指導を仰いできた。第５版の出版を先生は天国で喜んでくださっていると思う。

最後になったが、何度も執筆の機会を与えてくださった明石書店の大江道雅社長、編集担当の佐藤和久さんと長尾勇仁さんにも心から感謝したい。

２０２１年８月

田村慶子

シンガポール全島図

ジョホールバル
ジョホール水道
コーズウェイ
マレーシア
セレター島
マレーシア
ウッドランド
ジョホール水道
ウビン島
24
25
26
27
28
23
20
19
18
17
タンピネス
チャンギ
国際空港
日本人墓地
第2
日本人学校
21
22
日本
庭園
11
12
13
14
16
日本人会
ジュロン
日本人
中学校
日本人
小学校
国立大学
10
日本
大使館
8
9
15
マリンパレード
7
6
5
3
1
4
2
セラヤ島
アヤメルバウ島
ブラニ島
セントサ島
ブクム島
N
0
5 km

1～28　の数字はDistrictと呼ばれ、地域を示す。
…………　は境界線
——　はMRT
——　は高速道路
〈ウビン島の東にある最大の島テコン島、南の島々は省略した〉

シンガポールを知るための65章【第5版】

III 管理国家の諸相

社会のあり様を考える

IV 生存と繁栄の外交戦術

国際関係を考える

Ｖ　多国籍企業のビジネス・ハブ

経済発展を考える

VI　強く巨大な政府

政治を考える

CONTENTS

※本文中、とくに出典の記載のない写真については、原則として執筆者の撮影・提供による。

歴史を考える

I

都市国家の登場

Ⅰ

都市国家の登場

1

ラッフルズ以前の歴史

★中世の「シンガプラ」の繁栄★

16世紀に書かれたとされるマレー王朝の代々の記録『マレー年代記』には、14世紀のシンガポールが交易で栄えていたことが以下のように記載されている。

「シュリヴィジャヤー王国の王子が航海中に真っ白い砂浜をもつ小さな島を見つけ、家来に名を尋ねるとテマセクだと教えられた。その直後に嵐に遭って船が難破しそうになったために、王子一行は島に上陸した。王子は海岸近くでライオンらしい不思議な動物を見つけて感動し、ここを領土にすることを決意した。彼はその島をサンスクリット語でシンガプラ(獅子の街)と名づけた。その後、王子とその子孫の統治下でシンガプラは交易港として繁栄したが、その繁栄を妬んだインドネシアのマジャパヒト王国に(14世紀末に)襲撃され、殺された多くの人の血で大地が赤く染まったものの、何とか撃退した」。

この『マレー年代記』の記録は、14世紀に東南アジアを旅行した中国人の旅行記の記述と合致する。旅行記には、1330年代から40年代にかけてシンガプラには多くの外国人が交易のために集まり、とても繁栄していると記されているのである。

なお、14世紀末以降のシンガポールを『マレー年代記』は、最後の王パラメシュワラはマジャパヒト王国に襲撃を受けてマラッカに逃げたと記しているが、中世のシンガプラの滅亡についてはよくわかっていない。ただ、14世紀に繁栄した王国が存在していたことは明らかである。

しかしながら、シンガポール政府は『マレー年代記』や中国人の旅行記を「信頼に足る記録ではない」という理由でこれまであまり重要視しなかっただけでなく、「近現代シンガポールの歴史はイギリス植民地化以前の植民地とともに始まった」として、イギリスの歴史はイギリス植民地化以前の歴史は1990年代まで学校教科書にもほとんど取り上げられなかった。

シュリヴィジャヤー王国の王子の像

それは、シンガポールは隣国マレーシアから追い出されるように1965年に分離・独立、その後は近隣のマレー世界との関係よりも欧米諸国との関係を重視したこと、さらに、シンガポールのルーツをマレー世界や中国と関連付けて考えることは、周辺の多くの国にシンガポールへの介入の口実を与えることになるから、中世のシンガポールがマレー世界の一部だった歴史を意図的に避けてきたからである。「政府は過去の記憶に慎重にならざるを得なかった。だから、イギリス人のラッフルズという中立の人物をシンガポールの建設者とした」と、政府重鎮の1人で元外相は述べている（ラッフルズについては第2章参照）。

　ただ、近年のシンガポール川付近の発掘調査によって、中国の元や明王朝の陶器類、大量の硬貨や工房跡が見つかった。2015年2月の調査では、明王朝の皇帝が14世紀末から15世紀初頭に海外の王に贈った高貴な陶磁器が発見されている。これらは『マレー年代記』や中国人の旅行記の記述が事実であり、14世紀のシンガポールがマレー世界の交易拠点として栄えた王国であったことが明らかになりつつある。また、16世紀から17世紀の中国製磁器も発掘されているため、シンガポールは15世紀以降も中国との交易の拠点だったのではないかといわれている。なお、シンガプラの王国の中心は現在のフォート・カニングにあったよう

改訂された中学校歴史教科書の「王子の上陸」

で、金の腕輪などの貴重な装飾品がフォート・カニングから出土している。

２０１４年には中学校の歴史教科書が改訂され、それまではほとんど記述のなかった中世の歴史が15ページにもわたって挿絵や写真とともに詳述されるようになった。

そして、ラッフルズ上陸から２００年が経った２０１９年、中世シンガポールの発展のきっかけを作ったシュリヴィジャヤー王国の王子（マレー人）と、19世紀にシンガポールの発展に重要な役割を担った華人、インド人、マレー人の４人の銅像が、シンガポール川河畔にラッフルズの銅像と並んで建てられた（19ページの写真）。これは、政府が、シンガポールの歴史は交易港として栄えた中世シンガプラから始まること、さらに、シンガポールの発展に貢献したのはイギリス人だけではないと宣言したことを意味する。つまり、移民国家としてのシンガポールの歴史を東南アジア史のなかに位置付け、シンガポールは中世から繁栄した誇り高い移民国家で、かつ多民族・多言語・多文化国家であるというアイデンティティを国民に持たせたいと考えているのであろう。

（田村慶子）

2

ラッフルズ

★近代シンガポールの「建設者」★

ラッフルズ・ホテル、ラッフルズ学院、ラッフルズ・プレイスなど、シンガポールにはラッフルズの名を冠したホテルや学校などがたくさんある。ラッフルズとは、イギリス東インド会社社員としてイギリスの東南アジア植民地政策の決定、特にシンガポールの獲得に重要な役割を果たし、「近代シンガポールの建設者」として特別な地位を与えられている人物、トーマス・スタンフォード・ラッフルズである。

ラッフルズは1781年、ロンドンと西インド（ヨーロッパから西へ向かうと出会う島々や大陸のことで、カリブ海の島々や南北アメリカ大陸を指す）を往復する定期船の船長の息子として生まれた。家が貧しかった彼は、14歳でイギリス東インド会社の臨時職に就いて家計を助けた。だが、その職は、彼のその後の一生のみならず、近代東南アジアの歴史を大きく左右することになった。

イギリス東インド会社は、アジアとの香辛料貿易における巨大な利益を求めて1600年に創設された民間会社であるものの、イギリス政府からアジア貿易の独占権を特許され、条約締結権や自前の軍隊を持つなど準国家的権限を有していた。満足な学校教育を受けることができなかったラッフルズは、仕事以外の時間をほとんどすべて学問に費やした。やがてアジアに関する知識とマレー語能力、職務への忠実さで上司に認められるようになり、1805年のペナン（マレーシア）の商館への赴任に始まり、やがてイギリスの東南アジア植民地政策の決定に重要な役割を果たすようになった。

ラッフルズがジャワ副総督を経てベンクーレン（スマトラ島西部の都市）副総督の任に就いていた頃、東インド会社はインドを拠点にマラッカ海峡を経由して中国との貿易を模索していた。そのためには途中で水や食料を補給する寄港地が必要だったが、最適な寄港地マラッカはオランダの支配下にあった。ラッフルズはマラッカよりも南に寄港地を確保することを目指し、マレー王朝の代々の記録『マレー年代記』に書かれている中世に栄えた交易港シンガポールに目を付けたのである。

「シンガポールの建設者」ラッフルズ

ラッフルズは1819年1月にシンガポールに上陸した。当時のシンガポールには中世の繁栄の姿はなく、わずかな人数のマレー人漁民が住む寂れた漁村だった。ラッフルズは「手段の如何を問わずに」（ラッフルズの助手を務めたマレー人アブドゥッラーの回想）獲得に奔走した。つまり、イギリス本国の承認を待たずに、当時のシンガポールを治めていたジョホール王国の王位継承問題にまで介入して、シンガポール川河口付近一帯を獲得したのである。

ラッフルズはシンガポールをアジア貿易の中心地にしようと、1820年に「自由港宣言」を発してあらゆる物資の持ち込みを許可した。ヨーロッパから綿や毛織物、武器・弾薬などが、インドからはアヘンが運び込まれ、それを買い付けに集まった近隣の貿易商人との間で香辛料、パームオイルなどと交換されて、シンガポールは瞬く間に発展した。

「ここ（シンガポール）は3年も経たないうちに名もない漁村から1万人以上が住む大きな活気ある街になり、商業が活発に行われています。（中略）初めの2年半の間に2839隻の船が出入りし、そのうちの383隻はヨーロッパ人が所有しています」。ラッフルズは1822年10月、友人にこう述べて、シンガポールの予想以上の発展を喜んだ。

また彼は貿易と商業が発展するための実用的な都市計画も策定した。港湾や操船所、政庁、警察署などを建設・整備し、急速に増加する移民たちの間の紛争を避けるために民族別の居住区も作り、教会やモスク（イスラーム寺院）も建設した。さらに教育の普及と現地調査も怠らなかった。教育の普及と現地住民の生活の研究こそが、商業を発展させる前提になると考えていたからである。彼はマレー人が自らの言葉で文化や歴史を学べる教育機関の設立を意図し、それは後にラッフルズ学院として具体化された。

ラッフルズの最大の目的がイギリス植民地の建設・発展であり、イギリス本国への奉仕であったとしても、彼は当時のイギリス植民地官僚としては異色の人材であった。マレー語を習得し、現地の歴史や文化を積極的に学び、動植物の採集も行った。彼の著『ジャワ誌』(全2巻)は今日でもジャワを学ぶ人の重要な文献になっているし、彼が発見した世界最大の花はラフレシア・アルノルディと命名された。これらの華々しい功績によって、彼はイギリス東洋学の発展に寄与したとしてSirの称号を与えられた。

しかしながら、彼の生涯は決して薔薇色ではなかった。本国の承認を待たずにシンガポールを獲得したことで会社は彼を冷遇した。彼の「勝手な行動」がオランダを刺激し、イギリスとオランダの戦争を引き起こす可能性を憂慮したのである。ソフィア夫人(2番目の妻、ラッフルズの活動を最後まで支えた)は夫の死後に発表した『回想録』に、「職務上、ラッフルズ卿は自分の責任で行動せざるを得なかった。会社に照会して指示と回答を求めたが、それは遅れたり、来なかったりしたため、成り行き上、前進せざるを得なかった」と書いている。

１８２４年の英蘭条約によってイギリスのシンガポール島すべての領有が確定しても、会社は彼を許さなかった。彼は船の火災で失った自分の財産の損失補償と年金を会社に要求したが、会社は却下しただけでなく、彼の休暇中に会社が支払った給与の返還まで請求した。また家族も次々に失った。最初の妻と、ソフィア夫人との間にできた5人の子どものうち4人を熱帯の地のコレラや赤痢で失い、彼自身も先天性の脳の病気(脳腫瘍だったといわれる)に悩まされて45歳という若さで１８２６年に死去した。友人の尽力で彼の功績が認められたのは、死後何年も経ってからのことである。

なお、近年、ラッフルズの部下ファクアール(１７７４〜１８３９年)が再評価されている。現地の女性と結婚し、マレー語やマレー人の習慣を熟知していたファクアールは、ラッフルズが禁じたアヘンやギャンブル、奴隷取引を「現地の習慣」として許容し、またラッフルズの都市計画のいくつかは「現実的ではない」として従わなかったため、ラッフルズに解雇された。しかし、シンガポールに短期間しか滞在しなかったラッフルズに代わって、実質的にシンガポールを統治、発展させたのはファクアールであるともいわれている。なお、カナダのジャスティン・トルドー現首相（２０１５年就任）は、ファクアールの子孫で、わずかながらマレー系の血が入っている。

ただ、ファクアールの再評価がなされたとしても、シンガポールの重要性を見出して発展の礎を築いただけでなく、包括的で体系的な植民地経営のあり方を示したラッフルズの功績の大きさが変わることはないであろう。シンガポール発展の礎を築いたラッフルズは「シンガポールの建設者」としてシンガポール人に親しまれ、彼が最初に上陸した地点には大きな銅像が建っている。

（田村慶子）

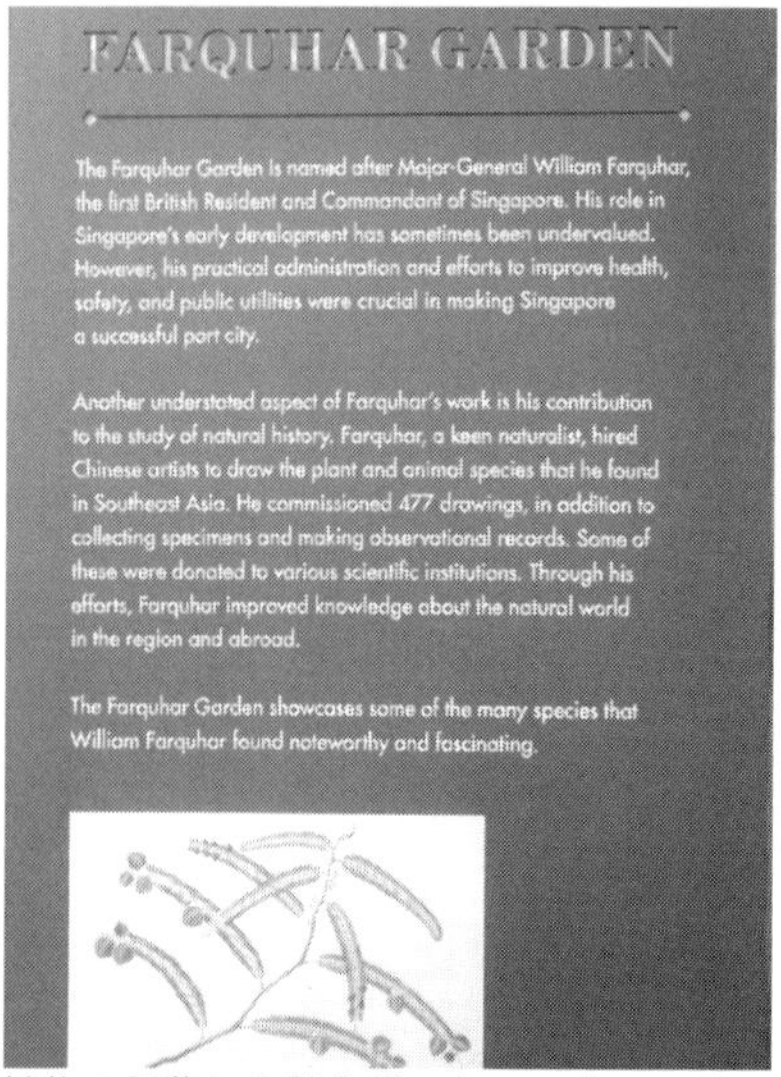

植物の採集にも熱心だったファクアールの功績を記念して作られたフォート・カニングのファクアール・ガーデン

3

華人、マレー人、インド人

★多様な移民社会の成立★

ラッフルズが世界に開かれた中継貿易港としてシンガポールを建設して以後、シンガポールは発展を続けた。とくに、19世紀末にイギリスが大規模なゴムのプランテーション建設と錫鉱山開発のためにマラヤ（現在の半島部マレーシア、マレー半島）に本格的に介入し、シンガポールがその中継・加工貿易港となると、シンガポールは飛躍的に発展した。同時に、シンガポールは、イギリスの移民奨励政策によって、錫鉱山の労働者として出稼ぎにやってきた大量の中国人や、ゴム園労働者としてやってきたインド人労働力の一大中継地ともなり、また、貿易や商業に従事したり、港湾・建設労働者や家事手伝いとしてシンガポールに居住する者も増大した。

イギリスは、アジア各地や中東などからの急増する移民を中国人、インド人、マレー人、アラブ人、ヨーロッパ人などと分類した。1931年にはすでに人口の75％を中国からの移民とその子孫が占め、今日の人口構成にほぼ近い状況になった。

では、発展するシンガポールにアジア各地から集まった様々な移民はどのような社会を形成したのであろうか。

イギリスは大量の中国移民に対して華民護司署という移民事

表　シンガポールの人口変化と民族別の比率

（単位＝千人、カッコ内は%）

年	華人	マレー人（系）	インド人（系）	その他	合計
1860	50.0(61)	16.2(20)	13.0(16)	2.5(3)	81.7
1891	121.9(67)	36.0(20)	16.0(9)	7.7(4)	181.6
1931	418.6(75)	65.0(12)	52.5(9)	21.6(4)	555.7
1957	1,090.0(75)	197.1(14)	129.5(9)	28.8(2)	1,445.9
1990	2,089.4(77)	380.6(14)	191.0(7)	29.2(1)	2,690.2
2000	2,512.7(77)	456.8(14)	261.1(8)	32.6(1)	3,263.2
2010	2,794.0(74)	503.9(13)	348.1(9)	125.8(2)	3,771.7
2020	3,006.8(74)	545.5(14)	362.3(9)	129.7(3)	4,044.2

出典：Cheng, Siok Hwa, “Demographic Trends”, in Chen, P.S.J. ed., *Singapore : Development Policies and Trends,* p.69. Department of Statistics, *Singapore Census of Population* 各年版。1957年以降の人口は居住者（市民及び永住者）のみ。2020年6月時点。

務をおもに取り扱う機関を設けた以外は、彼らに法的保護を与えず、居住区への行政干渉もほとんど行わなかった。したがって彼らは出身地ごとの血縁・地縁を利用した仲間的なネットワークを組み、自己の安全と財産を守らねばならなかった。中国移民の出身地別の人的結合体は「幇（パン）」、その相互扶助組織を「会館」という。中国移民はそのほとんどが中国南部の出身であり、最大が福建幇、次に広東幇、潮州幇、海南幇が有名であった。互いに助け合うこの結び付きによって、それぞれの幇ごとに特徴ある職業分布も生まれた。

　幇は異郷で働く移民には不可欠のネットワークであったが、同時にそれは同郷人のみの社会的・経済的相互協力体制を意味し、閉鎖的な集団でもあった。幇どうしの争いも繰り返された。福建語と広東語、潮州語は話し言葉ではまったく通じないことも互いの反目に拍車をかけた。このような幇相互の問題を解決するための上部組織として中華総商会が設立されたのは、1906年のことであった。イギリスは中華総商会を団体法の適用から免除して特別な地位を認め、同会との良好な関係を保つことで幇を温存して分割統治を確立していったのである。中国移民の社会は、居住地も職業も幇ごとに異なるという全体としてまとまりのないものとなった。また、彼らのほとんどにとってシンガポールは「仮の宿」であり、彼らの意識は常に中国に向いていていた。

シンガポールに居住するマレー人もまた、ほとんどがマラヤやオランダ領東インド（インドネシア）からの移民であった。上陸直後にラッフルズが当時マラッカにいたマレー人に移住を呼びかけたことからマレー人人口も増加した。１９３１年の統計によれば、農業・漁業に従事する者と、植民地政府の下級役人もしくは警察官という職業に従事するマレー人が全体の半分を占めている。これはイギリスがマラヤ植民地政策において土地所有や公務員採用に先住民であるマレー人を優先したからである。結果として、ビジネスに参加するマレー人はきわめて少なく、中国移民が大量に流入するなかで、マレー人の多くは都市の中心部から島の周辺部へと移り住んだ。このことが、やがて彼らの社会的地位に大きな影響をもたらす。

一方、シンガポールのインド人移民は、南インドの囚人が建設労働者として連れてこられたことから始まったとされる。囚人労働は１８７３年に禁止されたが、労働期限を終えても彼らの多くは帰国せず、シンガポールで建設・港湾労働に従事した。さらにその後、インド南部タミル州からゴム園労働者、建設・港湾労働者として大量のタミル人が移民してきた。彼らはタミル語を話し、ヒンドゥー教徒であり、低いカーストに属する者がほとんどである。イギリスは彼らの監督官に、彼らよりも高いカーストに属するセイロン（現スリランカ）人などを雇った。また、パンジャブ州など北インドからの移民もやってきたが、彼らはイスラーム教徒やシク教徒で、その言語はタミル語とはまったく相互に通じない。北インド出身者はゴム園の労働者ではなく、弁護士や医者、下級官吏、兵士としてやってきた者が多かった。シンガポール第3代大統領（在位1981～1985年）となるデバン・ネァはインド南部のマラヤーリ出身者である。インドから英領マラヤへの移民は1938年に禁止された。

華人、マレー人、インド人以外の「その他」はユーラシア人やアラブ人などである。ユーラシア人とは、植民地官僚や貿易商人としてシンガポールにやってきたヨーロッパ人とアジア人の混血で、第2代大統領ベンジャミン・シアーズ（在位1971年～1981年）はユーラシア系である。

なお、19世紀末から20世紀に入ると、多様な移民たちのなかには祖国との絆を断ってシンガポールに定住する人も増加した。定住した人々の多くはイギリスに忠誠を誓い、自ら英語を学び、かつ子どもをイギリスが作った英語学校で学ばせ、自分たちは移民集団とは異なる社会集団であると考えた。英語教育を受けたこの集団は「英語派」と呼ばれ、イギリス総督の諮問機関である審議会委員に任命されるなど、政治的に大きな影響力を持った。英語派の華人は「クィーンズ・チャイニーズ」または「海峡華人」、後に「英語派華人」と呼ばれた。

また、少数ではあるが、かなり早い時期にシンガポールに移住し、現地女性と結婚するなどして土着化した「プラナカン」と呼ばれた人々もいた。プラナカンも英語教育を受けて社会的に高い地位の職業に就いた人が多い。プラナカンにはマレー人もインド人もいるが、多くは華人である。プラナカン商人には裕福な人が多く、イギリス植民地期に言葉や食事、服装、食器など華やかで独特の文化を築いた。初代首相リー・クアンユー氏とその妻は英語派華人であり、プラナカンでもある。（田村慶子）

4

抗日救国運動

★「南洋華僑」の愛国★

シンガポールに居住する華人に反日感情が芽生えたのは、1895年の日清戦争で清朝が敗北したときからといわれる。当時のシンガポールの人口は18万人余、そのうち華人は約12万人であった。もっともこの反日感情には、日本のような小さな新興国家の侵略から中国を守ることができなかった清朝政府への怒りと失望も含まれていた。1911年の辛亥革命と中華民国の成立は、したがって彼らの中国人としての誇りと愛国心を燃え上がらせた。

シンガポールで中国移民が作った学校が、私塾程度のものから中国の学校教育に沿った系統的な教科（修身、読経、中国古典文学、算数など）を教える本格的な学校に発展したのは、このような愛国心の高揚ゆえであった。出稼ぎに来て成功した有力者が、私財を投じて中国式の6年制小学校を相次いで設立した。さらに、1919年からは学校教育が、それまでの中国各地の方言ではなく標準中国語（中国の国語、東南アジアでは華語と呼ばれる）で行われるようになると、より一層シンガポールの華人を中国の中国人と精神的に一体化させていったと思われる。

具体的な抗日救国運動は、中国本土で起こる反日運動と連動して、1915年の「21カ条要求」時から日本製品ボイコット運動として展開された。1919年の「五四運動」直後には11カ月間にわたって日本製品ボイコットが続いただけでなく、日本製品を扱う商店や日本人商店・家屋までも襲撃された。

1919年当時のシンガポール在留邦人は3000人余にのぼる。1908年には1700人ほどであったから、わずか10年で急増したことになる。第1次世界大戦によってヨーロッパ製品の輸入が途絶え、代わりに、日本製の繊維や雑貨製品を売り込むために日本から商社や商店が大量に進出したからであった。日本製品ボイコット運動が盛り上がりをみせたのは、日本企業の進出によって排斥されたシンガポール地場企業の不満もあったろう。

さらに、1931年の満州事変は華人の反日感情を一気に燃え上がらせ、積極的な抗日救国運動に発展していった。その中心となったのがタン・カーキー（陳嘉庚、1874～1961年）である。彼はこの時代のもっとも著名な企業家であり、政治的・社会的活動家であり、また惜しみなく私財を故郷に寄付した慈善家としても知られている。中国政府をして「南洋華僑の英雄」といわせたタンとは、どのような人物なのか。

タンは中国南部の都市厦門（アモイ）近郊の小さな漁村に生まれた。十分な教育を受けることなく16歳でシンガポールに渡り、父が経営する米屋を手伝うようになった。やがて、苦労に苦労を重ねて、また幸運にも恵まれて、1920年代にはゴム園から米貿易まで幅広く事業を展開し、1万人以上を雇う大企業家に成長していったのである。同時に彼は、シンガポールのみならず故郷にも小中学校を次々と設立して、教育の発展に尽くした。彼が設立した厦門大学は、16年後に中国の国立大学となるまでほとんど彼の私財によって支えられていたといっても過言ではない。

シンガポールに長く居住してそこで財を築いても、彼の眼は常に中国に向き、強烈な中国への帰属意識を持っていた。彼がシンガポールに設立した学校はすべて華語や中国の歴史を学ぶ学校であった。

私財をつぎ込んで設立した中学校のひとつ南洋華僑中学に建つタンの銅像

もっとも、このような居住地への無関心と祖国への執着は、当時の多くの華人に共通に見られることであった。

1937年の日中全面戦争開始は、したがってタンの中国への愛国心を刺激した。彼は1937年、東南アジアの華人代表を集め、巨額の援助金と物資を中国に送るという大規模な抗日救国運動をシンガポールを拠点として開始したのである。日本軍の東南アジア侵攻直前の1941年には、東南アジア全域で救国運動の支部は200を数えた。東南アジアに居住する華人の90%が募金を行うなど何らかの関わりをこの運動に持っていたといわれ、華人史上最大の祖国救済運動であった。また、多くの華人の若者が武器を取って抗日義勇軍に参加し、またビルマ（ミャンマー）を通って中国に至る物資運搬道路のトラック運転手になった。この義勇軍やトラック運転手育成にもタンは援助を惜しまなかった。

日本軍がシンガポールに侵攻する直前、タンはシンガポールを去ってジャワに潜伏し、日本軍の逮捕を免れた。1949年、タンは念願の帰国を果たして中国共産党政権に参画し、今度は中国から東南アジアの華人の華語教育に情熱を注いだのである。

「南洋華僑」の中国への強い帰属意識と愛国心――これが抗日救国運動を支えていた。「南洋華僑」の意識が中国から現地社会へと向かうのは、1950年代のことである。

なお、シンガポールの教育の発展に大きな貢献をし、抗日の英雄だったにもかかわらず、タンは学校の歴史教科書には登場せず、その名前は駅や道路に付けられることはなかった。反共政策を掲げたシンガポール政府が中国共産党政権と親密だったタンを避けたためである。ただ、シンガポールが1990年に中国と国交を樹立（第37章「対中国関係」を参照）した後は徐々にではあるが状況は変わり、2013年に営業を開始したMRTダウンタウン線（第53章「都市交通政策」を参照）に、「タン・カーキー駅」がようやく登場した。

（田村慶子）

5

日本軍政期

★「昭南島」の３年半★

「昭南島」――1942年2月から1945年8月までの日本軍政期、シンガポールはこのように日本から命名された。それまでイギリス植民地政府の存在を前提に暮らしてきた当時のシンガポールの住民にとって、イギリス極東軍、東洋艦隊、極東空軍のあっけない敗北は、「大英帝国」の没落を象徴するに十分な事件であった。住民にとって全く未知の時代が始まったのである。

シンガポールは英領マラヤのゴム、錫という戦略物資の中継・加工地港であり、軍港でもあったために、日本軍政においてもその中心となった。

日本軍政の特徴はイギリス植民地時代よりも徹底した民族別の支配であった。従来イギリス人が占めていたポストには日本人が任命されたが、絶対数が不足していたためにマレー人が高い地位に登用され、官吏の養成もマレー人を中心に行われた。また、インド人は祖国インド独立のために日本軍と協力して作られたインド独立軍への参加を促され、比較的優遇された。

もっとも、このように優遇されたマレー人とインド人もいた一方で、泰緬（たいめん）鉄道の工事に駆り出されて死亡したマレー人やインド人も多かった。泰緬鉄道とは、第2次世界大戦中に日本軍がタイとビルマ（ミャンマー）との物資輸送を目的として建設した鉄道で、日本の占領地から何千人もの連合軍捕虜や占領地の人々が労務者として突貫工事に従事させられた。優遇された数よりも強制労働に従事させられた数の方が多かったという研究報告もある。「ロウムシャ」は戦後長い間シンガポールで通用した日本語となったほど、日本軍が科した強制労働は住民に大きな衝撃を与えた。

なお、華人は冷遇された。それは、シンガポールが東南アジア華人の抗日救国運動の拠点だったからである（第4章「抗日救国運動」参照）。日本軍は抗日救国運動に参加した華人を「抗日分子」として摘発しようとしたが、誰が「抗日」で誰がそうでないのかの区別がつかないため、18歳から50歳の華人男性全員を数カ所に集め、3日間にわたって憲兵隊による検証が行われた。約60万人もの男性が検証を受け、「抗日分子」「共産主義者」（検証の基準は曖昧で、英語が話せる、抗日義勇軍に参加したことがある、あるいは義勇軍を知っていると判断されただけで、「抗日分子」や「共産主義」とされた）と見なされた者はそのままトラックに乗せられ、東海岸で銃殺されるか、海で溺死させられた。「粛清」として知られるこの大虐殺の被害者は6000人とも4万人ともいわれている。

さらに日本軍は抗日救国運動の「償い」として、華人社会に5000万マラヤドルの強制献金を課した。華人社会の指導者たちは、住民に家財道具を売ることまでも呼びかけてこの途方もない金額の工面に奔走して何とか2900万マラヤドルを集め、残りは日本の横浜正金銀行から借金をして何とか課せられた金額を集めたのである。

日本軍はまた米や食糧、塩、砂糖などを家族数に応じて配給所から公定価格で配給する制度を開始した。配給のための組織化は厳密に行われ、シンガポール全体を7つの大区に分割、さらにいくつかの小区に分け、それぞれの区長に責任を負わせた。区長は配給のみならず、警備や警防、労務者供出の仕事も負わされ、軍政末期には日本軍の塹壕掘や防空壕作りなどのために特別奉仕の人員も供出する義務も負わされた。

学校教育では日本語教育が強制され、朝の体操後には「東京遥拝」が児童・生徒や教職員に強要された。華語学校と英語学校は激減し、残された学校では日本語が必須となった。伊勢神宮を模して造られた荘厳な昭南神社には、イスラーム教徒までも参拝させられた。なお、昭南神社は日本の敗戦直後に破壊されて今はわずかに手水鉢などが残るだけである。

このようにシンガポールのほとんどの住民、特に華人にとっては苦渋に満ちた3年半であったが、占領期の恐怖はシンガポールで生まれ育った移民2世や3世に、親世代とは異なった感情を想起させることになった。イギリスへの忠誠ではなく、植民地支配を打倒し、これに代わる自分たちの国家を樹立しようという独立ナショナリズムを抱かせたのである。

昭南神社の手水鉢

初代首相となるリー・クアンユーも憲兵隊による検証を受けたが、列に並ぶ直前に機転を利かせて自宅に逃げ戻り、数日間ジャングルに隠れていた。彼は後にこの日のことを回想して、「その日から私は、我々自身の運命は我々自身で決める決心をした。外国勢力の走狗や玩具になってはならない。

「粛清」の犠牲者を含め、日本軍政期に犠牲となった人々の冥福を祈るための犠牲者慰霊塔

我々が国家の主人になるのだ。欧米外国勢力の統治下に受けた恥辱は十分な苦しみだった。アジアの強国日本の統治下ではさらに苦しかった。私は、再びわが国土を外国人の手に渡してはならないと誓った」と述べている。さらに、日本軍政期のことを「暗黒で残酷な日々は、私にとってもっとも大きく、かつ唯一の政治教育であった」とも語っている。

私たち日本人は、日本軍がシンガポールに残した負の遺産を忘れてはならない。

（田村慶子）

6

歴史教科書に見る「戦争の記憶」

★どう語り継がれてきたか？★

日本において戦争というと、広島・長崎における原爆投下、東京・大阪の大空襲などが語り継がれているが、シンガポールの歴史教科書ではどのように「戦争の記憶」が描かれているのであろうか。ここでは教科書に書かれた戦争の記述を見ていきたいが、まずはじめに述べておきたいのは、シンガポールで第2次世界大戦について学ぶことが重視されるようになったのは1980年代にすぎないという事実である。シンガポールでは1984年に学習指導要領（syllabus）が改定され、初めて中学校でシンガポール史を教えるようになるが、それ以前は、歴史教育は重視されず、日本軍政期の歴史も詳しく教えていなかった。英語、数学、科学といった「より実利的価値の高い科目に時間を割くため、歴史と地理はカリキュラムから削られた」（オン・パンブン環境相）からだ。また、シンガポール史といっても植民地としての歴史しかなかったため、多くのシンガポール人が「記憶に値する歴史を有していないと信じていた」（ラジャラトナム外相）からでもあった。

その結果、1975年に小学校の歴史は廃止、代わりに歴史、地理、道徳を統合した生活科（Education For Living）が導入された。

中学歴史教科書（2015年版）

生活科における日本軍政期の扱いはわずかであったが、そのわずかな記述も1984年に生活科に代わって社会科が導入されたのを機に完全に姿を消した。その後、小学校で再び戦争が教えられるようになるのは、愛国教育（National Education）の導入を受けてなされた1999年の学習指導要領の改定まで待たねばならない。

一方、中学校においては、1984年に歴史が必修となり、ここで第2次世界大戦について詳しく教えるようになる。この時期に歴史が重視されるようになったのは、第1に、1970年代におけるシンガポールの高度経済成長によって、シンガポール史が「発展途上国から先進国へ」というサクセス・ストーリーとして語ることが可能になり、歴史教育によって国民の誇りを高めることができるようになったからだ。第2に、当時政府は権威を嫌い個人の権利を主張する「西洋的価値」が若い世代に浸透し始めていたことに不都合を感じており、それに対処するため、儒教の内容を中心とした「アジア的価値」の若者への普及を目論んでいた。そうしたなかで自らがアジア人であることを若い世代に意識づけるために歴史教育が重視されるようになったのだ。

中学の歴史教科書はその後、1994年、1999年、2005年、2014年に改訂されるが、どの版も教科書全体の約14％から19％を割いて日本占領期を丁寧に記述している。1999年からは小学校の社会科教科書も戦争の実態を詳述するようになり、1999年版は54ページ、2005年版は58ページを第2次世界大戦に割いている。ところが、2013年版はわずか8ページに激減した。教科書の内容を定める権限を持つ政府がどのような意図で戦争の記述を減らしたのかは不明だが、中学で日本軍政期をしっかり学習することになっていることがひとつの要因だったのかもしれない。では、実際にどのように戦争が教えられているのだろうか。ここでは2015年に発行された中学歴史教科書を例にとり、第2次世界大戦の記述を紹介したい。

日本占領期については、中学2年で40分授業で8回にわたって学ぶようになっている。教科書の第5章「日本占領は人びとのシンガポールへの見方を変えたか？」は54ページを割いて日本軍政期を詳述している。戦前、戦中、戦後において人びとのシンガポールへの見方がどう変わったか、あるいは、変わらなかったかを、故郷としてのシンガポール、シンガポールの支配者イギリス、「難攻不落の要塞」シンガポールという3つの視点から生徒が考えるようになっている。

小学校社会科教科書（2013年版）

第1節「日本占領前の人々のシンガポールへの見方」では、中国やインドなどから来たシンガポール生まれでない人々はいずれ母国へ帰ろうと考えており、彼らの帰属意識はシンガポールではなく出身国にあったことが書かれている。また、イギリス人は自分たちを他の人種より優秀だと信じており、遅れた住民の「文明化」という名のもとにシンガポールを植民地支配したことに触れている。さらに、来たるべき日本の侵略に備えて、当時の超大国イギリスがシンガポールを「難攻不落の要塞」とし、かつ白人優越主義が信じられていたため、人々はシンガポールは陥落しないものと思い込んでいたことが記述されている。

第2節「人々のシンガポールへの見方に対する日本占領の影響」では、イギリスが誇った「難攻不落の要塞」がたった10日間で日本軍の手に落ちた経緯が書かれている。つづいて、日本が白人の優越という神話を打破し、アジア人は西洋人と同じように優秀だという思想をマスコミや学校教育で広めようとしたことに触れている。つぎに、日本はマレー人とインド人からは協力を得ようとする一方、イギリス人、オーストラリア人、ユーラシア人（欧亜混血）、華人に対しては敵としてきびしく弾圧したことが書かれている。さらに、戦争中の民衆の生活について、たとえば、華人の虐殺、136部隊やマラヤ人民抗日軍による日本への抵抗、反日と目された人々への拷問、物資の欠乏とインフレ、配給と闇市場について紹介している。最後に、日本という共通の敵がいたことから他の人種の同僚と初めて友人になったという教師の体験談と、日本占領が自身の考え方に与えた影響はあまりなかったという人力車夫の証言が並列されている。

第3節「日本占領後の人々のシンガポールへの見方」では、日本が降伏し、イギリスがシンガポールに復帰してからの状況が書かれている。食料、物資、住居、学校、仕事が圧倒的に足りず、人々のイギリスへの不満が高まってストライキや暴動が多発したこと、また、中華総商会が中国生まれの移民に市民権を付与するようイギリスに要請したことに触れている。一方で、政治参加に興味のない人々が多くいたこともつけ加えてある。最後に、日本占領はシンガポールの多くの人々にとってトラウマ的体験だったが、イギリス支配の打破が不可能でないことを学び、人々はより広範な政治への参加と植民地支配からの脱却を望むようになったとまとめられている。

このようにシンガポールではかなり詳しく日本占領期について教えているが、こうした歴史教育にもかかわらず、シンガポールの人々は一般に親日的である。たとえば、２０１１年の東日本大震災の際には、シンガポールの様々な有名人が日本を励ますメッセージをひとことずつ録画し、そのシーンをテレビで繰り返し流していた。シンガポールの人々が親日的な理由として考えられるのは、第１に、シンガポール政府は常に戦争の問題が反日や反英につながらないよう気をつけてきたこと、第２に、シンガポールでは１９７０年代末から「日本に学べキャンペーン」が行われ、また、比較的早くから戦争以外の日本イメージが日本製品、アニメ、ファッション、料理などを通して広く伝わったこと、第３に、シンガポールのナショナル・アイデンティティーは、主としてマレーシアとの対抗関係において形成され、シンガポールの愛国が必ずしも反日というかたちをとらないことなどが挙げられる。

いまのシンガポールの若い世代には、歴史教育などを通じて、戦争中にシンガポールで日本が何をしたかがしっかりと伝えられている。日本人としては、シンガポールで日本軍による華人虐殺があったことや、日本占領期に抑圧されたり耐乏生活を強いられた人々が多かったことは銘記しておくべきであろう。

（渡辺洋介）

7

突然の独立

★リー・クアンユーの涙★

「私にとって、これ(独立の発表)は苦悩の瞬間であります。なぜならこれまでの人生をかけて、私は2つの地域が統合されることを信じて進んできたからです」――1965年8月9日、シンガポールのマレーシアからの分離・独立を発表するリー・クアンユー首相(当時)は、ここまで述べると言葉を詰まらせ、ハンカチで涙を拭った。これまで、冷静沈着に相手を議論でねじ伏せる首相の姿ばかり見てきた国民にとって、彼の涙は大きな驚きであったろう。彼を涙させた突然の独立に至る過程を振り返ってみたい。

すでに1957年に独立を達成していたマラヤ連邦(現在の半島部マレーシア)に、イギリスの保護領サバとサラワク、自治領シンガポールを統合して、1963年9月に新連邦マレーシアが発足した。それは、リー率いるシンガポールの与党人民行動党にとって結党以来の目標の達成であった。

リーは、シンガポールにとってのマラヤの必要性を次のように考えていた。第1は経済的重要性と相互補完性である。農業・漁業生産に乏しく、天然資源もほとんど産出せず、伝統的な中継貿易に大きく依存するシンガポール経済にとって、ゴム

表　統合の形態と人口比率

統合の形態	総人口	人口内訳
連邦＋シンガポール	約850万人	マレー系43%、華人44%、インド系9%
連邦＋シンガポール＋ボルネオ	約971万人	マレー系46%、華人42%、インド系8%

出典：*Federation of Malaya Official Yearbook 1962*, p.40, *Singapore Yearbook of Statistics 1977-78*, 1978, p.15より算出。

と錫が豊富なマラヤは重要な後背地であった。同時に、シンガポールはマラヤの輸出の32％、輸入の41％を占める重要な貿易相手でもあった。また、周辺諸国の独立によって中継貿易は相対的に衰微しつつあり、中継貿易に取って代わる工業化のためにもマラヤは重要な市場となると期待された。第2は、シンガポールが単独で独立すれば人口の76％を占める華人のナショナリズムが表出し、イギリスおよびマラヤ連邦の敵意の対象となってしまうこと、さらに第3には与党人民行動党内部の問題があった。同党は、書記長リーをはじめとする英語教育を受けたイギリス帰りのエリート（英語派）と、左派の労働組合活動家や華語学校学生ら（華語派）との連合政党として出発し、民衆に支持基盤を持つ華語派の活動に支えられて1959年の内政自治権獲得に伴う総選挙で大勝したのであった。しかし、統合問題が具体的になると、英語派と華語派の対立は尖鋭化していった。華語派もシンガポールのマラヤ連邦への統合には賛成だったが、まずシンガポールが単独の独立国家となってマラヤと対等な関係で統合を話し合うべきで、英語派は統合を急ぐあまり、シンガポールに不利な条件で統合を受け入れようとしていると主張した。したがって、政治的に党内の華語派を抑えて主導権を握るには英語派のみでは困難で、反共的なマラヤ連邦とイギリスによる圧力が必要であった。

一方、マラヤ連邦のシンガポール統合の意図は、経済的なものではなく政治的なものであった。人民行動党内部の華語派に直接政治的支配を及ぼすことができる手段として重要だったのである。また、マラヤ連邦が、経済発展段階の遅れたボルネオ島のサバやサラワクを新連邦に加えたのは、シンガポールのみの統合では華人人口がマレー系人口を上回るからである（前頁の表参照）。

マラヤ連邦とシンガポールでこのように統合の思惑が異なっていたことが、新連邦マレーシア結成直後から両者の経済協力の足並みを乱れさせた。経済協力を望むシンガポールに対して、発達したシンガポール経済を何とか抑え込もうとするマレーシア連邦中央政府は経済協力に否定的で、マレーシア結成直後から対立は始まっていた。１９６３年当時のシンガポールの１人当たり所得は５３９米ドル、一方、錫とゴムの生産・加工というモノカルチャー経済のマラヤ連邦は２２０米ドルでしかなく、連邦中央政府はすでに発達したシンガポール経済のさらなる発達ではなく農村開発を重視した。

現在のシンガポールと半島マレーシアをつなぐコーズウェイ第２リンク

さらに、マレー系優遇政策の是非は両者の対立を深めた。連邦中央政府は、経済的・社会的に華人に比べて遅れたマレー系に特権を与えてその地位を向上させるというマレー系優遇政策をマラヤ連邦独立以来堅持していたが、人民行動党は、特定の民族を優遇するよりももっと一般的な社会的・経済的改革こそが恵まれない人々を援助する基本であると考えていたのである。

マレーシア全体のマレー系の利益促進を図る連邦中央政府はシンガポールの選挙に干渉し、一方、人民行動党は党の考え方をマレーシア全体に広めるべく、連邦中央政府の政策は「マレー系のマレー

AVERAGE DAILY CERTIFIED SALE EXCEEDS 150,000

The Straits Times

atlas

PAGE ONE LEADER

Now look to the future

Tengku pledges support for admission to Commonwealth and United Nations

What it means—at a glance

Singapore is out

Tengku: It was my idea...

STOP PRESS

Secret signing

Raja is named Foreign Minister

for correct weighing...

AVERY

For electrical products throughout Malaysia G.E.C.

シンガポールの分離を伝える英字新聞（中央右の写真がマレーシア連邦政府首相ラーマン）

シア」を進めるものであり、「マレーシア人のマレーシア」を創るべきだという新提案をマレーシア全土で行った。

このように連邦中央政府と人民行動党の対立が抜き差しならない状況となるなか、シンガポールで1964年7月と9月に華人とマレー系の間で暴動が発生し、多くの死傷者が出た。人民行動党は、暴動は連邦中央政府のマレー系政党の扇動とみなし、連邦中央政府は、暴動は抑圧されたシンガポールのマレー人の不満が高じたものと主張した。

両者の関係を今後どうするのかという交渉は、1965年初頭から秘密裏に進められた。マレーシアの国家原理に真っ向から挑んだリーであったが、分離には強く反対した。彼はシンガポールのマレーシアにおける経済的重要性ゆえにまさか連邦が分離を決定するとは考えていなかった。しかし、1965年7月に両者は合意、8月9日にシンガポールの分離が発表された。

連邦中央政府ラーマン首相はシンガポール分離を発表する議会演説のなかで、分離を決定付けたのは「マレーシア人のマレーシア」であり、これは「マレーシアはマレー系が支配している（国）というよくない印象を与え、かつ華人が圧迫されているという誤解を内外に与えた」と述べている。

新連邦結成からわずか2年後、シンガポールは単独の独立共和国となった。

（田村慶子）

8

南洋大学の25年

★「権力に祝福されない大学」の興亡史★

現在、南洋理工大学があるジュロン（シンガポールの南西部）の広大なキャンパスの庭園に「南洋大学建校記念碑」という小さな碑がある。ただ、その碑文を丁寧に読んでも、ここに紫禁城を模した壮麗なデザインの図書館をはじめとするいくつもの中国風校舎が並び、約1万2500人の卒業生を送り出した南洋大学（南大）という大学が存在していたことを想像するのは、とても難しいだろう。南大は、中国（台湾と香港を含む）の地以外で初めて設立された華語大学であり、移民が自分たちのルーツを残すべく独力で資金を集めて、1956年に開学した私立大学である。中国移民が創設した小学校や中学校はアジアに数多くあるが、大学はこの南大だけである。

植民地時代、学校は英校、マレー校、華校、タミル校という4種類の言語別小学校に分かれていたが、イギリスは英校とマレー校（この2つには中学校もあった）、タミル校を補助の対象とし、華校はほとんど放置したままであった。華語の小中学校は、この地に財を築いた資本家の手によって設立され、運営費などもすべて寄付によって賄われ、教師はおもに中国から招請していた。

戦後、イギリスはすべての言語別小学校をその管理下に置く代わりに、授業料を無料とする政策を打ち出したが、実際は英校と他校、とくに英校と華校への補助金に大きな差をつけたり、英校のみを増設するなどして、児童・生徒を英校に誘導しようとした。さらに、1949年10月に中華人民共和国が成立すると、華校学生に共産主義思想が浸透するのを恐れたイギリスは中国から教員を招請することを禁止しただけでなく、大学進学のために中国に渡った華校卒業生の帰国を禁止した。そのために、華校は教員不足となり、また卒業生の大学進学の道が閉ざされてしまったのである。

南洋大学建校記念碑

このような状況に危機感を抱いたのは、長い間華校を資金的に支えてきた華人の自助組織である幇の有力者たちであった。1953年、福建幇を中心として華語大学の創設運動が開始され、シンガポールのみならずマラヤ全土の華人が「一華一元運動（1人の華人が1マラヤドルを寄付する）」といわれる広範な募金活動に応じ、1956年に3学部（文学部、商学部、理学部）573人の新入生を迎えて南大は開校した。開学式典は1000人を超える関係者の他に、式典をひとめ見ようという大勢の華人の熱気に包まれた。しかし、イギリスおよび1957年に独立が決定していたマラヤ連邦は華語大学設立に強く反発し、両者は南大を大学として承認しなかった。大学として承認されなければ南大はただの私立の専門学校と同じである。承認問題は新入生が進級するにつれて、深刻な問題となった。

南大は華語教育抑圧という危機感から生まれた、シンガポールを中心とする東南アジア華語派華人（華語教育を受けた華人）のいわば自己保存運動の結果である。だが、イギリスの圧力の下で将来の展望が見えない華語派華人にとって、大学は「華語教育の牙城」として既存の権力に対する闘いの象徴となり、結果として左派学生や野党の支持基盤ともなっていったのである。

1959年総選挙で与党となった人民行動党政府の下でも、南大への圧力は続いた。当時の人民行動党はマラヤ連邦との統合を目指しており、連邦の国語であるマレー語の習得と国際語である英語の習得を国民に奨励し、南大学生の反発を買った。1963年にマレーシア連邦が結成されると、連邦警察と名を変えたシンガポール警察は、「共産分子取り締まり」として南大学生や職員を大量に逮捕し、理事長の市民権を剥奪するなどして、大学運営を危機的な状況に陥らせた。独立後、英語の普及を進める人民行動党政府は露骨な南大排除を行うようになり、華語能力の乏しい学生も受け入れること、学生に英語の習得も奨励することなどの声明を南大に出させた。これは華語教育の最高機関としての性格を大きく逸脱するものであり、反対する理事は辞任し、授業ボイコットをした学生たちは停学や退学処分となった。1970年代になると、政府は英語大学であるシンガポール大学との合併を南大に迫り、1980年、南大は吸収合併されて現在のシンガポール国立大学となり、南大は25年の

住宅地の中に残る南洋大学正門

短い歴史を終えたのである。

大学跡地には南大とは無関係の南洋理工大学が設立され、南大の建物は図書館（新図書館が建設されてからは行政棟として使われた）しか残っていない。大きな中国風の正門は残されたが、理工大学のキャンパスが縮小して正門を含む土地は売却されてしまった。正門はかろうじて現在でも住宅地のなかに残っている。

建物だけでなく、南大の歴史、とりわけ権力と対峙したその迫害の歴史は、シンガポールの歴史からほとんど消されている。とくに大学創設の熱気とその後の政府との摩擦を記録に残すことは慎重に避けられてきた。1970年代から政府批判を自粛した華語紙は、危機に瀕して消滅していく南大の扱いを小さくし、論評を避けて事実だけを報道していた。

もっとも近年、若者への愛国心教育のなかで「自らの言葉、文化、伝統を大切にするために私財を投げ打って大学創設に尽くした華人の物語」として政府は南大創設者たちを評価し始めている。ただ、大学を消滅に追いやった政府の強引な政策を想起させせないように慎重に行われているのはもちろんである。

（田村慶子）

9

シンガポールの経済発展と日本

★刷新を続ける経済政策と日本企業進出★

「我々は自国の工業化の手助けをしてもらうために日本を必要とした」

初代首相のリー・クアンユーが自身の回顧録で語った言葉だ。またその回顧録の中で、1967年9月にシンガポールを訪問した当時の佐藤栄作首相に、「我が国には日本の資本や技術、経営を導入するうえでの阻害要因はない」と強調したことを振り返っている。

シンガポールは独立以来、困難に直面するたびに新たな経済政策を選択し、それを梃に経済を発展させてきた（第45章「経済政策」参照）。1人当たりGDPの推移をみてもその発展ぶりは明らかで、2007年には日本を上回って、いまや2万ドル以上の差をつけている（図）。また、その経済政策に外資系企業は必要不可欠な存在で、彼らを積極的に誘致し、成長のエンジンとしてきた。

本章では、シンガポールが経済政策を刷新した5つの時期に着目する。それぞれの時期にシンガポール経済が直面した課題と日本の企業進出動向を重ね、同国の経済発展と日本企

図　シンガポール・日本の１人当たりのGDPとシンガポール日本商工会議所会員数の推移

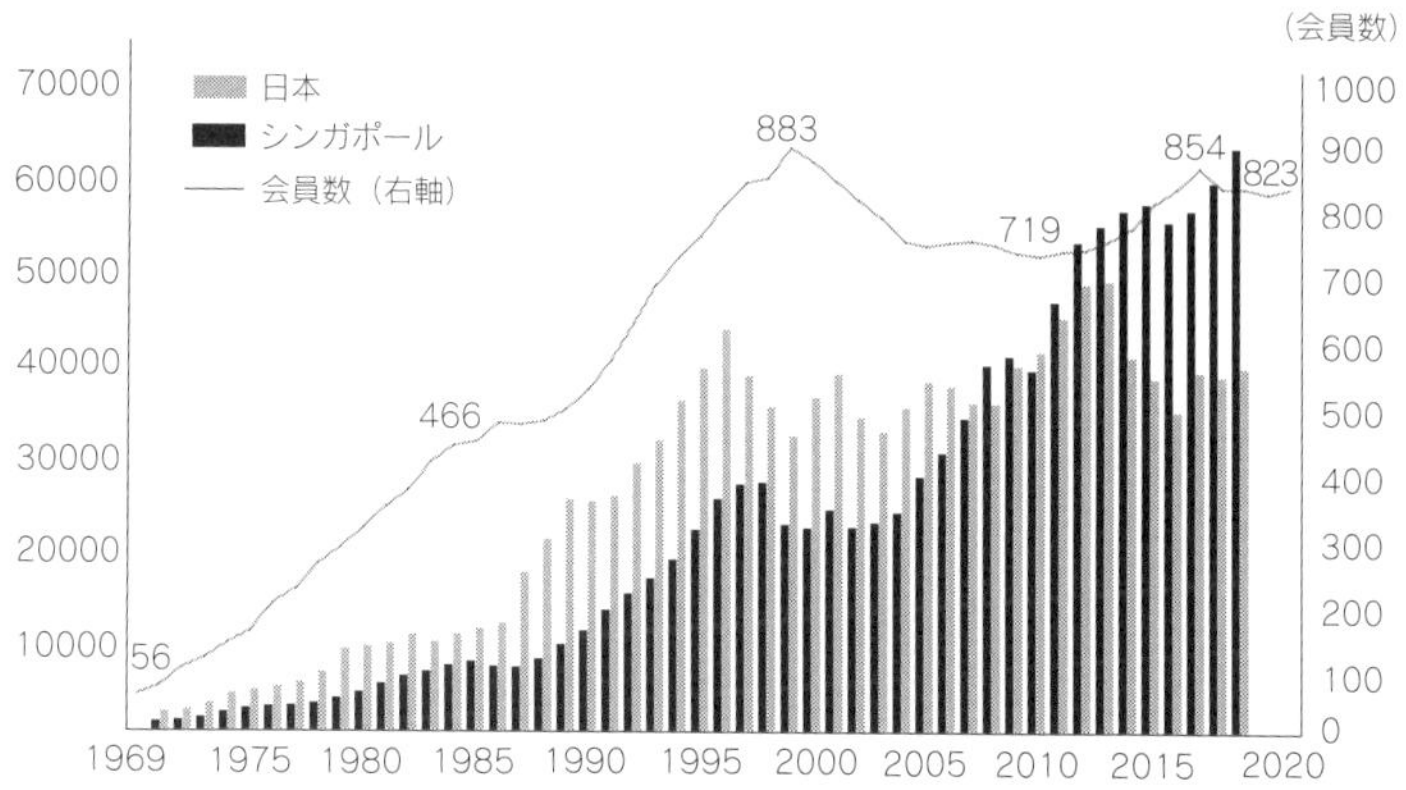

注：会員数は各年４月１日時点。1969年は創立総会が実施された８月21日時点。図に記載の会員数は文中記載の節目の年の会員数
出典：１人当たりGDPは国連、会員数はシンガポール日本商工会議所

業の関係の一端をみたい。５つの時期は、第１期：独立（１９６５年〜）、第２期：初の景気後退（１９８５年〜）、第３期：アジア通貨危機（１９９７年〜）、第４期：世界金融危機（２００９年〜）、第５期：新型コロナウィルス（２０２０年〜）としたい。また日本企業の進出は、シンガポール日本商工会議所（ＪＣＣＩ）の会員数推移を参考にする（図）。

第１期から振り返ろう。独立から４年後の１９６９年８月、ＪＣＣＩは56社の在シンガポール日系企業によって設立された（初代会頭は三井物産支店長）。設立後、70年代後半に向かうにつれて会員数は増加、80年代初頭まで毎年10％前後の伸びを示した。この時期は輸出志向工業化政策が中心の時期で、シンガポールが労働集約型の電機・電子産業などから石油化学などの資本集約型産業に集積の幅を広げてきたころだ。この時期に同国経済の発展の基礎が固

まったといってもよいだろう。

第2期の1985年、会員数は466社となり、その後横ばいとなった。1985年はシンガポールが独立後初めて景気後退に直面し、経済成長がマイナスとなった年だ。これには第2次石油危機に加え、1979年から資本集約型産業への転換のために始めていた高賃金政策によるコスト増も影響していた。こうした状況の中、日本企業の進出も一旦落ち着いた。このとき、シンガポールはコスト高を是正するとともに、金融、物流などのサービス産業誘致へ政策を転換。地域統括本部制度も導入し、世界のトータル・ビジネス・センターをめざすことになった。一方、日本企業にとっては、この政策転換は、1985年のプラザ合意による円高を受けた海外進出拡大の時期と重なり、一旦、横ばいとなった進出企業数は増勢に転じた。1998年には883社へと1985年の倍近く増加した。

第3期は、1998年から2009年の719社まで減少する時期だ。これには1997年のアジア通貨危機だけでなく、2001年のITバブル崩壊、2003年の新型肺炎(SARS)の流行が重なり、シンガポールのビジネス環境が変化したことが関係している。このころ電機・電子分野などの工場などが閉鎖・撤退し、他の東南アジア諸国連合(ASEAN)諸国や中国への移転が進んだ。一方、シンガポールはこの困難な時期にも新たな方向性を模索、バイオメディカルなどの知識集約型産業誘致への転換を図った。また、ASEANの域内経済統合の推進や、二国間・多国間の自由貿易協定(FTA)締結を進め、FTAハブを目指した(日本との協定は2002年11月発効)。さらに法人税引き下げ、外国人受け入れに関する規制緩和、観光分野ではカジノ解禁などを次々と実施し、2004〜2007年まで8〜9%の高成長を遂げた。

第4期は、こうした新たな諸施策を受けて始まった。2008~2009年の世界金融危機を挟んだ後、日本企業は、アジア、中でもASEANの市場に注目し、シンガポールに地域統括拠点を設置する動きを加速。またその支援のため法務・税務などのビジネス・サービスを提供する企業も急増。さらに、シンガポールがASEAN市場へのゲートウェイとしても注目され、飲食など一般消費者向けのサービス業進出も急増した。会員数が2009年に底を打ったあと増加に転じ、2016年の854社まで再び増加した主な要因にこれら産業の進出がある。こうした中、2000年代の高成長を支えた外国人流入に対する国民の目が厳しくなり、2010年以降、政府は外国人労働者の伸びを抑制する方向へと転換。これによって外国人雇用、駐在員ビザ取得などが厳格化され、これは現在も日本企業の課題のひとつとなっている。

2019年、JCCIは設立50周年を迎えた。その記念行事にリー・シェンロン首相が登壇し、シンガポールの発展に日本企業が重要な役割を果たしたとして象徴的な4社を挙げた。1社目は、石川島播磨重工業（現IHI）がEDBとの合弁で1963年に設立し、近代造船・船舶修理業の発展を支えたジュロン造船所。2社目は松下電器（現パナソニック）。同社が持つ複数の拠点の中で、1972年に設立、冷蔵庫用コンプレッサーを世界へ輸出した工場を挙げた。輸出型の電気機械産業の代表例である。3社目はセイコーが1973年に腕時計を製造・輸出するために設立した工場。精密機器の代表例だ（現在はサーマルプリンターを製造）。最後の4社目は、住友化学。1977年、シンガポール政府などとの合弁でシンガポール石油化学を設立、現在のジュロン島に石油化学コンビナートを建設した（操業開始は84年3月）。シンガポールにとって、上流の石油精製だけでなく、下流の石油化学製品が製造できるようになったことはその後の同国経済にとって大きな意味を持った。リー首相は、これらの企業は現在では各々役割を変え、地域統括拠点やR&D（研究開発部門）などを設置し、引き続き同国経済へ貢献しているとした。

第5期の2020年5月、新型コロナ禍という困難に直面したシンガポールは、力強く再生するためのタスクフォースを設置し、デジタル化を一層加速し、新たな発展の方向性を探り始めた。日本企業としても、新型コロナ禍でのシンガポールの政策の方向性を見極めつつ、新たなビジネスを築いていくところに、シンガポールと日本企業の今後の繁栄があるのではないだろうか。JCCIの初代会頭の佐藤周輔氏は1970年に創刊した同所会報の創刊号で、「我々は幸い今シンガポールに居ます。この国の人々と深く溶け合って何がしかでもこの国の繁栄に寄与することをしていきたい」と綴っている。

（小島英太郎）

コラム1

知っているようで知らない？
シンガポール人の名前

田村慶子

もしあなたが、「シンガポール人の名前は日本人同様に姓と名から構成されている」、「シンガポール華人の名前の漢字の発音と表記は、標準中国語（華語）と同じ」と思っているなら、それは大きな間違いである。本書の各章でシンガポールの歴史や政治、経済、文化に触れて、「さぁ、シンガポールに行ってみよう」と思ってくださった読者の方々は、ぜひここでシンガポール人の名前についても知ってほしい。そしてシンガポール社会への理解を深めてほしい。ただ、多様な民族すべての名前を紹介することはできないので、華人、マレー系、インド系に絞って紹介したい。

華人の名前は日本人同様に姓と名から成る。ただ、たとえば、「王」という姓は、華語の発音では「ワン」であるが、「オン」と発音する場合がある。これは中国の出身地によって漢字の発音が異なるからである。シンガポール華人は祖先の出身地によって福建系、広東系、潮州系、客家系、海南系などに分かれ、「王」を「オン」と発音するのは福建語で、その人が潮州出身者なら「ヘン」となる。「李」は福建語や潮州語では「リ」、客家語では「リー」と発音する。華人の氏名はそれぞれの出身地の発音で登録することが認められている。福建系の第5代大統領王鼎昌はオン・テンチョン（Ong Teng Cheong）、野党労働者の前党書記長の劉程强は潮州系なのでロウ・チアキアン（Low Thia Khiang）と発音する。ただ、最近は方言を理解できない華人も多くなっているので、名前の漢字を華語の発音どおりに登録している人も多い。

マレー系に姓はない。マレー系はほぼすべてイスラーム教徒なので、男性ならモハメッド、アブドラー、女性ならファティマ、アイシアなどアラブ風の名が多く、「本人名＋父親名」というのが基本的な構造である。初代大統領ユソフ・ビン・イシャク（Yusof bin Ishak）は、本人の名前はユソフ、父親がイシャクで、ビンは息子の意味である。女性ならビンテ（binti もしくは binte、娘の意味）を入れることが多い。ただ、イブラヒム・ヤコブのようにビンを略することもある。読者の方々は、欧米の名前のように最後を姓と思い込まないでほしい。

インド系の名前は祖先の出身地と宗教によって多様である。シンガポールのインド系は南インドのタミル地方出身者が約60％を占める。タミル地方出身者のほとんどはヒンドゥー教徒であり、父親や祖父の名前を姓と同じように使う。リー・クアンユー初代首相とともにシンガポールの発展を担ってきたシナサンビー・ラジャラトナム（Sinnathamby Rajaratnam）副首相（２００６年に死去）はタミル出身なので、前半が父親の名、後半が本人の名である。インド系の5％を占めるシク教徒であれば、男性はシン（Singh）、女性はカウル（Kaur）を個人名の後につける。一方、北インド出身者の場合には、個人名＋姓が一般的であるが、個人名と姓の間に父親の名を入れる場合もあるので、一般化しにくい。姓がカーストに由来する場合もある。なお、インド系女性は結婚すると夫の名を姓と同じように使う。ただ、インド系でも、イスラーム教徒の場合はマレー系人と同じくアラブ風の名前が多いが、やはり姓はない。

人と文化を考える

II

多様なエスニシティ

10

民族の分類と多文化主義

★「CMIO」で生きるシンガポール人★

シンガポール政府はイギリスが行った人口の民族別分類をそのまま踏襲して、シンガポール人を「華人C」、「マレー系M」、「インド系I」、「その他O」に分類し（それぞれの人口と人口比率は第3章の表を参照）、CMIOそれぞれの主要な宗教や文化、言語、生活様式は尊重され、平等に扱われる。この考え方は多文化主義と呼ばれ、シンガポールの国家建設の重要な価値とされている。

たとえば、各人の身分証明書にはCMIO分類が明記され、CMIOそれぞれの主要な宗教の祝日は国家の祝日となり、象徴的な立場の大統領もCMIOの分類を意識して選出されている。現在の大統領は、初代大統領以来2人目のマレー系である。公共交通機関には華語、マレー語、タミル語、英語の表示や注意書きがある。また、学校では英語を第1言語、母語（華人は華語、マレー系はマレー語、インド系はタミル語、その他は3つの言語からひとつ選択する）を第2言語として習得することが求められ、シンガポール人の80％が居住する公共住宅には、多様な人々の混住を促進するために人口比率に応じた民族別の居住上限比率が定められている。さらに学力の劣る児童・生徒に対する教育支援、成人には技術訓練を行う自助組織も、「各民族にはそれぞれ固有の解決方法がある」という理由で、民族別に組織されている。学校現場でのCMIO別成績上位発表を含めて、人口や社会、経済統計にはほとんどすべてCMIO別の数字も明記される。つまり、シンガポール人は常に自分の民族を意識して、あるいは意識させられて日々生活し、それぞれの民族に応じた振る舞いが奨励されているといっても過言ではない。

このように多文化主義は国民をCMIOの4つに分類し、英語を共通語としつつ、各民族の主要な宗教や言語を平等に扱いながらも「統制」するという政策であり、言葉を変えていえば、特定の民族あるいはその宗教や言語を優遇してそれを国民統合の価値にはしないということでもある。

街を歩くシンガポール人、人々は必ずCMIOのいずれかに分類される

同時に、特定の民族の言語や宗教を擁護あるいは批判するような言動や行動は、扇動法や治安維持法によって厳しい取り締まりの対象となる。シンガポールで唯一の届け出だけで野外集会が認められている公園でも、「民族や宗教などの敏感な問題に関する集会」と当局が判断すれば、届け出は却下される。また、宗教調和維持法は聖職者が異なる宗教間の緊張を高めるような行動や、宗教の名におい

て社会、政治的事柄にコミットすることを禁止している。

しかしながら、多文化主義は国民相互の民族の違いを際立たせることになり、CMIOを超えたシンガポール人としての一体感やアイデンティティの醸成はほとんど行われてこなかった。筆者の友人のシンガポール華人は、「子どもの頃は近所のインド系と毎日一緒に遊んだ。その頃は華人とかインド系とか考えもしなかった。でも小学校に入って第2言語に自分は華語、インド系の友人はタミル語を選択し、華語クラスの先生から華語を話して華人らしく振る舞うようにといわれるようになり、そのうちにインド系の幼馴染みとは疎遠になってしまった」と語っていた。

もっとも異民族間の結婚は近年急増し、2019年には結婚件数全体の22・9%を占めたため、CMIO分類そのものの意味が薄れているといわれる。両親が異なる民族に属している場合、子どもは2つの民族を登録することができるが、21歳になるとどちらかを選ばなければならない。もっともそのような子どもにCMIO分類を押し付けるのは意味がなく、自身のアイデンティティを持てなくなってしまうという意見や、シングリッシュ（シンガポール独特の英語、第13章参照）を使えない中国出身の新市民はシンガポール華人とは言語も文化も異なるので、「華人」ではなく「その他」に分類すべきであるという意見も出されている。多文化主義による民族の「統制」は、社会の現実を反映しなくなりつつある。

さらに、2011年8月21日約6万人が参加した「カレーの日」のように、シンガポール人アイデンティティを持とうという運動が起こり始めている。この「カレーの日」というのは、公共住宅に引っ越してきた中国の新市民一家が隣のインド系一家のカレーのにおいが耐えられないという苦情を管理事務所に持ち込み、インド系は新市民一家が不在の時にだけカレーを作るという仲裁を事務所がしたことがきっかけであった。新聞に小さく報じられたこのニュースはフェイスブックなどで拡散し、有志の人々が「カレーの日」を提案した。それは、カレーはシンガポール人が日常よく利用する屋台の食事の中でもマレー風、インド風、独自の中華風と多様で、多民族国家らしいシンガポールのローカルフード代表だからで、この日は大勢の人がレストランや職場、自宅でカレーを食べた。また、シングリッシュを話すことはシンガポール人のアイデンティティマーカーであるという感覚が強まっているのも、独自のアイデンティティを持ちたいという意識であろう。

ローカルフードの定番 フィッシュヘッド・カレー

ＣＭＩＯ分類を越えたシンガポール人アイデンティティの模索は、今後も続くと思われる。

（田村慶子）

11

華人会館

★華人アイデンティティを支える組織★

シンガポール華人の歴史は、19世紀まで遡ることができる。1819年、ラッフルズのシンガポール上陸と同時に、シンガポールが貿易港として開港し、中国（おもに華南地域）から多くの人びとが労働者として流入してきた。彼らは出身地ごとによるコミュニティを築いていったが、その中核をなした相互扶助組織が華人会館である。華人会館は大きく3種類に分けることができる。1つ目は姓を同じくする氏姓（宗族）会館である。宗族とは共通の先祖をもつ一族を指し、同じ氏姓を有するものは同じ先祖にたどり着くと考えられている。2つ目は原籍地を同じくする同郷（地縁）会館である。同郷組織は方言組織でもあるといえる。3つ目は業種を同じくする同業（業縁）組織である。さらに、原籍地と氏姓が一体化した会館（「広東呉氏書室」、「潮州楊氏公会」など）や、原籍地と業種が一体化した会館（「福州珈琲酒餐商公会」など）も存在する。シンガポールでは、なかでも、前二者が「宗郷会館」と総称されている。

シンガポールで最初に設立された氏姓会館は、曹を姓とする人たちによる曹家館（1819年）である。氏姓会館では、1920〜30年代に設立されたものが半数以上を占める。同郷会館では、寧陽会館（1822年）の設立が最も早い。独立前までは、同郷会館は増加を続けていたものの、独立後の増加はほとんど見られなくなっている。筆者の知人で、広東省潮安県を原籍地とする黄氏は、広東会館、潮州八邑会館、潮安会館、潮州江夏堂（江夏は黄姓を示す）など、複数の華人会館のメンバーを兼ねている。シンガポールでは、原籍地と関連する会館に重複して入会しているという人は少なくない。

19〜20世紀初期にかけて、華人会館は、学校、病院などを設立し、教育、医療、福利厚生、就労、祭祀、冠婚葬祭などの面で、メンバーおよびその家族の生活を全面的にサポートし、英国植民地政府に代わって華人社会を支えてきた。華人会館は、第2次世界大戦中、機能を一時停止させたものの、戦後になると、その機能を再開させ、華人社会のなかで、ふたたび重要な役割を担うようになった。

しかしながら、1959年、シンガポールが英国から自治権を獲得してからは、華人会館を取り巻く環境が大きく変わっていく。とくに、1965年のシンガポール独立以降は、華人会館がこれまで担っていた役割を、政府が全面的に担うようになった。また、シンガポール人としての国家アイデンティティの創造および国民統合を推し進める政府にとって、華人会館を含めた各民族グループ組織による活動は、国民統合政策の大きな障害になると考えられるようになった。

福建会館のイベント：限られた関係者のみが距離を保って実施（撮影：李成利　2020年10月）

当時、政府が積極的に推進したHDB公共住宅（HDB住宅については第29章を参照）の建設と土地開発によって、方言群による華人の住み分けが解体されたことも、華人会館の存続を困難にさせることとなった。HDB住宅の建設による新しい人口集中地区には、華人会館が新たに設立されることはなかった。政府は、そういった地区に、コミュニティ・センターと呼ばれる地域住民のための機関を数多く設立し、多民族からなる居住者に対して、居住地への愛着心を植えつけることに力を費やした。1960年代以降、華人会館の存在価値は、次第に低くなり、華人会館は、とくに若い会員を獲得することに困難を極め、衰退していったのである。

華人会館に転機が訪れたのは1986年である。1980年代以降、各民族グループが自らの文化やルーツを知ることこそが、国民統合の重要なカギになるという考え方が、政府によって語られるようになったことで、華人会館の存在価値があらためて見直されるようになったのである。1985年、主な華人会館の代表者が会議を開き、華人会館の組織力および社会への影響力を強化するために、各華人会館を統括する全国的な組織を成立させる方針を打ち出した。翌年、オン・テンチョン第2副首相（当時）の支持を得て、127の華人会館の賛同の下で、華人伝統文化の継承および発揚、政府と華人社会との間における架け橋としての任務の遂行、華人会館の組織力の強化を目的とする「宗郷会館聯合総会（宗郷総会）」が設立された。

その後の10年間、「宗郷総会」の主導の下で、各華人会館では、華人伝統行事や中国地域食文化に関するイベントの開催、後継者育成のための青年団の設立、華人文芸活動活性化のための演劇部などの編成を積極的に行っていった。そして、「宗郷総会」成立時には70であった団体会員数は、

2000年初期には200近くになり、現在では300以上にまで増加している。「宗郷総会」は、海外華人研究機関である「華裔館」を設立し、シンガポール華人社会を紹介する季刊誌『源』などの発行も行っている。2005年以降は、政府の民族融和政策を支持する形で、他民族との交流活動にも力を入れている。

1990年代以降、華人会館と中国との間で、ビジネスや人的交流を目的とした視察団や交流団などの往来が盛んになり、文教面での交流も増加した。近年、華人会館は、中国系新移民とのつながりを強めるようになっている。たとえば、「宗郷総会」は、新移民のために、シンガポールに関する講座などを開催し、季刊誌『華匯』を発行しているほか、新移民による組織（華源会、天府会、貴州同郷会、江蘇会など）を団体会員として迎え入れている。この動向は、2011年にリー・クアンユー初代首相が「宗郷総会」と「中華総商会」が共催するイベントに出席した際に、新移民がシンガポールに溶け込めるように、華人組織が彼らを支援することの必要性に言及したこととは無関係とはいえないだろう。同時期、華人会館主催の行事などでは、英語が併記されるようになった。1990年代以降、華人会館主催の行事に、国会議員が主賓として出席することが増え、2011年には、リー・シェンロン首相が、「宗郷総会」の初代賛助人に任命され、初めて公に華人会館への支持を表明した。政府関係者の支持を得ることにより、「華人アイデンティティを支える組織」として、華人会館はその存在感を強めるようになった。2020年、Covid-19の影響で、華人会館は、人が集まる活動の中止を余儀なくされた。「宗郷総会」は、会議やイベントの大半をオンラインに切り替えることで、難局を乗り越えている。

（合田美穂）

12

食文化

★食事の中の異文化★

シンガポールという国は、島の端から端まで車で高速を飛ばせば2時間もかからない小さな国土の中で、一般庶民の手軽なローカルなものからちょっと気取って食べられる高級なものまで多種多様な料理（ヨーロッパ各地、地中海周辺、ロシア、さらに、東アジアや東南アジア各地域の料理）が楽しめる場所である。シンガポール人の口に合わせた味付けをしている料理店もあるが、本場の味をそのまま提供しているところも少なくない。旅行好きで味にうるさいシンガポール人の多くは、旅行先で楽しんだ本場の味を本国で店を開くその国のレストランにも期待するので、紹介の欄にはオーセンティック（本場）な味を看板にしているものをよく見かける。

この章では、3つの民族（華人系、マレー系、インド系）の食文化を、それを支えるシンガポールになくてはならないホーカーセンターやフードコートの存在と絡めて紹介する。

まず、ホーカーセンターとフードコートについて。ホーカーとは屋台のこと。政府が衛生面の管理を強化するために1950年代に天秤棒を担いで料理や野菜、果物を売り歩いていた者たちを1カ所に集め、4畳半から6畳ぐらいのスペースに押し込んだのがホーカーセンターである。公共住宅やバスや電車のターミナルに隣接、あるいはショッピングモール内にある。最新のものにマリーナ湾を望む「マカンスートラ・グラットン・ベイ」がある。90年代後半ぐらいまではどこも「ホーカーセンター」だったのが、国民の生活水準が高くなるにつれ、冷房の入った「フードコート」という名で呼ばれるようになり、それと同時にテーブルの拭き方ももっと念が入るようになった。どの店も政府、あるいは政府が指定した機関が定期的に衛生検査を実施し、その結果がA、B、C等のシールで店の前に表示してある。Aはホテル級の衛生度と思っていい。政府の国民の健康管理状況は十分満足のいくものであるので、日本から来られる皆さんも安心してホテルの外のホーカーセンターやフードコートを利用していただきたい。

感染拡大のために人影薄いホーカーセンター

私の家はアンモキョーというシンガポール最大級の公共住宅地にあるのだが、歩いて2～3分の所に小規模のものが2カ所、それぞれ5～6人用のテーブルが、20ほど置かれている。4～5分のところに大きいのと小さいのが1カ所ずつというように、よくもまあ、これで生計が立てられるのだろうかと心配するぐらいの数の多さなのだが、週末の朝9時ごろともなると、これらがどこも満杯となる。シンガポール人にとってこの手の外食施設は生活になくてはならないものなのである。

次にシンガポール人たちはホーカーセンターやフードコートで一体どんなものを食べているのだろうか。中に入って注意して見ると、華人たちは、朝はおもに、いろいろな種類のお粥、チーチョンファン、チュイクエ、キャロットケーキといった米粉を材料にした料理、カラカラにトーストした食パンに、カヤと呼ばれるココナッツと卵のジャムを挟んだカヤトースト、中華風揚げパンを食べている。昼は、多種多様な麺料理、ご飯やビーフンに2、3種類のおかずをのせた「エコノミック・ライス」、マレー系は、朝、昼とも、ナシラマと呼ばれる、ココナッツミルクで煮たご飯に小さな卵焼きや小魚、ブラチャン（小エビのペーストをベースにして炒めた唐辛子や潰した玉ねぎなどを加えたもの）を添えた料理を筆頭に、エビのスープにココナッツミルクとカレー粉などの香辛料を混ぜ、薄切りの揚げ豆腐やもやしを添えた料理であるラクサや、ミーロボス（黄色い中華麺と薄切りの揚げ豆腐に甘めのカレーのルーをかけ、輪切りのゆで卵や緑の唐辛子を添えたもの、これはじつは元々インドネシア料理）、インド系も同様、朝、昼、ロティプラタやナンをいろいろなカレーのルーにつけたものや、インディアン・ロジャックと呼ばれるゆでたジャガイモ、揚げ豆腐、ゆで卵、胡瓜、具なしの天ぷらを大切りにしたのを、唐辛子をたっぷり入れたピーナッツソースにつけて食べるといった具合である。最近は、タイ風のすき焼き鍋料理が大人気でどこのホーカーセンターやフードコートに行っても夕方になると、その店の付近の一角はグループ客で大にぎわいだ。

さて、読者の方は「外食施設がどうしてそんなにあるの？」と疑問を持たれる方も多いだろう。その答えは、高温、高湿度という自然環境なので食べ物が傷みやすいということもさりながら、最も大きな理由は、これらの外食施設が味と価格にうるさく、始終忙しい国民を満足させられる美味しさを

手洗い奨励ポスター

体温測定器の前で体温を調べられるスーパーの客

低価格で提供していることにある。10キロ当たり約８００円前後のタイ米、中国やマレーシアからの安い野菜、低く抑えられた人件費のおかげで、共働きの若い夫婦、一人暮らしにとって、自分の家で作るより安いし、準備や後始末の手間もかからない。

そんな国民の生活に密着した外食施設が、２０２０年4月7日からの政府のコロナウィルス感染予防対策で甚大な影響を受けた。どの外食施設にも「手洗い遂行」のポスターが貼られ、少し大きめのスーパーやショッピングモールには入り口で体温を調べ、身分証明番号を記入させられる。

幸い、素早く先を読み、足回りが速い政府と、国民が団結して対応したおかげで、コロナウィルス予防対策が功を奏し、規制が緩められ、外食施設は以前の活気を取り戻しつつある。

最後に、シンガポール料理の定番「フィッシュヘッド・カレー」と、時期がら出くわすのが難しい「イーシェン（魚生）」を紹介しよう。

「フィッシュヘッド・カレー」(写真は63ページ)とは、華人の発明したカレーで、中華・マレー・インドの3要素が同居する文字通り、「魚の頭が入ったカレー」。カレーの中に乳児の頭ほどもある魚の頭がドテッと入っている。ヨーロッパの上流階級が見たら眉をひそめそうな料理ではある。しかし、その辛さを克服したらウマイ。「イーシェン(魚生)」は華人正月(旧正月)に食べる縁起かつぎのサラダ料理である。これは広東語でローヘイとも言い、「幸運を取り上げる」という意味。当地やマレーシアには縁起かつぎの広東人のビジネスマンが多いので、広東語のこの言葉も広く使われている。白身の魚や鮭の薄細い切り身と、にんじん、大根、カブ、胡瓜などの細切り、砕いたピーナッツや胡麻などを、レモン汁かライム汁を加えた甘酸っぱいソースで和えて食べるのだが、大人気の理由は、食べる人たちが全員で立ち上がり、おめでたい言葉やそれぞれの願い事を大きな声で口にしつつ、お箸で皿から高く持ち上げながら混ぜるからだ。この料理の原点は中国にあるものの、今の形でこの料理をここまで全島だけでなく、マレーシアや香港までにも広げたのはシンガポールの「ライワー」と言うレストランの4人のシェフで1963年のことである。現在では華人正月にこの「イーシェン/ローヘイ」を出さないレストランはないほどである。

(謝なおみ)

13

シングリッシュ

★多民族国家とアイデンティティ★

シンガポールの公用語は4種類——英語、マレー語、華語、タミル語であり、マレー語が国語である。しかし、公用語としてもっとも使われているのは英語であり、学校教育は一部の科目以外は英語で行われ、現在特に若い世代はほぼ100%英語を話す。

シンガポールで話される英語は大きく分けて2つ。「シンガポール標準英語」と通称「シングリッシュ」。標準英語はMRT「大量高速鉄道」、HDB「公共住宅」等この国固有の単語が含まれる以外は、イギリスやアメリカ等、他の英語圏で使われている英語とほぼ同じ。シングリッシュは華語と福建語と広東語などの南部言語・マレー語などの影響を受け、独自の発音、イントネーション、文法体系を発展させたシンガポール独特の英語。

多民族移民国家であるシンガポールでは「シンガポールのアイデンティティとは何か」がしばしば話題になり、そこでアイデンティティマーカーとしてよく使われるのがシングリッシュである。特に最近、若者を中心にシングリッシュは自分の言葉でアイデンティティであると肯定的にとらえる見方が強くなっ

楽しいイラスト付きのシングリッシュ辞書

てきている。

2010年のナショナルデーでの首相のスピーチで新移民について「シングリッシュを流暢に話せないかもしれないけれど」彼らも一緒にシンガポールを自分の国として選んだ仲間なのだと語られてから10年間で、シングリッシュが肯定的に語られることが多くなってきた。

シングリッシュは政府高官の間では「世界に理解されない」「シンガポール人にとっての望ましくないハンディキャップ」（リー・クアンユー元首相等談）とされ、2000年4月から「正しい英語を話そう運動」の名で、おもに教育政策を通して撲滅が勧められてきた。それが2019年から「シングリッシュは多くのシンガポール人にとって文化指標なのだということはわかっている」という一文が「正しい英語を話そう運動」の公式サイトに付け加えられた。同年、大手ユナイテッド・オーバーシーズ銀行がシングリッシュでの携帯電話自動サービスを始めた。新移民の中には意識してシングリッシュを話そうとするものも多い。

学者による研究によってシングリッシュが「劣っている英語」ではないという認識が広がっていることも大きい。1970年代から世界の英語研究者の注目を集めてきたシングリッシュだが、現在研究の中心となっているのは、シンガポール国立大学（Singapore National University/NUS）、南洋理工大学（Nanyang Technological University/NTU）とその附属機関である国立教育研究所（National Institute of Education/

NIE）の3機関。

まずNUSは初期から研究をけん引してきた。シングリッシュとは、英語がシンガポールの他の言語との接触によって規則的体系的に変化した言語であるということ。シンガポール人は時と場合、相手によって標準英語とシングリッシュを使い分けるということ。この使い分けができるかどうかは、教育と深く関わっていること等、基盤となる研究を進めてきた。

NTUの言語学・多言語学科では、社会言語学・音声学的な見地から、シングリッシュの使用が他人にどういったイメージを与えるか、また標準英語とシングリッシュがどう社会階層と関わっているか等の研究を進めている。会話分析的な研究も進んでいる。

NIEは文部省による国公立教員養成機関である。標準英語とシングリッシュはどこが違うのかという比較が主な研究の対象だった。母音の発音、イントネーション、リズムの取り方、文法などが規則的体系的に違うということはこれまでも知られてきたが、では具体的にどこがどう違うのか、またシンガポール人はそういった標準とシングリッシュの違いにどこまで自覚的であるかという意識調査などが盛んである。文法の本も出ている。

よくとりあげられているシングリッシュの主な特徴をあげると

○他言語からの借用語を英語に混ぜて使用
○他言語からの終助詞、lor ラ、leh レ、meh メなどの多用。日本語の「ね」「よ」等に相当
○主語、目的語にあたる人称詞／Be 動詞、助動詞、動詞の省略
○時制や単数・複数による動詞や名詞の変化が起こらない

○発音・イントネーションが独特。例：tree も three もツリー
○くり返し表現、例：ジャラン（マレー語）＝「歩く」がジャランジャラン＝「散歩」
○文末に or not? をつけると疑問文になる。発音は早口にアノット（アは小さくノにアクセント）

本来英語では主語、動詞、目的語等などが会話文でも省略されることはない。たとえば日本語と違い代名詞の「私」等は省略することができない。ところがシングリッシュはこれ以上省略すると意味が通らないというぎりぎりまで省略する。たとえば Can（できる）1語のみで文が作れる。

Can↗＝「できる?」
Can↙＝「できる／うん」
Ca～～～n＝「もちろん、できるさ」（最初を強調し間をのばす）
Can or not＝「できるの、できないの?」（畳み掛ける感じの早口で。キャンアノット）
Can meh～＝「本当にできるの?」（終助詞 meh が皮肉っぽい感じを表す。キャンメー）
Can lor can↙＝「できるって！　大丈夫だって」（終助詞 lor とくり返しで強調）

ただしシングリッシュがシンガポール標準英語にとってかわるということではなく、アイデンティティマーカーとしてのシングリッシュと標準英語を使い分けることができる能力が推奨されている。

（藤田仁子）

14

言語と階層

★成功を決めるのは何か★

学歴による自由競争社会を自負するシンガポール。2016年の大規模な意識調査でも、調査対象者のシンガポール人の90%近くが、この国で成功に必要なものは努力であり、努力さえすれば誰でもお金持ちになることができると答えている。しかし同時に民族と成功の関連を否定した華人とインド系シンガポール人は75%だったのに対し、マレー系では66%と差があることが話題になった。

シンガポールは多文化・多言語社会である。華人であれば英語と華語、福建や広東などの方言、マレー系はおもに英語とマレー語、インド系は英語とインド各地の言語と多くのシンガポール人が少なくとも2、3の言葉を話す。しかしどの言語も流暢に話せるかというとそうではない。また多くの言葉を話せる方が、学歴競争で有利というわけでもない。家庭でもっともよく話される言語と、学歴・階層に深い相関関係があることが、広く知られつつある。シンガポールは学歴主義ではなく、言語主義（言語能力による階層）であると学者はいう。

授業で、将来ほしいものを書いてもらうと「お金と大きな家」という答えがたくさんかえってくる。国民のほとんどが住む公

表　家庭でもっともよく話す言語と住宅タイプ（学生を除く 15 歳以上のシンガポール人対象）

華人

住宅タイプ	全体	華語（46.12%）	英語（37.37%）	他中国語（16.14%）	他（0.36%）
公共住宅（HDB）団地在住	80.0	88.4	65.6	89.3	76.0
1 部屋型もしくは 2 部屋型（1-2DK）	1.8	1.8	0.6	4.3	5.2
3 部屋型（2LDK）	13.6	15.6	6.6	23.9	11.5
4 部屋型（3LDK）	34.5	42.5	22.6	39.2	44.8
5 部屋＆エグゼクティブ型（4LDK/5LDK）	30.0	28.5	35.6	21.8	15.6
プライベート（コンドミニアム）	12.7	7.6	21.8	6.2	20.8
プライベート（土地つき住宅）	7.1	3.8	12.5	4.3	2.1

出典：Department of Statistics (2015) 発行の統計から算出。以下マレー系他すべて同じ。

マレー系

住宅タイプ	全体	マレー語（78.42%）	英語（21.49%）	他（0.09%）
公共住宅（HDB）団地在住	97.7	99.0	92.9	50.0
1 部屋型もしくは 2 部屋型（1-2DK）	9.9	11.0	5.8	—
3 部屋型（2LDK）	17.6	18.9	12.7	25.0
4 部屋型（3LDK）	42.1	44.3	34.3	25.0
5 部屋＆エグゼクティブ型（4LDK/5LDK）	28.2	24.9	40.3	—
プライベート（コンドミニアム）	1.5	0.7	4.6	50.0
プライベート（土地つき住宅）	0.8	0.3	2.4	—

インド系

住宅タイプ	全体	英語（44.3%）	タミル語（37.8%）	他インド語（12.1%）	マレー語（5.6%）	他（0.4%）
公共住宅（HDB）団地在住	83.3	76.1	94.2	6.9	97.1	81.8
1 部屋型もしくは 2 部屋型（1-2DK）	3.9	2.8	5.1	1.1	9.8	—
3 部屋型（2LDK）	16.1	10.4	22.9	15.5	16.7	9.1
4 部屋型（3LDK）	32.7	26.5	39.5	30.0	42.0	36.4
5 部屋＆エグゼクティブ型（4LDK/5LDK）	30.6	36.2	26.7	22.7	29.3	45.5
プライベート（コンドミニアム）	12.3	16.7	3.9	27.3	2.3	9.1
プライベート（土地つき住宅）	4.3	7.4	1.5	3.5	—	—

共住宅（HDB）から、プールやジムつきの高級コンドミニアムや、億を超える土地つき住宅に引っ越すこと、HDBなら、少しでも大きな間取りの部屋に住むことは、シンガポール人の考える「成功」のひとつだが、統計を見ると、何系のおもに何語を話す家庭に生まれるかで、成

功への道筋は、ある程度険しさが変わる。表は家庭でもっともよく話す言語と階層を表す比較的正確な基準としてよく使われる、住宅タイプの相関関係を民族別でまとめたもの。

まず華人。家庭でもっともよく話す言語は華語（中国語を東南アジアでは華語という）、英語、福建・広東などの中国方言と続く。際立っているのは全体の37・37％にあたる家庭で英語を話す層のＨＤＢ住宅居住率（以下、ＨＤＢ率）の低さ。華語を話す家庭では88・4％、中国方言を話す家庭では89・3％であることを考えると明らかに低い。逆に、華人で英語を話す家庭の半数以上はプライベート住宅に住んでいる。３人に１人は、少なくとも住宅に関しては成功の夢を叶えていることになる。

マレー系では、まず全体的にＨＤＢ率が非常に高い。マレー語を話すマレー系で、プライベートに移ることができているのはわずか１％。しかし英語を話す層では、華人と同様、明らかに住居タイプが高価な方へと偏っている。プライベートに入るのはそれでも７％に過ぎないが、ＨＤＢ住宅の中の分布を見比べても、家庭でもっともよくマレー語を話す層と英語を話す層では、明らかな違いがみられる。

インド系全体の、ＨＤＢ率は83・3％で、華人の80％とほぼ同じ。全体の44・3％をしめる家庭がおもに英語を話す層で、やはり、ＨＤＢ率が低くなっている。約４人に１人はコンドミニアムや持ち家を手に入れている。逆にタミル語とマレー語をおもに話す層では、ＨＤＢ率が90％以上に上がり、特にマレー語をおもに話す層では、コンドミニアム２・３％、土地つき住宅は記録に入ってこないぐらい低くなる。そして他インド言語が非常に高い。

統計から明らかなのは、全民族で、家庭でもっともよく話す言語、特に英語と階層の指標としてよく使われる住宅タイプは深い相関関係があるということ。この結果は、シンガポールが学歴社会であること、しかしその学歴を手に入れるための学校教育・進級進学試験が、母語教育を除いた全ての科目が英語で行われることを考えれば、不思議ではない。

実際、両親も周りも英語を話さない家庭で育った子ども達は学校に上がった時点で、全て英語で行われる授業についていくのが難しいという問題に直面する。また華人の場合、家庭で福建語、広東語などを話す子ども達は「母語」として行われる華語の授業でも苦労する。学校から家庭への通知は、全て英語で書かれる。成績に問題がある子どもは時に家庭教師を雇うことを推奨されるが、それができる家庭ばかりではない。普段英語で話す家庭に生まれたかどうかが、どのような教育を受け、どのような一生を送ることになるのかをある程度左右する。

最近は親の方もそれをよくわかっていて、親が普段英語で話さない家庭でも「○○語で話さないの。英語で話さないとダメ」と母語である福建語や広東語の使用を禁じてみたり（その結果祖父母と会話が難しくなったり）、「英語を話す○○ちゃんと遊びなさい」と友達を選んでみたりする。あまりの加熱ぶりに教育省から「いくら教育上有利になるといっても、親がきちんと話せない言語で子どもを無理に育てようとするのはよくない」と声明が出されたこともある。

教育と言語の問題に対する方策として、政府は2013年に教育省による幼稚園を立ち上げた。2015年からおもにHDBの並ぶ区域を中心に、政府補助金の出る幼稚園が設立され、家庭で英語を話さない子ども達にも小学校入学前までに英語で勉強する機会が与えられることになる。

（藤田仁子）

15

ポップカルチャー

★ポップ音楽界、海外頼みに変化の兆し★

BTS、ジェイ・チョウ（周杰倫）、テイラー・スウィフト。音楽ストリーミングサービスのSpotifyがシンガポールのストリーミング数を元にまとめた2020年のランキングをみると、シンガポーリアンの嗜好がざっくりと見えてくる。みごとに外国人だらけで、トップ・アーティストのチャートでシンガポール人は5位入りした男性シンガーのJJリン（林俊傑）だけ。同じランキングの日本版で、日本のアーティストが多数を占めたのとは対照的だ。シンガポールではラジオから流れてくるのも海外の曲が圧倒的で、地元のミュージシャンは影が薄いような印象を受ける人も多いだろう。

多民族・多言語国家のシンガポールは、人口569万人の中に複数の言語グループが共存し、ポップ音楽市場もその人が使う言葉の影響を受けやすい。日常生活で英語を最もよく使う人々にとっての流行は「ビルボード」など米国のヒットチャートだ。人口の7割を占める華人で家庭でも華語を話す人々なら、台湾、中国、香港などの流行を追い、「マンドポップ」（マンダリン・ポップの略）と呼ばれる標準中国語の音楽をよく聞く。言語にかかわらず幅広いファンを持つ韓流はやや特殊だが、当初はマンドポップ・ファンから広がっていったようだ。シンガポーリアンにとっては自らと共通する言語の海外ヒット曲を聞くのが自然で、あえて国内の音楽を選ぶインセンティブが少ない。「シンガポール人ミュージシャンの曲？　聞かないなあ」という人も珍しくないという、地元勢にとっては厳しい環境だ。だからといって国内からスターが生まれないわけではない。

国際的な嗜好を持つ聴衆と同様、シンガポールのミュージシャンの意識上でも国境は曖昧だ。むしろ、海外に活路を見いださなければ生き残れない、という考えが浸透している。「国内で売れたら海外をめざす」のではなく、「海外で売れれば国内での評価が上がる」のだ。１９８９年発売のアルバム「マッド・チャイナマン」が日本で売れ、一時は日本に拠点を置いて活躍したディック・リーを覚えている人もいるだろう。リーは今も音楽界の大御所として、作曲やプロデュースに活躍している。

大中華圏（中国・香港・台湾）で大成功した例がＪＪリンだ。２００３年、シンガポールのレコード会社からデビューしたリンは、翌年台湾で権威ある金曲奨で新人賞を獲得。拠点を台湾に移し、スターへの道を一気に駆け上がった。作曲の才能への評価も高く、台湾の大スターに曲を提供している。そんなリンがシンガポールへコンサートや独立記念パレード出演などでシンガポールに帰国するたび、祖国のファンは熱烈歓迎して迎える。２０１９年12月のコンサートは、同国最大の収容人数を誇るナショナル・スタジアムで開催。チケットは発売直後に売り切れ、追加公演を開いたほどだ。ほかにもシンガポールから台湾に移り、大中華圏で成功したシンガーに、ステファニー・スン（孫燕姿）やタニア・チュア（蔡健雅）などがいる。

近年、シンガポールのミュージシャンの登竜門として、中国のテレビのオーディション番組が注目を集めている。代表例が浙江省のテレビ局、浙江衛視が手掛けた超人気オーディション番組、「Ｓｉｎｇ！　チャイナ（中国好声音）」だ。大物歌手や著名プロデューサーなどが審査員兼コーチとなり、有望な参加者にメンターとして助言。聴衆の投票などで勝ち進む視聴者参加型ショーで、大中華圏のみならず東南アジアの華語圏でも高い視聴率を誇ってきた。２０１６年、シンガポール出身の男性歌手、ネイサン・ハルトノ（向洋）がこのオーディションを勝ち進むと、地元のシンガポーリアンは夢中になって応援した。ちなみにハルトノの両親はインドネシア華人だが、本人は生まれも育ちもシンガポール。「Ｓｉｎｇ！　チャイナ」以前は英語やインドネシア語で歌っていた。シンガポール出身者らしい言語力を活かして幅広いオーディエンスを獲得している。

中華圏でも売り出し中のネイサン・ハルトノ（提供：Warner Music Singapore）

中国のオーディション番組での功績がすぐに大中華圏での大ヒットにつながるわけではないが、重要な一歩にはなっている。ハルトノは結局、同番組で決勝まで進み、堂々2位を勝ち取った。その後２０１８年には初の中国語シングル「愛超給電」をリリース。２０１９年には大手ワーナー・ミュージックと、シンガポールと中国での契約を結び、活躍の場を広げた。地元シンガポールでの人気アップ

エスプラネードはインディー音楽祭「ベイビート」などでローカル・ミュージシャンをフィーチャーする（提供：Esplanade）

効果はいうまでもない。2020年には独立記念日オリジナルソングの歌い手に選ばれ、名実ともにシンガポールのトップ・アーティストの仲間入りをした。またマスクで顔を隠すミステリアスなシンガーソングライター、ジャスミン・ソッコ（楚晴）も、中国のエレクトロポップ専門のオーディション番組「即刻電音」で決勝まで進んだ。

こうした自国のミュージシャンによる海外での活躍はシンガポーリアンにとっては誇らしく、国内ファンは増える。一方で、海外での評価に左右されるファン心理に疑問を投げかける声もある。「シンガポールの聴衆は国内の才能あるミュージシャンにもっと関心を払うべきではないか」。英語紙『ストレイト・タイムズ』は2016年の論説記事で問いかけた。無名でも力のあるミュージシャンを支援することで、シンガポール独自の音楽界を育てることができるという指摘だ。

ただこの点では明るい兆しもみられる。アコースティック・ギターで弾き語る男性シンガーソングライター、ジェントル・ボーンズ（本名ジョエル・タン）は動画配信サイト、ユーチューブで2011年ころからオリジナル曲を発表し、ネット配信やソーシャルメディアを通じて着実に地元のファン層を築きあげた。初のソロコンサートは2016年、シンガポールでトップ級のエスプラネード・コンサートホールで開催。1500席のチケットは2日分とも完売した。エスプラネードは地元の新進ミュージシャンを支援するため屋外ステージなどで無料ライブを開くことも多いが、インディーズ出身の地元ポップミュージシャンがメインの舞台に立つのはタンが初めてだったという。

タンは2020年には同国の実力派バンド、サム・ウィロウズ出身のベンジャミン・ケンとコラボするなど、話題を提供し続けている。「シンガポールの若い世代は自分の好みに合った音楽をソーシャルメディアから見つけてきてファンになる。自分の感覚に正直で、非常にオープンだ」とエスプラネードの音楽プログラム責任者、エイミー・ホーは指摘する。こんなネット世代のファンが少しずつ、シンガポールのポップミュージック界を変えていくのかもしれない。

（谷　繭子）

16

文学の多様性

★英語、マレー、タミルそしてサイノフォン★

多民族社会シンガポールには、公用語と同じく4言語の文学があり、独立前後のパイオニア世代から「シンガポール・ストーリー」が紡がれている。

英語文学は幸節みゆき氏の訳業によって日本でも知られている。英国詩人エンライトの薫陶を受けたエドウィン・タンブー（1933年〜）は、私的な叙情詩から詩作を始めるが、70年代以降、文学者の社会参加の過程で与党礼賛のプロパガンダへ導かれる。『長過ぎた夢』が最初の「シンガポール小説」と評されたゴー・ポーセン（1936〜2010年）や名門セントジョセフ校で青年詩社を始めたゴー・シンタブ（1927〜2004年）ら、こうした呪縛から逃れられなかった作家は少なくない。アーサー・ヤップ（1943〜2006年）やリー・スーペン（1946年〜）は例外的にシンガポール万歳タイプの詩を嫌い、日常から真実に切り込んだ。

小説ではペナン生まれのキャサリン・リム（1942年〜）がシンガポール作家の外交担当と呼ばれ、『少女奴隷』（1998年）は広く欧米でも読まれた。インド系のゴーパル・バラタム（1935〜2002年）は多民族を描くが、地元出版社の自己検

シンガポール・ライターズ・フェスティバル

閲を嫌い、イギリス出版の作品もある。

劇作家としては、ロバート・ヨオ（1940年〜）が『聞こえるかい、シンガポール』（1974年）でシングリッシュを取り入れた。華語劇作家として出発したグオ・パオクン（1939〜2002年）は英語を中心に多言語劇を試み、1970年代後半の4年7カ月にわたる政治拘留ののち、海外でも評価された。劇団黒テントの佐藤信らによって戯曲集『花降る日へ』（2000年）が翻訳され、シンガポール作家として稀なことだが、全集が刊行（2005〜2012年）されている。

マレー文学にとって、シンガポールは近代文学の先駆『アブドゥッラー物語』（東洋文庫392、中原道子訳）のルーツであり、現代文学結社「五十年世代」の拠点でもあった。

マレー文学の揺籃は、ペラ州タンジュン・マリムのスルタン・イドリス師範学校（SITC）にある。マスリ・S・N（1927〜2005年）はシンガポール生まれでSITCに学び、ムハマド・アリフ・アマッド（1924〜2016年）、スラディ・パルジョ（1926〜1996年）らと50年世代に参加する。スラットマン・マルカサン（1930年〜）もSITCで学び、シンガポール作家として初めてマレーシア国立言語図書研究所に招かれ、広くマレー世界で活躍した。第1世代の作家はシンガポール・マレー語評議会マレー文学賞（旧トゥンスリラナン賞）や、タイで毎年行われ、ASEAN各国から1名ずつ選出される東南アジア文学賞を受賞していることが多い。はるか後方に、アルフィアン・サアット（1977年〜）らが居るが、マレーと華人の混血で、ムスリムとしては珍しい英語作家だ。

タミル語文学の先駆者たちは、南インド、タミルナドゥ出身者が多い。タミル作家協会の文学賞に名を残すタミザヴェル・サランガパニ（1902〜1974年）が1935年に創刊したタミル語新聞『タミル・ムラス』が作品発表の中心だ。戦前の移民作家としてN・パラニヴェル（1908〜2000年）、カ・ペルマル（1921〜1979年）、シンガイ・ムキラン（1922〜1992年）ら、戦後はセ・ヴェ・シャンムガム（1933〜2001年）らがいる。ナ・ゴビンダサミ（1946〜1999年）は数少ないシンガポール生まれで、東南アジア文学賞やタミル・ムラス短編小説賞を受賞し、タミル語文学研究にも尽力した。プトゥマイタサンのペンネームでも知られるクリシュナン（1932年〜）はジョホール生まれで1953年のタミル作家協会創設メンバーの1人として、500本以上のラジオドラマを手がけ、シェイクスピア劇のタミル語翻訳者としても知られる。

英語文学がコモンウェルス文学（旧英領の英語文学）の一環であるよう、中国語文学はサイノフォン（Sinophone、華語語系）であり中国語圏文学に連なっている。7割を占める華人にとって、中国語は民族語として中華文化アイデンティティを担保している。本来のルーツ言語である福建語などの中国語方言が2言語政策（第30章「教育制度」参照）で駆逐されたとしても、「漢字」を拠り所に音声と関係なく共通性が維持される。

方修（1922〜2010年）文学史による南洋の中国語口語文学は、五四運動の影響を受けたリアリズム文学が主流だったが、50年代から台湾経由でモダニズム文学が流入し、両者の論争が冷戦下で盛んに行われた。英培安（1947〜2021年）は、劇作家のグオ同様、政治拘留ののち国内で冷遇されたが、80年代末以降『私に似た人』（1987年）のシンガポールブックアワードを皮切りに、一転して高く評価された。モダニズム手法ながら左翼系というねじれた存在だったが、長編小説『騒動』（2002年）は左翼系の友人たちに取材し、シンガポール独立前の学生運動を描いた問題作として台湾で出版された。英は70年代から、同人文芸誌で詩作や社会批評雑文を表したが、ブラバサコンプレックス（百勝楼）向かいの独立書店、草根書室などで出版活動も行った。この文化サロンを兼ねた書店は若い顧客たちに受け継がれ、2015年からブキパソロードのショップハウ

草根書室に集う文学者。右端が英。

スで営業を続けている。

梁文福（1964年〜）はアンディ・ラウらに楽曲提供するソングライターで、シンガポール独立50周年（SG50）を機に息を吹き返した中国語ポップス「新謡」のスターでもある。学生時代に出版したエッセイ集は版を重ね、隣国マレーシアでも同世代の読者を獲得した。呉耀宗（1965年〜）は韋銅雀の筆名で知られたモダニズム詩人で、梁とともに作家協会機関誌『新華文学』の別冊『后来』を手がけた。シンガポール国立大学中国研究学部で、王潤華らの研究と創作を引き継ぐはずだった繊細な詩人は、故郷シンガポールを離れ、モダニズム文学揺籃の地のひとつ香港に移住する。華語文学を突き詰めた末の中国語圏への移動は、奇しくも隣国マレーシア華人による台湾熱帯文学のあり方と重なる。

サイノフォンが90年代以降の中国大陸の経済成長を追い風にしているのは否定できないが、中国からの新移民が出稼ぎや留学はもちろん、シンガポール唯一の華語紙文芸欄（文芸副刊）「文芸城」（聯合早報）の編集など出版や教育を担うケースも散見され、もはやシンガポール人は誰かという問いはアポリアと化している。

しかし、リー・シェンロン首相がSG50直前談話で述べた短期10年の経済発展、中期25年の高齢化対策ののち、長期50年のアイデンティティ確立の基礎のひとつとなるのが、他ならぬシンガポール文学だ。1986年から芸術局主催、4言語対応で開催されているシンガポール・ライターズ・フェスティバル終幕で聞いた「我々はプロパガンダではない」という叫びにも似たポストパイオニア世代作家らの発言を、改めて信じてみたい。

（舛谷　鋭）

17

文化政策

★分断の克服と文化の卓越性をめぐる模索★

文化と聞くと、何を思い浮かべるだろうか。伝統芸能、歴史的建造物、クラシック音楽などの西洋文化、大衆文化等々、その内容は多岐にわたるはずだ。文化政策とは、何が「文化」に含まれ、除外されるのかという線引きのプロセスととらえることができる。

シンガポールの文化政策は「限られた資源で最大の利益を実現する」という開発主義的な発想に基づき戦略的に変化してきた。1965年の独立から80年代までは、既存の文化的実践を白紙にして新たな「シンガポール文化」を物理的に建設する文化のインフラ整備が目指された。2000年代初頭までは経済的価値に重きが置かれ、知識集約型産業への転換を可能にする孵卵器としての「文化」の役割が注目される。世界のクリエイティブな人材を惹きつける創造都市をめざす文化政策は90年代にシンガポールでも導入された。舞台芸術のための複合施設エスプラネードや、現代美術専門のシンガポール・アート・ミュージアムといった文化施設と、そこで展開される事業によって創造都市のビジョンは実現されていった。

しかしトップダウンで文化を設計・管理していく文化政策の

流れは、2010年代に入って方向転換を迫られた。背景にあるのは深刻化するシンガポール社会の分断である。外国人の受け入れを前提とする国の政策に対する国民の不満は、2011年の総選挙における与党人民行動党の史上最低の得票率という形で政府に突き付けられた。こうした状況下、2025年までの文化政策の長期計画『芸術文化の戦略的レビュー』が2012年に発表される。この計画は、「国家建設と経済成長のため」の文化政策の次の段階として、「この国の人々と社会のため」の文化政策を掲げる。そこでは文化芸術が、一部のエリートか高給取りの外国人にしか手の届かない贅沢品ではなく、シンガポール人のアイデンティティを形成する日常に根ざしたものとして描き出されている。

2011年以降目に付くようになったのは、多様な背景を持つ人々の間に相互不信ではなく信頼と尊敬に基づく絆を生み出す魔法の言葉「コミュニティ」であり、人々が生きる現在と国家の過去を感情的につなぐ「記憶」という言葉だ。まず2012年に、情報・コミュニケーション・芸術省で文化政策を担ってきたアーツ・カウンシルや文化遺産局を、「コミュニティ」の融和をめざす人民協会（第28章「コミュニティ・クラブ」参照）やスポーツ、青少年政策担当部局とともにひとつの文化・コミュニティ・青少年省にする省庁再編が行われた。シンガポールの文化政策は5年ごとに中期計画で提示されるのだが、2018年から2022年までの『私たちのシンガポール文化芸術計画』と『私たちのシンガポール文化遺産計画』はまさに、「コミュニティ」と「記憶」を核にすすめられているようにみえる。

前者を推進するアーツ・カウンシルは2012年以降、コミュニティ・アートに力を入れてきた。コミュニティ・アートとは、技術力の高さが芸術の価値と直結する、高級芸術を頂点とした既存のヒ

シンガポールに２つしか現存しない登り窯のひとつ陶光窯はアーツ・カウンシル、国家遺産局とパートナーシップを結んでいる（2017年）

エラルキーを打破しようとするイギリスの芸術活動が使い始めた名称だ。しかし、シンガポールの芸術家・研究者であるフェリシア・ロウが指摘するように、文化政策においては、高級芸術をたしなむために必要なリテラシー養成のために使われるという皮肉な状況がある。加えて、外国人観光客でにぎわう中心市街地の美術館やギャラリーを離れ、郊外の公共住宅に併設されたコミュニティ・センターで展開される政府の事業では、人々の参加に重点が置かれる代わりに活動や作品の「質」に疑問が残るという指摘もある。

ここには、文化政策をめぐる評価という問題が絡んでいる。シンガポール政府は体系的な文化政策に着手した１９８６年から文化芸術活動に関わる統計調査を行い、観客動員数などの動向を把握して政策評価につなげてきた。しかし「質」をめぐる解釈を、万人の共感を得るように普遍化、一元化することは不可能である。むしろ質の多様性をいかに文化政策の評価に反映していけるか、評価の対象となるのは、誰の、どのような文化なのかといった視点が前景化したことは、一級の文化的インフラを手にしたシンガポールの文化政策の次の課題が、多文化多人種国家の原理を問う排除と包摂の議論へとつながっていることを示唆している。

誰の、どのような文化を対象とするのかという問題は、文化遺産の分野でも顕在化している。『わたしたちのシンガポール文化遺産計画』は国家遺産局が初めて文化遺産とミュージアムを対象に策定した中期計画だが、独立した計画が登場した背景には、２０１０年代の文化遺産や記憶に対する国民の関心の高まりと、「なにを残すか」の決定過程への参加を求める草の根運動の活性化がある。政府が鑑みてこなかった公共住宅の公園にある遊具といった、個人や地域の日常に根ざした文化を残したいという人々の想いはフェイスブックやブログなどの場で私的に表現されてきた。ところが２０１５年の建国50周年を期に、参加型デジタル・アーカイブ「シンガポール・メモリー・プロジェクト」という公式のプラットフォームが整備された。歴史的建造物や景観の物理的な保存には、再開発のための土地利用との間に価値判断をめぐる

© National Arts Council, Singapore
誰の文化か？　アーツ・カウンシルはコロナ感染が拡大する2020年8月に移民労働者の詩をオンライン配信した（https://www.facebook.com/NACSingapore/videos/607240113242068）

葛藤がつきものだが（第34章「土地収用法」参照）、デジタル・アーカイブは既存の文化遺産のヒエラルキーにおさまらない小さく個人的な思い出も取り込むことが可能である。だが同時にそれは、とある街角やインターネット上で自然発生していた人々の記憶を国家の管理下に置き編集可能にする装置でもある。

デジタル化の試みは、2018年に登場した無形文化遺産目録事業にも継承されている。Roots.sgという文化遺産目録は、旅行ガイドで紹介されるような各民族の祭りや踊りだけでなく、中国各地の方言の曲からKポップまでが登場する仮設舞台の歌謡ショー・歌台など、シンガポール人の日常と地続きの文化的実践に無形文化遺産というラベルを付けて再提示している。中でも屋台料理（第12章「食文化」参照）のユネスコ無形文化遺産登録をめざす動きは、ローカルな文化をグローバルな舞台へと持ち上げる現在のシンガポールの文化政策を象徴している。グローバルな市場に効果的だが難解で批判精神を核とする現代美術や舞台芸術に比べ、食文化はグローバルな観光客の異文化体験としても、ローカルな住民の日常のひとこまとしても穏便に消費されうる。

社会学者チュア・ベンフアは、シンガポールの人々が抱く「ノスタルジア」が開発主義政府への批判的想像力を育んできたと指摘する。公式プラットフォームは現状批判的なノスタルジアを、愛国心とアイデンティティを強化する国民の記憶へと変換してしまうのか。それともポスト・リー・クアンユー世代の政策立案者は、生きられた記憶に基づき異質なコミュニティが相互に承認しあう、社会的分断を乗り越える多文化主義のビジョンを示すことができるだろうか。文化の線引きの舞台として「コミュニティ」と「記憶」は今後も注目に値する。

（齋藤梨津子）

18

演　劇

――★規制と支援の狭間で、アイデンティティを探る場に★――

時事問題や国・社会のあり方をめぐる議論、権力批判などと本質的に切り離せない演劇は、シンガポールの芸術分野において独特な位置を占めてきた。検閲などを通じた表現の自由に対する制限とのせめぎ合いは、かつてよりも表面化する事例が減ったものの、関係者らの意識から消えてはいない。半面、経済のみならず「文化的にも豊かで勢いのある国家」というイメージ形成をめざす方針の下、政府主導の振興策がとくに手厚かったのも演劇だ。こうした制約と支援との狭間で、演劇の空間は「シンガポール人であるとはどういうことか、自分達はどこへ向かうのか」というアイデンティティを問う場として、社会の写し鏡になっている。

「どれほどこの日を待ち望んだでしょう！　足を運んでくださる観客の皆さんのために私たちは存在し、すべてを注ぎ込むのです」。Covid-19により、国中ですべての舞台公演が中止されてから半年以上が過ぎた2020年11月。人気劇団ワイルドライスの劇場に再び灯がともった夜、感無量の面持ちで語る監督の声は震え、主演女優の頬にも涙が光った。

再開に選んだ作品（An Actress Prepares）は、一女優の回想に重ねて、シンガポール演劇界の先駆者たちやその作品群へオマージュを捧げるものだった。Covid-19の緊急事態下、主要紙が「必要不可欠ではない職業」のトップに名指ししたのが「芸術家」だ。公演ができずに収入の先行きなどが不安な上、存在意義すら軽んじられたように感じた演劇関係者は少なくない。そんな中、同作品は先人たちが時には重圧にも耐えて切り拓いた道程を振り返ることで、自分たちを鼓舞するようにも見えた。

同作中でも功績を称えられた、「シンガポール演劇の父」と称される劇作家クオ・パオクンを皮切りに、演劇界とそれを取り巻いた政策の変遷を振り返ろう。

シンガポールの国家独立から間もない１９６０～70年代に主流だった中国語演劇は、中国の文化大革命の影響もあり、社会運動の一環というべき政治性の強いものだった。その代表的な存在だったクオの作品は、左翼的な階級闘争色が濃いとみなされた。政府による共産主義的な言論への検閲・弾圧は厳しく、急速な都市建設や、外資の流入による社会的な混乱を描いたThe Struggle（１９６９年）は上演禁止に。76年に治安維持法により拘束、80年まで投獄されたクオの公民権がようやく回復したのは92年と、長い年月を要した。

１９８０年代後半、英語教育の浸透とともに主流となった英語演劇は「黄金期」を迎える。１９８５～86年にかけ、初の英語による本格劇団シアターワークス、ネセサリー・ステージやＳＴ＊ＡＲＳ（現シンガポール・レパトリーシアター）など、現在も活躍するプロ劇団の旗揚げが相次いだ。

作品面でも、プラナカン（早い時期にシンガポールに移住し現地女性と結婚するなどして土着化した移民）の生活を描いて「シンガポール人のアイデンティティを舞台化した」と評されるステラ・コン作Emily of Emerald Hill（エメラルドヒルのエミリー）が、84年の初演以来、各国での上演や再演を重ねて国際的に成功。人気歌手ディック・リーが作詞作曲を手掛けたミュージカルのBeauty World（1988年）など、シングリッシュ（現地化した英語）を盛り込んだ人気作も増えた。これらは、従来の翻訳劇を超えた、シンガポール独自の作品や表現に自信を与える契機となった。

この時期も政府は、フィリピン人メイドとシンガポール人雇用主の対立を扱った作品Esperanzaの作者らを「階級闘争を煽るマルクス主義者」として治安維持法に基づき1987年に逮捕・投獄するなど、演劇を通じた社会・政治的な問題提起に対しては引き続き神経質だった。だがその一方で、補助金の分配、公的施設の利用や税控除などの優遇を通じた支援策も手厚くなった。背景にあるのは「文化的な国際主要都市」をめざす方向への政策転換だ。

シンガポールは急速な経済成長を遂げ、国民1人当たりGDPで世界トップクラスに躍り出るような豊かさを手に入れた。だが、効率重視・合理主義で突き進んできた結果、独自の文化や芸術を醸成させる余地がない、無機質な国であるとの印象が定着してしまった。息苦しさを感じた知識層の海外流出に手を打つ必要もあった。

こうした状況を打破し、文化・芸術を促進するための計画が練られ、順次実現していくことになる。文化芸術諮問委員会が、設置された翌1989年に答申した「文化と芸術に関する諮問会議レポート」では、生活の質や社会の一体感を高め、観光・娯楽部門にも貢献するなど、様々な面で文化・芸術が重要であると指摘。99年までの10年間をかけて、「文化的に活気のある社会」を実現するとの目標を掲げた。

トランスジェンダーを描いたPrivate Parts（Michael Chiang Playthings、2018年の再演時）。90年代以降は従来声なき層だった性的少数者などに光を当てる作品が増えた。

その具体策として、国家芸術評議会（NAC）などの関係組織設立や文化施設の改善、芸術教育の振興といったハード・ソフト両面からのインフラ整備計画を盛り込んだ。実際、1991年に情報芸術省傘下で発足したNACは、アーティストへの助成金交付や所有施設の貸与などにより、芸術関係者に対して大きな影響力を握る存在になる。2002年の大型国立劇場エスプラネードの開業など、目に見える姿でも国策は形を表した。

この10カ年計画に続き、さらに文化芸術分野の活性化を引き継いだのが「ルネッサンス・シティ・プラン」だ。2000年からの第1期、05年からの第2期、08年からの第3期という各フェーズを経て、15年までにアジアを代表する世界的な芸術都市になることを目指した。さらに12年に発表された、25年にかけての長期計画である「芸術・文化戦略的レビュー」や、直近ではNACによる18年から22年までの5カ年計画「Our SG芸術計画」

へとリレーし、人々のアイデンティティ形成や価値観が多様化する社会の団結維持、テクノロジーの活用やシンガポール芸術の海外展開強化など、様々な角度に目配りした支援方針を打ち出している。政策的な後押しを追い風に、演劇は１９９０年代以降、さらに内容やスタイルの幅を広げて成熟を遂げた。多民族・多言語国家であることを投影した独自性や、従来はタブー視されたＬＧＢＴ（性的少数者）のセクシュアリティ、民族や宗教、社会階層といった複雑な問題を正面から取り上げる機会も増えた。

エスプラネードが毎年主催する The Studios のように、実験的な作品や商業ベースに乗りにくい小品に上演の機会を与えたり、シンガポール国際芸術祭のような海外の劇団を呼び寄せて交流を生み出す場にも活気がある。一連の計画により描いていた通り、経済のみならず芸術・文化においても、アジアにおけるハブ都市のひとつという地位を確立したのは間違いない。

Covid-19 の影響下、世界中の劇団やアーティストたちと同様にシンガポールの演劇界も、芸術分野の垣根を超えてデジタル技術を融合させたり、劇場内の空間だけでなく遠隔の観客に訴える作品作りを急いだりと、新たな取り組みを意識しつつある。観劇や海外渡航が正常化した際に、各種劇団が発表するだろう作品や演劇祭が、どのような変貌や進化を遂げているかが注目される。

（近藤明日香）

19

映　画

★黎明期からの脱皮★

シンガポール映画を、あなたは何本知っているだろうか。アジアの富裕層の華やかな生活を描いた「クレイジー・リッチ」？　これはシンガポールを舞台にした話題作だが、ハリウッド映画だ。「知らない」と答える人も多いかもしれない。同じアジアでも韓国や香港、台湾と比べ、映画産業の規模は小さい。しかし一時期の瀕死状態から、１９９０年代に「再生」したシンガポールの現代映画界は、若手監督らが海外とのコラボレーションを広げながら、小さな輝きを世界に向けて放っている。

１９９５年はシンガポール映画の転機の年といえる。この年、今や同国映画界の巨匠と呼ばれるエリック・クーの初の長編映画「ミーポックマン」がリリースされた。舞台は同国最大の歓楽街、ゲイラン地区のうらぶれた屋台。ミーポック（中華麺）を売る男ジョニーの、売春婦バニーに抱く不器用な恋心が、暗い結末につながる。当時、豊かさに向けて突き進んでいたシンガポールで、クーは社会の片隅に追いやられた人々に光を当てて注目された。演技や技術面で粗さも指摘されるとはいえ、シンガポールの現代映画の先駆けとして不動の存在となった。クーの第2作「12階」（１９９７年）も複数の国際映画祭で

「ミーポックマン」は若い世代に影響を与えた

上映され、海外にシンガポール映画の存在を示した。

シンガポールの映画史をさらに遡ると、上海で映画ビジネスを立ち上げたショウ・ファミリーが今のマレーシアやシンガポールに映画を輸出した1920年代にたどり着く。映画が一大娯楽だった時代、香港映画の父といわれるランラン・ショウ（邵逸夫）らが運営した制作会社、ショウ・ブラザーズ（邵氏兄弟）と、ライバルのキャセイがシンガポールに相次ぎ撮影所を設立して映画界の基礎ができた。戦時中、日本軍の占領で中断したものの、戦後まもなく再生。60年代にかけてはマレー語映画が大成功し、シンガポール映画は黄金期を迎えた。独特のユーモアあふれる作品を大量に輩出した伝説の監督兼俳優、P・ラムリーが活躍したのがこの頃だ。しかし65年にシンガポールがマレーシアから独立し、制作現場の労使対決やテレビの普及などもあって70年代には映画界は衰退。撮影所は閉鎖し、その後20年以上も国産映画がほとんど作られない時代が続いた。

シンガポーリアンは映画好きの国民だ。「映画好きなのに、自国の映画がない？」と不思議に感じるかもしれないが、それは英語が共通語で、華語を話す人も多いこの国のことだ。国産映画がなくても、ハリウッドや香港などの外国映画を楽しめば不便はなかったのだろう。独立直後、経済成長が国全体の最優先課題で、映画で身を立てようという人材も限られていた。こんな砂漠の時代を打ち破ったのがクーだった。

一方、シンガポーリアンを自国映画に呼び戻した立役者はもう1人の著名監督、ジャック・ネオだ。アート系で「観客を選ぶ」とされるクーの作品と対照的に、ネオの作風は分かりやすいどたばたコメディー。シンガポールなまりの英語「シングリッシュ」や中国語方言を多用しながら同国社会に特徴的な拝金主義や学歴主義を滑稽に描き、友情や家族愛でほろりとさせる。数多い作品の中でも兵役中の若者たちの群像を描いた「アーボーイズ・トゥー・メン」（２０１２年）は興行収入が６００万シンガポールドル超と、ネオ自身が１９９８年のデビュー作「マネー・ノー・イナフ」で打ち立てた記録を塗り替えた。「アーボーイズ」はシリーズ化し、翌年封切りの続編は７００万シンガポールドル超の収入で記録を更新。２０１７年までに4作が公開されている。

クーやネオらは次世代映画人の育成にも貢献した。映画産業を育成する公的機関の設立を政府に働きかけ、その結果シンガポール映画委員会（ＳＦＣ）が１９９８年に設立された。ＳＦＣは映画界の「人材開発、国際化、聴衆の鑑賞力の育成」を通してシンガポール映画の水準を高めるのが目標で、新人監督に映画制作資金を提供し、海外映画祭への出品支援にも取り組むようになった。さらに、クーはプロデューサーとして、若手の才能発掘でも活躍した。不良少年の生きざまと内面をリアルに描いたロイストン・タン監督の「15歳」（２００３年）など話題作が生まれたのにはこうした背景がある。

そして次の転機といえる２０１３年に至る。この年、シンガポールの若手監督アンソニー・チェン監督がカンヌ国際映画祭で同国初の受賞を果たした。公共住宅に住む共働きの中間層の家庭を舞台に、フィリピン人の家事労働者と男の子との心のつながりを描いた「イロイロ」（邦題は「イロイロぬくもりの記憶」）で、新人監督賞であるカメラドールに選ばれた。授賞式の舞台でチェンは「私にとっても、

カンヌ他、多くの賞を受賞した「イロイロ」

そして祖国にとっても光栄です」と挨拶。国営メディアはニュースで「シンガポールが国際映画界に軌跡を残した瞬間だ」と報じ、リー・シェンロン首相も「よくやった！」と褒めたたえた。「金もうけばかり得意な文化砂漠」と揶揄されることも多かったシンガポールが、文化芸術面でも前進していることを世界に示した。

映画界を自分たちの力で支えようという若い世代の動きも形になっている。２０１４年に開業した独立系映画館、ザ・プロジェクターは、大手のシネプレックスでは取りあげないシンガポール映画や世界のインディーズ映画などを専門に上映する。起業家のカレン・タンらが、古い映画館を改装してオープンしたベンチャー事業で、当初の「長続きしないのでは」という予想を裏切り、一定の層に支持されて定着した。

若手プロデューサーのタン・シーエンらが立ち上げた映画エージェント、モモ・フィルムは、主に短編を対象に、映画製作に投資するファンドを設立するなどして新進監督を支援している。政府の支援は長編向けが中心だが、「短編を制作しなければ長編を撮る能力が育たない」「(政府の方針を気にせず)安心して自由に表現できる場所を提供したい」とタンは目を輝かせる。

とはいえ映画界が一気に花開いたわけではない。情報通信メディア開発局によれば、シンガポール映画の制作本数は２０１０年の14本から「イロイロ」受賞後の14年には26本に増えたが、のちに再失速。19年には13本に減少し、映画館での公開に至った作品はそのうち6本にとどまった。２０２０年のコロナ禍には映画界も多大な打撃を受けた。

シンガポール政府が映画界の育成を後押しするのは、芸術支援という一面にくわえ、映画というコンテンツの持つ経済的価値への期待も重要な一面だ。映画は興行的に成功して投資を回収する必要がある。また投資家層が増え、お金が回る収益の循環構造が育たなければならない。シンガポールの現代映画界は黎明期こそ過ぎようとしているものの、持続的な発展にはまだ克服すべき課題が多い。

そのひとつは市場の小ささだ。国内だけでは観客が少ないため、海外での上映をめざすが、競争は厳しい。そこで近年注目されているのが海外との共同制作だ。相手国へ市場が広がるだけでなく、海外を舞台にすることで映画のテーマも幅広くなる（都市国家シンガポールではシーンが単調になりがちだ）。映画人材同士が交流することで技術やセンスを磨くことができ、海外上映収入増にもつながる。SFCは「東南アジア共同制作助成金制度」で、国内のプロデューサーが東南アジア他国と組んだ映画に1本あたり25万シンガポールドルまでの資金を提供している。２０１９年にはタイ、ベトナム、インドネシアなどとの共同制作8本がこの助成金を受けた。

海外とのコラボレーションではすでに興味深い作品が生まれている。カーステン・タンが監督し、２０１７年のサンダンス映画祭で特別審査員賞を受賞した「ポップ・アイ」は、たそがれた男性がバンコクから生まれ故郷の田舎町へ、象と共にタイ国内を旅しながら人生の意味を見つめ直すロードムービーで、タイとの共同制作だった。クーが日本との共同制作で２０１９年に撮った「ラーメン・テー（家族のレシピ）」は斎藤工や松田聖子などの出演で、日本でも上映された。これからが楽しみなシンガポール映画を、機会があれば読者も是非鑑賞してみていただきたい。

（谷　繭子）

20

宗教

★キリスト教と無宗教、二極化する宗教★

シンガポールの郊外ブオナビスタに、ひときわ目をひく、大型ショッピングモール「スター・ビスタ」が2012年9月に開業した。この最上階に、座席数5000席と国内最大級の劇場を保有し、運営するのは、新興キリスト教系の大型宗教法人、ニュー・クリエーションのビジネス部門、ロック・プロダクションだ。劇場は毎週日曜、同教団の信者の礼拝に使用されている。同教団は2019年11月、さらに同モール全体を2億9600万米ドルで買収し、改めて注目を集めた。

礼拝に数千人規模の信者が集まり、カリスマ性のある指導者が率いるプロテスタント系のキリスト教団を一般的に「メガチャーチ」と呼ぶ。シンガポールでもニュー・クリエーションに代表されるメガチャーチは近年、急速に信者数を増やし、信者から集めた豊富な資金をバックに従来の宗教活動にとどまらず、福祉、市民運動や経済にも活動の幅を広げている。

国民の74%（2020年時点）が華人の同国では、元々仏教と道教が最大の割合を占めていた。しかし、道教は、1980年の30%から2020年に9%に縮減。仏教徒も2000年に43%と過去最大に増えた後、2020年に31%と縮減している

ブオナビスタの大型ショッピングモール、スター・ビスタ

(図参照)。一方、キリスト教徒は1980年の10％から、2020年に19％へと増えた。民族別では、特に華人の間で改宗の動きが著しい。

華人系の間で改宗が進んだ背景には、英語教育の普及があると考えられる。国勢調査によると、家庭でおもに英語を話す華人は2015年に37・4％と、2000年の23・9％と比べて増えた。とくに道教の場合、その指導者が中国語でも福建語など標準中国語以外の話者が多く、英語教育を受けた華人系の若者には馴染みにくいなどが、信者数減少の要因と推察される。一方、メガチャーチは、髪を染め、最新のファッションを着こなした牧師による説教や、礼拝でビートの効いた音楽が流されるなど、英語教育を受け、欧米の映画や音楽などの影響を強く受けた若い世代をひきつけている。冒頭のニュー・クリエーションが設立されたのは1990年だが、設立当初には150人だった信者が2019年末には3万人以上へと増えている。

シンガポールでは信仰の自由は憲法で保障されている。しかし、宗教間の調和を乱す行為に対しては、扇動法や国家治安維持法、刑法に基づき処罰される。さらに、1990年に宗教調和維持法が成立し、1992年施行された。同法に基づき、宗教間の対立を引き起こすような行為を行った宗教団体の指

図　シンガポール国民の宗教比率の推移（単位：%）

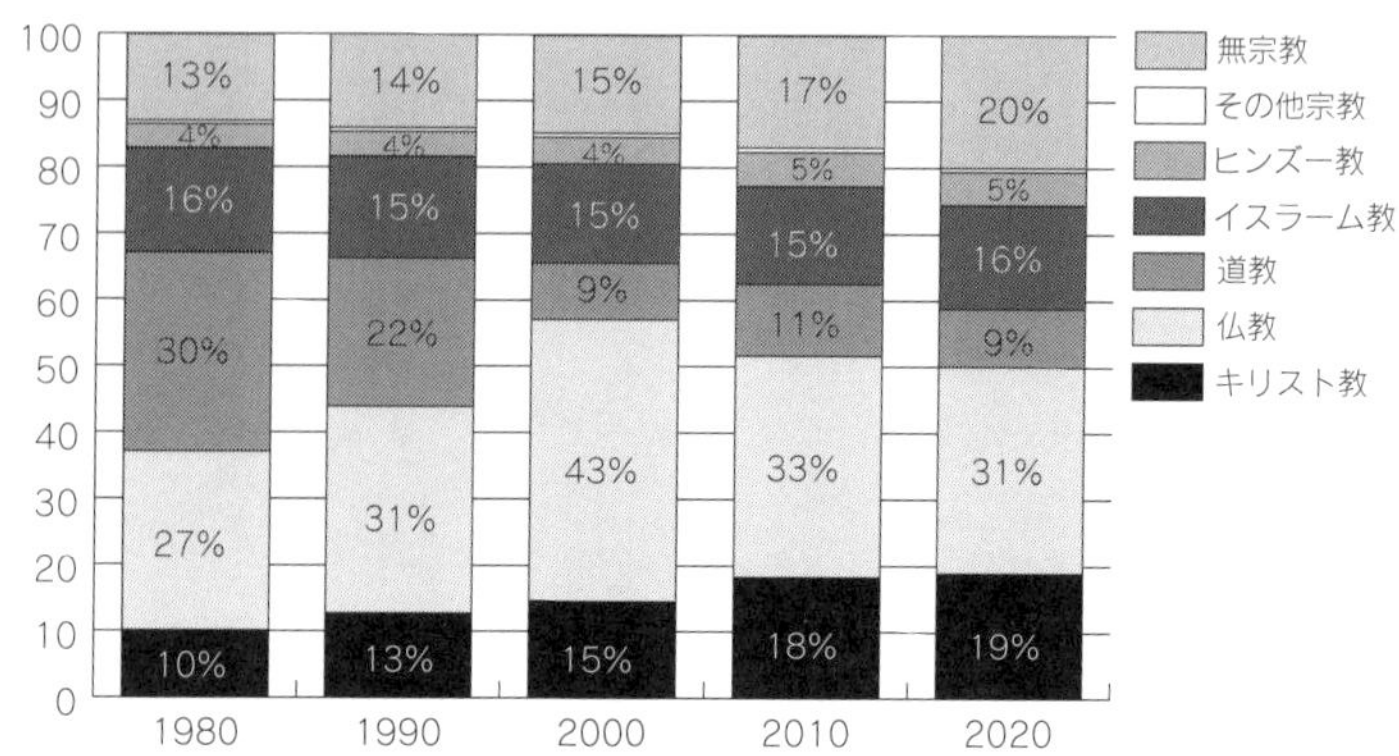

注：国民は15歳以上、永住権者も含む
出典：世界銀行

導者に対し、禁止命令を発する権限が内務大臣に与えられた。独立以後、宗教間の紛争で死傷者が出なかったのも、政府が宗教間の対立にきわめて敏感に反応し、介入してきたことも大きいといえる。

２０１０年３月にはメガチャーチのシティ・ハーベストが、都心部の国際展示・会議施設「サンテック・コンベンションセンター」の一部権益を取得した。ニュー・クリエーションと同様に、同施設の一部を週末には礼拝室とし、残りを一般向けに貸し出し、賃貸収入を得るのが目的である。こうした宗教法人の動きに対して政府は２０１０年７月、宗教法人が商業施設を使用する際のガイドラインを新たに設けた。同ガイドラインでは、ショッピングモールや会議場など一般商業施設を宗教目的で使用する場合に、使用面積に上限を設けると同時に、週２日以内と期間も限定することなどが定められた。大規模な宗教法人が増え続ける信者に対応するため、商業施設を使用する目立った動きが広まっていることに

第20章
宗　教

対し、一定の歯止めをかけた格好だ。

一方、特定の宗教を持たない国民も増えている。１９８０年には国民に占める無宗教の割合は13％だったのが、２０２０年に20％へとキリスト教徒と同じ水準へと拡大した。政策研究所が２０１８年に実施した調査によると、神の存在に疑いを持っていないと答えた人は、大卒者では約47％と、中卒以下の59・６％と比べると低い。また、18～25歳の若者で神の存在に疑いを持たないと答えた人の割合は約40％と、65歳以上の人の60・４％よりも低い。若く、学歴が高いほど、リベラルな考えをもち、特定の宗教を持たない傾向があるようだ。

時代と共に宗教に関する意識が変化するなかで政府は２０１９年10月、宗教間の対立回避のための当局の権限を強化するため、１９９２年施行の宗教調和維持法を30年ぶりに改正した。改正法では、インターネットでの宗教間の対立を引き起こすような書き込みに対して、早急に当局が対応できるようにしたほか、国外から国内の宗教介入を阻止できるようにした。リー・シェンロン首相は同年８月26日、宗教調和維持法を施行して以降、同法に基づく処罰を行ったことはなく、「法の存在そのものが、人々が時には当たり前と思う平和と調和を維持してきた」と述べた。しかし、ソーシャルメディアの普及で誰もがインターネットで簡単に誹謗できるようになった今、政府が早期に問題に介入できるようにしたと、改正の理由を説明した。これまで宗教調和において政府が積極的に介入してきたシンガポール。そしてこれからも、政府は、複雑化する宗教を取り巻く環境の中で、宗教の調和を乱すとされる行為への監視を強めている。

（本田智津絵）

21

移　民

★移民の国の反移民感情★

２０２０年６月時点で５６９万人と人口の小さな都市国家シンガポール。この人口の４割弱に相当する２１６万人が永住権者を含む外国人だ。国民の多くは中国や他のアジア諸国から曽祖父または祖父、または親の世代、あるいはつい最近、移り住んできた人々である。しかし、その移民の国であるシンガポールであっても、増え続ける外国人への反発はないわけではない。

人口の約４割を占める外国人のうち、最も大きな割合を占めるのが低賃金で働く低熟練の労働者だ。２０２０年６月末時点で、建設、造船、化学プラント（ＣＭＰ）で働く労働者や工場労働者からなるワークパミット（ＷＰ）保持者と家庭内労働者（メード）からなる外国人の低熟練労働者は約93万人に上る（図1参照）。こうした低熟練の労働者たちは国内各地で進行する地下鉄や空港、港、公団住宅などの工事や、石油化学プラントや造船施設など危険な製造現場で作業したり、または家庭内で子どもや高齢者の世話にあたるなど、国民が働きたがらない低賃金で、きつい、汚い、危険ないわゆる「３Ｋ」の仕事に従事している。一方、駐在員など、幹部や専門職種の外国人向けに発給するエンプロイメント・パス（ＥＰ）の保有者は約19万人。

図１　シンガポール在住外国人の内訳（2020年6月末時点、単位：万人）

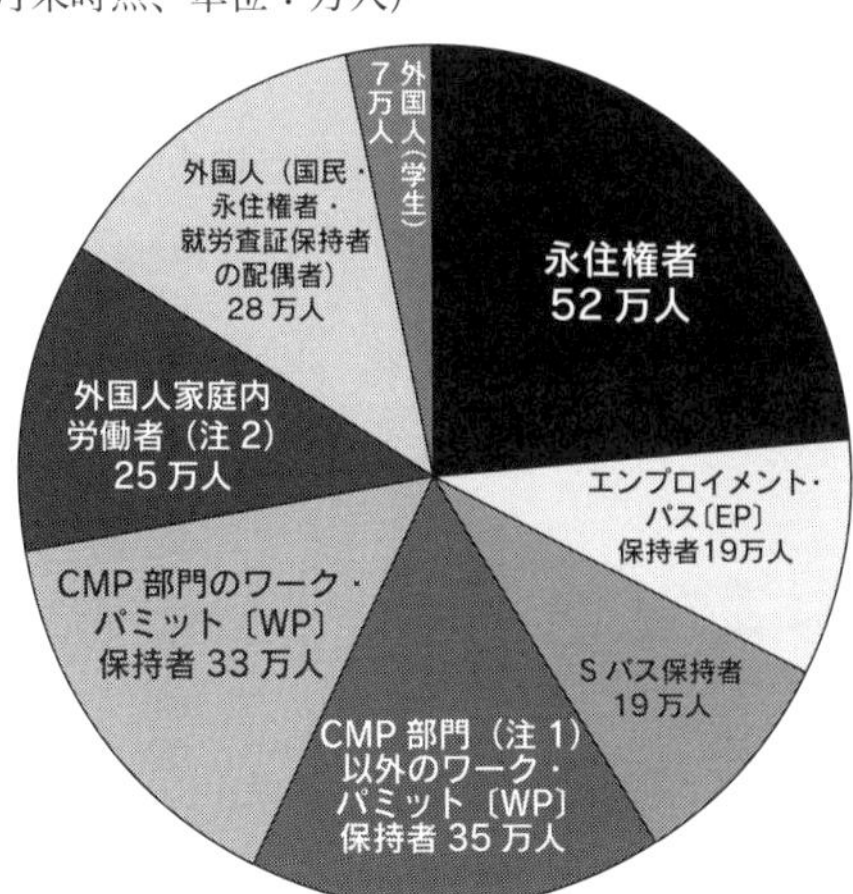

注1：CMPは、建設、造船、化学プラント部門
注2：家庭内労働者とは、家庭内ではたらくメイドを指す
出典：首相府国家人口・人材戦略グループ「2020年人口統計」、人材省「外国人労働者統計」

そしてレストランや事務職などの中技能職に就くSパス保持者が約19万人いる。あらゆる経済階層で働く外国人は、国内経済にとって欠くことのできない存在だ。

　外国人は、国内の経済成長に伴ってこの約30年で大きく増加した。政府が外国人の移民を積極的に受け入れ始めたのは1990年代のことである。人口に占める外国人の割合は1990年には永住権者を含めて14％だったのが、2000年に26％、2010年に37％にまで急拡大した。一方、国民の割合は1990年の86％から、2000年に74％、2010年に64％にまで低下した（図2参照）。外国人増加のピークは、2007～2008年である。永住権者や、低熟練労働者、幹部、専門職種の就労パスの保持者まであらゆるレベルで外国人が増加したのである。

　外国人の増加は確かに、当時の経済成長を押し上げるプラスの効果をもたらした。その一方で、急速な人口増加によって、地下鉄や住宅などの整備が追い付かない問題も表面化した。住宅の不足は、住宅価格の高騰をもたらした。物価の上昇など生活環境の悪化に不満を募らせる国民感情をさらに悪

図２　シンガポールの人口の内訳推移
（単位：万人、％）

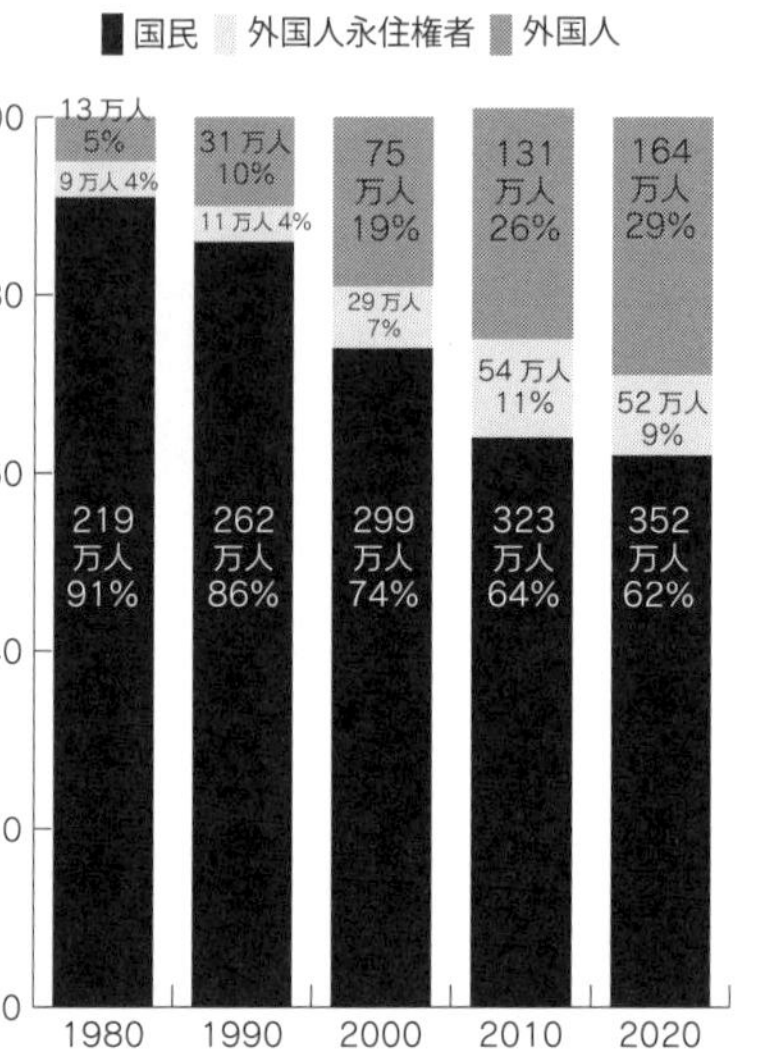

■国民　■外国人永住権者　■外国人

	1980	1990	2000	2010	2020
外国人	13万人 5%	31万人 10%	75万人 19%	131万人 26%	164万人 29%
外国人永住権者	9万人 4%	11万人 4%	29万人 7%	54万人 11%	52万人 9%
国民	219万人 91%	262万人 86%	299万人 74%	323万人 64%	352万人 62%

出典：統計局

化させたのが２００８～09年の世界経済危機だ。国内景気減速で雇用市場が悪化し、給与の低い外国人との雇用競争にさらされると国民の非難の声も高まった。

　世界経済危機後の国内経済構造を見直すため２００９年、官民の代表からなる経済戦略委員会（ＥＳＣ）が設置された。ＥＳＣは、外国人を中心とした人口増加によるそれまでの成長モデルを転換し、既存の労働力の生産性の向上を通じた成長を提言した。同委員会の提言を受けて、２０１０年7月以降、低・中熟練外国人労働者の雇用主に課せられる外国人雇用税は毎年のように引き上げられると共に、1社当たり雇用可能な上限も段階的に引き下げられていった。ＥＰも、発給の条件となる最低月給額が引き上げられると共に、ＥＰ申請前の国民向けの求人広告の掲載などの新たな条件も付け加えられていった。そして、永住権の審査も厳格化されていったのである。

　増え続ける外国人への不満が高まる中で実施された２０１１年5月の総選挙では、外国人の移民問題が焦点となった。投票の結果、与党の人民行動党（ＰＡＰ）の得票率は60％と独立以来の最低に落ち込み、現職の大臣が落選する事態となった。その後、政府は２０１３年1月に発表した「人口白書」で、２０３０年までに国土計画の指針となる人口想定値を６５０万～６９０万人と設定すると共に、国民の人口に占める割合が55％へと一段と縮小するとの見込みを示したのである。この白書に対し、シンガポールでは珍しい反対集会がこの年の2月13日、都心部で開かれ、人口白書に反対する４０００人以上が集まり、移民反対の声を上げたのである。

その後、外国人の雇用規制が一層強化されたが、景気回復と共に外国人は２０１９年まで増加を続けた。一方で、シンガポールには外国人の移民を必要とするお国事情もある。それは、日本を上回る勢いで進む少子高齢化だ。永住権者を含む国民の女性1人が生む子どもの数は２０１９年に1・14人にとどまる。一方、65歳以上の高齢者が国民に占める割合は２０１０年には10・1％だったのが、２０２０年には16・８％に拡大。２０３０年には65歳以上の高齢者割合はさらに23・７％へと拡大し、日本と同じ超高齢社会入りする見通しだ。このため、この先、外国人の受け入れをゼロにしてしまったのでは、シンガポールの労働人口もマイナスになってしまうのである。

さらに、グローバル化によって国境を越えて移動するのは外国人だけではなく、シンガポール人も同じだ。仕事や海外留学など海外在住のシンガポール人は２０１０年の18万４０００人から、２０２０年に21万７０００人へと増えている。このほか、国際結婚や、新たなライフスタイルを求めてなどを理由に、２００５年から２０１５年までに年間平均１２００人がシンガポールの国籍を捨てて、オーストラリアやニュージーランド、カナダなどへ国外移住した。

２０２０年に入り、新型コロナ禍で独立以来最悪の不況へと落ち込んだシンガポールでは、外国人に対する反発の声が再び高まっている。感染の再拡大を警戒するなかで同年7月10日に実施された総選挙では、幹部専門職向けのＥＰの発表基準強化が争点のひとつとなった。選挙で与党ＰＡＰの得票率は61・2％へと低下すると共に、現役の閣僚も落選する結果となったのである（第65章「２０２０年総選挙」参照）。ただ、新型コロナ禍に伴う国内の景気の急速な悪化で外国人の数は減少に転じている。人材省によると、外国人の就労者は２０２０年6月時点で１３５万１８００人と、２０１９年末時点と比べて7万５７００人減少した。それでも、政府は国内の雇用悪化を受けて、２０２０年9月1日からＥＰの発給基準を一段と厳格化している。ただ、リー・シェンロン首相は9月2日の国会演説で、海外からの投資獲得のためにも一層の外国人の雇用への規制強化には慎重な見解も示している。シンガポールにとって外国人はこの先も国内経済に欠かせない存在だ。しかし、国民感情に配慮しながらもその外国人をどう受け入れていくのがベストな形なのか、難しい舵取りに迫られている。

（本田智津絵）

22

マレー系シンガポール人

★近代都市国家のムスリム・マイノリティ★

シンガポールでは、人口の74％（2020年。以下同じ。）が華人だが、マレー系は華人に次いで多く人口の14％を占める。公用語は英語、中国語、マレー語、タミル語の4つだが、マレー語が「国語」だ。国歌は「栄えよシンガポール」を意味するマレー語の歌「マジュラ・シンガプーラ」。紙幣に肖像が使われる初代大統領のユソフ・イシャクはマレー系だ。シンガポールではマレーの人々や文化の存在感は意外に大きい。

以下では、マレー系が直面する社会的格差の問題とイスラームをめぐる問題を紹介する。

まず社会的格差についてみると、マレー系は教育・所得・社会的地位のいずれの面でも他の民族に大きな後れを取っている。大学卒業者の比率は、華人の34・7％、インド系の41・3％に対しマレー系は10・8％に過ぎず、また、平均世帯月収では、マレー系と華人・インド系との間には約1・6～1・7倍もの格差がある（表1）。職業分布では、行政・管理職と専門・技術職を合わせた比率は、華人・インド系は60％を超えるが、マレー系は40％に満たない（表2）。

格差が生じた理由としては、植民地体制の下でマレー系の多

表1　民族別の大卒者比率（%）と平均収入（2020年）

民族	大卒者比（25歳以上の勤労者）	平均世帯月収（注）／マレー系に対する比率
華人	34.7	10,812／1.58
マレー系	10.8	6,851／1.00
インド系	41.3	11,688／1.71

（注）単位はシンガポールドル（約80円）。
出典：Department of Statistics, *Census of Population 2020*.

表2　民族別の職業分布（%）（2020年）

職業	華人		マレー系		インド系	
行政・管理職	17.7	（小計）62.3	3.7	（小計）39.0	17.4	（小計）62.8
専門・技術職	44.6		35.3		45.4	
一般事務職	9.1		14.4		10.0	
販売・サービス職	10.4		17.6		12.2	
生産関連職	9.1		15.8		6.9	
清掃関連職	6.5		10.9		5.5	
その他	2.6		2.2		2.5	

出典：同上

くが下級役人、軍人や警察官となり、あるいは、農業など近代的な経済セクターの外に追いやられたことや、独立後のマレーシア、インドネシアとの対立の中で、政府が国防や治安維持をマレー系にゆだねることをさけ、マレー系の軍人や警察官の多くを解雇したことなどが指摘される。また、マレー系へのステレオタイプ（偏見）に基づく雇用・昇進面での差別も指摘される。

２０２０年４月には、新型コロナウィルス感染症対策のため小学校も含め学校の授業がオンラインに移行した。地元紙は、親が高所得・高学歴のある華人の子どもたちがオンライン授業に対応する一方で、親が低所得・低学歴のあるマレー系の子どもたちがネットの接続不良や親の学習指導力の不足などの困難を抱えることを報じた。この記事が民族に関わるステレオタイプだとの批判があり、新聞社は謝罪した。無意識に広められるこのようなイメージも、マレー系への差別を助長する恐れがあるだろう。

教育の要因も大きい。シンガポールは極端な学歴社会であり、教育格差が所得や社会的地位の格差に直結する。政府は、誰もが学業で成果を上げれば高い社会的地位・収入を得られる「メリトクラシー（業績主義）」の原則を標榜し、機会の平等は保障されていると言う。しかし、現実には経済力のある家庭の子どもが学業面で優位に立つ傾向が強く、親の低所得が子どもの低学歴・低所得につながる「負のサイクル」が存在する。

政府は「マレー系の大学進学率や所得額は上がり、マレー系の生活は改善している」と、格差の問題に触れようとしない。メリトクラシーの原則の徹底は、民族間の格差是正に消極的な政府の姿勢につながっている。

次にイスラームをめぐる問題についてみてみよう。マレー系はそのほとんど（98・8％。2020年。以下同じ。）がムスリム（イスラーム教徒）だ。ムスリムはインド系の一部やアラブ人も含め居住者の15・6％を占めるが、その82・0％はマレー系だ。金曜日の午後には、集団で礼拝に来るマレー系でモスクはにぎわう。ラマダン（イスラーム暦の断食月）の日没時、マレー系が多く集まるゲイラン・セライの屋台村では、日の出から食べ物も水も断っていたマレー系たちがいっせいに夕食を口に運び始める。

マレー系の結婚式

ヒジャブを着けた女性たち

こうした光景は、シンガポールがムスリムが暮らす国でもあることに気づかせてくれる。

政府はイスラームを支援する様々な仕組みを整えている。たとえば、ムスリムの結婚や相続の問題をイスラーム法に基づき処理するシャリーア裁判所、モスクの新設・建替えのための基金制度などがある。一方で政府は、ムスリムの宗教意識の高まりが過激主義につながることを警戒してイスラームに対する管理を強め、ムスリムの反発を買っている。たとえば、公立学校の児童・生徒や公立病院の看護師がヒジャブ（ムスリム女性が髪を覆う布）の着用を禁止されていることに対し、ムスリムは繰り返し不満を表明している。

イスラーム過激主義の広がりは、マレー系に影を落とす。２００１年にアメリカ同時多発テロが起き、また、同年から02年にかけてシンガポールでテロ未遂犯が拘束されると、マレー系は「テロリスト予備軍」とみなされ、偏見にさらされた。２０１６年からＩＳＩＳ（イラクとシリアのイスラーム国）が勢力を拡大すると、マレー系に対する就職差別が増加した。マレー系社会のリーダーたちは、イスラームを曲解する過激主義を非難し、イスラームは平和的なものだと強調する。また、青少年を対象とした講座の開催など過激主義の浸透を防ぐ活動に取り組む。国全体でも宗教間の相互理解を深めるための対話が進められている。

以上、社会的格差と宗教の2つの側面からマレー系の直面する問題について紹介した。マレー系の信仰を尊重しながら彼らの社会的地位の向上を図ることは、民族間の融和・社会の安定を実現する上で重要な課題のひとつであろう。社会的に成功した高学歴のマレー系の間には、専門・技術職のムスリム新移民との連携をめざす動きもある。ハラール食品、イスラーム金融などのビジネス展開もひとつの方向として考えられよう。

なお、2017年からはマレー系女性のハリマー・ヤコブが第8代大統領に就任している。初代のユソフ・イシャク以来47年ぶりのマレー系大統領で、初の女性大統領でもある。「マイノリティへの配慮」として、前年の憲法の修正により立候補権がマレー系に限定され、しかも、立候補の意思があった他の2名が資格審査で失格となったため、無投票での大統領就任だった。国民の間には、特定の華人候補の当選を阻止するための政府の策略ではないかの疑念が広がった。しかしハリマー自身は、子どものころ父親を亡くし、苦学しながらもシンガポール国立大学の法学部を卒業した経歴を持ち、現在も公共住宅で暮らす庶民派で、多くの国民から好感を持たれている。マイノリティであるマレー系ムスリムのハリマーが、多民族が共生するシンガポールの顔として活躍することが期待されている。

（市岡　卓）

23

インド系シンガポール人

★多民族国家のなかの多様なインド系社会★

華人中心のシンガポール社会において、マイノリティのインド系が占める割合は人口の9％弱である。インド系の移入の歴史は古く、1819年にトーマス・スタンフォード・ラッフルズがシンガポールへ初上陸した際、百数十名のインド人傭兵を同伴していたといわれる。今日のシンガポールの発展には、政治や経済の分野で活躍するインド系移民3世、4世はもとより、ITや金融、会計の分野で台頭する高学歴なインド系新移民の専門職能者や、港湾・建設現場などで肉体労働に従事する南アジア系出稼ぎ労働者たちの貢献を忘れることはできない。

シンガポールが多民族国家であると同様に、インド系コミュニティも出身地域と言語が多様である。国が規定する「インド系」という枠組みにはスリランカ人なども含まれることから、近年ではこのカテゴリー自体に批判が高まっている。5割弱を占めるのは南インドのタミル・ナードゥに出自をもつ人々であり、次いでケーララ、パンジャブ、グジャラートの出身者で構成される。国が掲げる2言語教育政策のもとで、タミル語が民族言語として強制的に教授されている影響から、タミル系以外の3世、4世のなかには両親の母語を話すことができない者も増えている。

インド系の人々の多様性は宗教にも表れている。２０２０年のセンサスによれば、15歳以上のインド系居住者における宗教割合は、ヒンドゥー教徒が57・3％、イスラーム教徒23・4％、キリスト教徒12・5％、シク教徒3・4％であり、各々に独自の寺院や信仰を維持・実践する空間をもっている。歴

カヴァディを担ぐタイプーサムの参加者（2020年2月、インド人街）

史的に古くからあるヒンドゥー寺院は南インドの建築様式に基づいているが、北インドに出自を持つ人々が集うラクシュミ・ナラヤン寺院があるほか、ネオ・ヒンドゥーイズムといわれるアーリヤ・サマージやハレー・クリシュナの寺院も存在する。ディーパバリ、ポンガルといった祭礼や年中行事の際には、華やかな装飾がインド人街（リトル・インディア）の街灯やヒンドゥー寺院に施され、観光客を含む多くの人々でにぎわいをみせる。なかでも異彩を放つのは、タミル地方の民俗神であるムルガン神を讃えて祀るタイプーサムである。夜中に始まる祭礼のクライマックスは、敬虔な参加者たちがミルクポットやカヴァディと呼ばれる装飾を担いでインド人街からタンク・ロードのヒンドゥー寺院までを行進するものであり、舌や頬に釘を刺したり、杭のついたカヴァディを担ぐ苦行を自らに課して恍惚状態に達する信者たちの姿は壮観

である。

インド人街はインド文化の発信拠点の役割を担っている。英領時代に移入したインド人が住み着いて形成されたインド人街はセラグーン・ロードを中心に発展し、ヒンドゥー寺院やモスクをはじめ、ホーカーズや八百屋、スパイスや日用品を扱うスーパー、サリーなどの衣類店や宝石店、ヘナ・アート（ヘナという自然の植物の葉を使用して体に模様を描くボディ・アート）を施す店、アーユルヴェーダ・マッサージ、理髪店、携帯ショップといった様々な店が軒を連ねている。またインド系社会の多様性を反映して、南インドのタミルはもとより、ケーララ、アンドラ、カルナータカ、ベンガル、パンジャブ、パキスタン、ネパール、バングラデシュといった各地方の料理店が店舗を構えており、平日夜は仕事の疲れをビールで癒やす南アジア系出稼ぎ労働者たちでにぎわい、週末には友人たちとの談笑を楽しむ彼らに加えて、食料の買い出しをする家族連れで混雑している。

インドの食文化はシンガポール人の生活世界に深く浸透している。朝食にロティ・プラタを食べ、昼食にはビリヤニ、友人を囲んでの夕食ではシンガポールの代表料理のひとつであるフィッシュヘッド・カレーを食す、といった光景は日常の一場面であり、2011年にはそれを象徴する出来事が起きている。第10章でも言及しているように、中国人移住家族が隣人のインド系シンガポール人の作るカレーが臭いと文句を言って、騒動になっている記事が新聞に掲載されると、SNS上では「ローカルの文化や他者の文化を尊重すべきだ」という主張と共に中国人家族へのアンチ運動が展開された。そして「カレーを作って我々の多文化を誇ろう」という投稿をきっかけに「カレーの日」キャンペーンが拡散し、6万人以上の人々が賛同する出来事に発展した。シンガポール人にとってカレーは馴染みある国民食に他ならないのである。

シンガポールではインドの芸能が華人やマレー系と同様に「ナショナル」な文化として位置づけられている。歴史的には、19世紀の英領マラヤ時代に流入した南インド出身のデーヴァダーシー（寺院付きの侍女）によってインドの音楽や舞踊が伝播した。その後、1950年代以降になるとインド系の有志や公演のために訪れたインド人実演家たちが音楽や舞踊を教授する機関を相次いで設立し、インドの芸能が本格的に浸透していった。代表的なものには、シンガポール・インド芸術協会（1949年）、バスカーズ・アーツ・アカデミー（1952年）、アプサラ・アーツ（1977年）、テンプル・オブ・ファイン・アーツ（1981年）などがあり、最近ではグローバル・インド人国際学校でもインドの音楽や舞踊が教授されている。

舞踊公演にむけた稽古風景（2016年3月、バスカーズ・アーツ・アカデミー）

インド芸能の主流は南インドのカルナータカ音楽や古典舞踊のバラタナーティヤムだが、2000年代以降では北インド出身のITエンジニアら新移民の増加に伴い、北インドのヒンドゥスターニー音楽や古典舞踊のカタックが人気を集めるようになった。またインド映画のダンスシーンを抽出したボリウッド・ダンスは、最新のエクササイズとして華人にも親しまれている。これらの芸能はヒンドゥー寺院の祭礼や各団体の舞台公演のほか、インド文化遺産センターが主催するイベントや毎年11月にエスプラネードで行われるインド芸術祭（カラ・ウルサワム）、観光イベントなどで上演される。さらに文化芸術政策のもとで教育にも力が注がれており、芸術評議会が全国インド音楽コンクールやユース・フェスティバル、芸術教育プログラムなどを支援し、「ナショナル」な文化としてインド芸能の普及と次世代の育成に取り組んでいる。

インド系の人々は、現代シンガポールが抱える社会問題とも結びついている。2000年以降、急増した外国人労働者に対する国民の不満や反発が高まるなか、2013年12月にインド人街のバス乗り場での事故をきっかけとして400人を超える南アジア系労働者たちが、警察や救急車両を放火・破壊する暴動を起こし、独立以降から治安を維持してきたシンガポール社会に大きな影を落とした。また2020年のCovid-19の世界的な感染拡大のなかで、シンガポールでの第2波が発生したのは南アジア系出稼ぎ労働者たちが暮らす劣悪な寮（8～12人部屋）であり、その後の急速な感染拡大を受けて彼らの劣悪な住環境が改めて問題視されることになった（第64章「新型コロナウィルスと政府の対応」参照）。

今日、インド人社会は、シンガポール人というアイデンティティを強く持つインド系移民3世、4世らと、2000年代から移入したエリート層のインド系新移民や低賃金で肉体労働に従事する南アジア系出稼ぎ労働者らとの格差や軋轢という問題に直面している。それはまた外国人労働者への理解や彼らとの交流、社会統合という新たな課題をシンガポール社会につきつけている。

（竹村嘉晃）

24

ミャンマー人

★歴史と生活★

シンガポールには多くの外国人が居住している。その中でも最大グループのひとつがミャンマー（ビルマ）人である。推計によると、20万人以上のミャンマー人がシンガポールに住んでいる。では彼／彼女らはなぜシンガポールにいるのか。どのような生活を送っているのか。

シンガポールにおけるミャンマー人コミュニティの歴史は、19世紀後半まで遡る。当時、シンガポールもミャンマーもイギリスの植民地であったため、経済が活発だったシンガポールに多くのミャンマー人が移住した。現在、バレスティア通り周辺には、イラワジ通り、シャン通りなど、ミャンマーの地名にちなんだ道路があるが、これらの起源も植民地期にある。ただし、現在シンガポールにいるミャンマー人の多くは1世か2世の移民である。ミャンマーでは１９６２年から半世紀にわたって軍部による政治支配が続いた。こうした不安定な政治的・経済的状況の中で、より良い生活・教育の機会を求めて、多様な社会経済的・民族的背景をもつミャンマー人がシンガポールへとやってきた。さらに２０１１年の民政移管、２０１６年のアウンサンスーチー率いる国民民主連盟政権の誕生によって国際関係の緊張が和らいでいること、東南アジア諸国連合（ASEAN）の地域統合の促進によって新たな労働市場にアクセスしやすくなったことなどから、この10年間でミャンマーからの移民は劇的に増加した。しかし2021年2月1日に国軍によるクーデターが発生し、状況は一変した。この出来事がシンガポールにおけるミャンマー人の生活や、両国間の人の移動にどのような影響を与えるかは不透明である。

シンガポールにいるミャンマー人は多様である。第1に、民族的にみると、最大多数のビルマ族のほか、シャン族、カチン族、カイン族、チン族といった少数民族も多い。第2に、職種をみると、低賃金労働から専門職（医療、エンジニア、ITなど）まで幅広い。ある就職斡旋業者によると、3分の1以上は家事労働者であり、その他は建設業・海運業・造船業、メンテナンス業に集中している。家事労働者についていえば、近年、フィリピン人やインドネシア人の賃金が高くなっているため、相対的に安価なミャンマー人女性への需要が高まっている（第35章「外国人家事労働者」参照）。一方で、家事労働者に対する深刻な虐待や契約違反が相次いだため、2014年以降、ミャンマー政府は家事労働でのシンガポール移住を断続的に禁止している。しかしそれでも仕事を求める女性たちは、非合法的なルートに頼るしかなく、事態のさらなる悪化を招いている側面もある。

さて、シンガポールに居住している外国人は、自分たちのコミュニティの場をもっている。チャイナタウン（中国人やベトナム人）、リトル・インディア（インド人やバングラデシュ人）、ラッキープラザ（フィリピン人）、ゴールデンマイル（タイ人）などである。ミャンマー人のコミュニティの場となっているのがMRTシティホール駅近くにあるペニンシュラプラザである。1980年に建設されたこの商業施設には、1990年代半ばからミャンマー人向けの店が増え始め、現在は「リトル・ミャンマー」と呼ばれている。

ペニンシュラプラザに一歩足を踏み入れると、ミャンマーの食材の独特な匂いに包まれる。ここにはシンガポール初のミャンマー・レストラン「インレー」を含む飲食店を始め、食材店、航空券販売代理店、就職斡旋会社、インターネットカフェ、美容室、服飾店、法律事務所、不動産業者（ミャンマーの不動産を扱う）など、シンガポールに暮らすミャンマー人の多様なニーズに対応した多様な店がひしめいている。とくに需要が高いのが、非公式の送金システムであるハンディである。これは地下銀行を利用した不法なものであるが、銀行口座を開設する必要がないといった手軽さから、ミャンマーへの主要な送金手段となっている。また、ミャンマーの著名人によるパフォーマンスなど、ミャンマー人コミュニティのためのイベントなども開催されている。週末になると、近隣の聖アンドリュー大聖堂内の広場も含め、ミャンマー人でいっぱいになる。ミャンマー語が飛び交い、ミャンマー語の看板が並ぶ通路を歩くと、ミャンマーにいるかのように錯覚するだろう。観光客向けの土産物は少ないが、モヒン

ペニンシュラプラザ（仲嶋正樹氏提供）

マハー・サーサナ・ラムシ寺院に安置される大理石の仏像（仲嶋正樹氏提供）

ガー（ナマズの出汁でつくったスープに米麺を入れたもの）を食べたり、魚醤やキンマ（噛みタバコ）、ロンジー（伝統的な巻きスカート）を買ったりすることができる。

さらに、シンガポールにはミャンマー人のコミュニティ組織が複数ある。最大かつ包括的な活動を行っているのが２００２年に設立された「ミャンマー・クラブ」である。このクラブはシンガポールで様々な困難に直面しているミャンマー人に法的なアドバイスをしたり、雇用を支援したりしている。また遺骨をミャンマーに送還するための資金援助も行っている。その他、各種のイベント（年中行事やサッカー大会など）の開催、ミャンマー語クラスの開講を通じて、ミャンマー人コミュニティのネットワークづくりに重要な役割を果たしている。

また、宗教を介したつながりも重要である。ミャンマーでは人口の80％以上が上座部仏教徒であると推計されている。それに対応して、シンガポールにはミャンマー系の寺院や瞑想センターが、リスト化されているものだけで15以上存在している。中でもミャンマー仏教徒の信仰生活にとって中心的な役割を果たしているのがマハー・サーサナ・ラムシ寺院である。１８７５年に設立されたこの寺院は、元々はリトル・インディア（インド人街）のキンタ通りにあった。しかし都市の再開発に伴い、1988年に現在のタイ・ジン通り沿いに移設される。その際、ミャンマーの伝統的な様式で仏堂が整備された。内部にはミャンマー国外では最大級の大きさを誇るといわれる大理石の仏像が安置されている。この仏像は、20世紀初頭に寺院を管理していたウー・チョーガウン（伝統医療の医者）が、タイガーバームで有名な胡文虎などからの資金援助を受けて、1921年にはるばるミャンマーから輸送したものである。ちなみにミャンマー生まれの中国系実業家である胡文虎とその弟の文豹は1937年に、中国の様々な宗教・説話をモチーフとした庭園「タイガーバームガーデン」をシンガポールにつくっている。現在「ハウパーヴィラ」と呼ばれるこの庭園には胡兄弟の記念館があり、シンガポールとミャンマーの交流史をうかがい知ることができる。

寺院では定期的に説法会、仏典学習会（英語・ミャンマー語）、瞑想会などが開催されている。また、雨安居衣布施式やカテイン衣布施式といった寺院の年中行事、信徒の人生儀礼（出生・沙弥出家、結婚・葬式など）といった機会においては、多くの人々が布施をしに寺院へやってくる。最もにぎやかなのは、ダジャンと呼ばれる新年（4月）の水かけ祭りである。シンガポールでは多くのミャンマー人組織がダジャンを主催しているが、この寺院のものが最大であり、ミャンマー人・仏教徒以外にも多くの人が参加し、様々な音楽やダンスのパフォーマンスを楽しむことができる。

（藏本龍介）

25

性的少数者

★刑法377条A項とピンクドット★

シンガポールでは男性どうしの性行為は違法で、後述する2007年の首相演説までは違反者には実刑が科されていた。これは植民地宗主国イギリスが残した刑法第377条を1965年の独立後もそのまま引き継いだからである。一方で、性的少数者の存在をアピールし、その権利拡大を訴えるピンクドットと呼ばれる集会が2009年から始まり、2013年からは2万人を超える人が集まるようになっている。

イギリス植民地時代から男性どうしの性行為は違法であるとはいえ、19世紀後半から20世紀初頭におもにアジアとくに中国からシンガポールにやってきた移民の圧倒的多数は働き盛りの男性で、女性の数はきわめて少なかった。「1880年代の華人男性人口は6万人、華人女性は6600人で、うち2200人は売春婦であったと推定され、男性用売春夫として海南島(中国南部の島)からの少年の輸入がとても盛んであった」と歴史書は記している。男女の移民人口比がほぼ同じになるのは1950年代であり、植民地時代のシンガポールでは男性どうしの性行為は「普通のこと」だった。イギリス植民地政府は移民どうしの性行為には関心を払わなかったのである。

さらに、シンガポール政府は独立から1970年代までは男性どうしの性行為をほとんど黙認していた。当時のシンガポールは経済と安全保障をアメリカに依存することを選択し、1966年南ベトナム駐留米軍が破損戦艦や航空機の修理・補修のためにシンガポール軍基地を使用することと、米兵への娯楽施設の提供を認めたため、数多くの米兵がシンガポールで休暇を過ごすようになったからである。

米兵が最も頻繁に訪れたのがブギス・ストリートと呼ばれる都心中心部の繁華街で、イギリス植民地時代と日本軍政期（1942〜1945年）には「花街」として多くの売春宿が軒を並べ、日本軍政が終わった後も、今で言うところのトランスジェンダーの売春夫の多い「赤線地帯」として有名であった。この通りに米兵が集まるにつれて女装をした男性ダンサーなども多く集まり、1970年代初頭には売春宿も立ち並んでいた。

1980年代になると政府はセクシュアリティの統制や監視を強化し始めた。その第1の要因はHIV／AIDS流行への不安である。1985年にシンガポール人初のAIDS患者が報告されると、ブギス・ストリートの再開発が決定した。「赤線地帯」や売春宿は瞬く間に姿を消し、いくつかの店舗だけが警察の管理下で営業を続けることになった。

第2の要因は、政府による「アジアの価値」という儒教的な価値観の奨励である。独立以来安定的な一党支配体制を続けてきた政府与党人民行動党の支持率が1980年代初頭に低下、政府はそれを自らの権威主義的な統治スタイルにあるのではなく、欧米的な価値観に影響された若者が国家の行く末を考慮せずに批判勢力の拡大を容認したためと考えた。そのため忍耐や秩序、愛国心、親孝行を重んじる「アジアの価値」を国民が尊重することを奨励し、家族はその価値を伝える中心的な役割を果たすべきであるとして、子どもを産まない同性カップルを社会の不安定要因とみなしたのである。性的少数者は公務員には採用されないし、同性愛をテーマとするテレビ番組、映画や演劇には（シンガポールで開催される国際映画祭で上映される場合を除いて）厳しい検閲と制限が課された。政府のメディア規制の基準には「公共のモラルと社会的価値」を守るために「ホモセクシュアリティやレズビアン、バイセクシュアル、トランスセクシュアル、服装倒錯、近親相姦、小児性愛の情報、それらのテーマやライフスタイルに関係するものは最も注意すべき」と明記されている。警察は男性同性愛者へのおとり捜査を頻繁に行い、逮捕された人々は氏名、年齢、職業、顔写真入りで大々的に報道された。

この状況が変わるのは、1990年に第2代首相ゴー・チョクトンが就任してからである。ゴーは性的少数者の権利擁護運動が世界的な潮流となりつつあったことを読み取り、政権交代を内外にアピールするために性的少数者の容認に舵を切った。政府公務員に同性愛者も採用することが発表され、性的少数者専用のサウナやダンスクラブがあちこちで出現し、彼らが集まる公園や海岸、トイレが目立つようになった。

ゴーのこの政策転換は、国内の深刻な人材不足を補うための外国人専門職の受け入れ拡大という経済的利益も考慮されていた。性的少数者の容認は、「シンガポールは性的少数者に寛容な、創造的で知的な都市」であることを外国人専門職にアピールするために重要だったのである。

2006年になると政府は刑法377条を見直し、いくつかの改正がなされた。だが、男性どうしの性行為を禁止するA項だけはそのまま残ったために、廃止を求めるフォーラムやキャンペーン、是非を問うネット上の投票が行われるなど、３７７条A項廃止を求める動きが一挙に高まった。２００７年10月には３７７条A項の廃止を求めた請願書が国会に提出され、国会では珍しく白熱した議論が行われた。議論が一段落したところで、現首相リー・シェンロン（２００４年に就任）は「シンガポールは保守的な社会なので３７７条A項は当面維持し、人々の動向を見きわめながら最終的に判断する。男性どうしの性行為が同意あるいは私的な場所で行われる場合は３７７条A項を適用しない」と述べた。

2017年ピンクドット集会

だが、「人々の動向を見きわめる」という首相のこの曖昧な発言は、３７７条A項を維持すべきというグループの活動を先鋭化させ、廃止すべきというグループの活動も一層活発にさせた。政府から公立中学校での性教育を委託されている女性NGOが「同性愛を擁護している」という理由で、過激なキリスト教勢力に乗っ取られそうになるというセンセーショナルな事件が２００９年に起こり、このキリスト教会の行動に怒りを覚えた男性同性愛者が、抗議集会ではなく「多様な愛のあり方を称える」を掲げて多くの人が自由に集まることを提案したピンクドットという野外イベントを企画・実行した。

イベント会場となったのはシンガポールで唯一届け出だ

けで野外集会が認められている場所で、人々はピンクのシャツを着て、ピンクのバッグや傘、風船を持って集まった。ピンクドットには2015年には2万8000人が集まり、会場は人で溢れかえった。また、いくつかの大手外資系企業からの財政支援も始まり、音響設備とステージの設置、無料の法律相談やカウンセリング、参加者へのグッズの配布などが可能になった。このように多くの賛同者を集めたのは、ピンクドットが掲げた「多様な愛のあり方を称える」という方針によって異性愛支持者からの異論や反対が出にくくなり、イベントに対立がもちこまれることはなくなったからである。

一方、ピンクドットが大きな注目を集めると、100以上のキリスト教会が共同で立ち上げた「ラブシンガポール・ネットワーク」は、ムスリム団体と合同で2015年ピンクドットのイベントと同じ日に8000人を集めたピンクドット反対の大集会を開催するなど、377条A項をめぐる対立が先鋭化し始めた。

このようなピンクドットと反ピンクドットの運動の拡大に対して、政府は両方の運動の拡大を抑え込む方針を打ち出した。キリスト教徒とイスラーム教徒の多くは性的少数者を受け入れないため、政府は社会の分裂を回避しようとしたのである。もっとも、子どもを産まない同性カップルを社会的不安定要因とみなす政府にとって、ピンクドットは潜在的に大きな脅威である。したがって政府は、実質的にはピンクドットの運動を抑え込んだ。

ただ、政府は先鋭化する対立を抑え込むだけで、処方箋は持っていない。2020年ピンクドットはコロナ禍で中止されたものの、「文化戦争」ともいわれる性的少数者の権利拡大と価値観をめぐる対立は当面続くだろう。

（田村慶子）

26

シンガポールで働く日本人

★「就職しやすい国」から「狭き門」へ★

シンガポールは日本人が住みやすい国だ。日系企業や多国籍企業が多く進出している。英語ができれば、特殊言語の能力がなくてもＯＫだ。人々は概して親日的で、生活のインフラは整っていて安全。それでいてアジアの成長の勢いが肌で感じられる。しかし日本人が就職しやすい国か、というと答えは近年、ノーに近づいている。

１９８０年代には製造業など日本企業のアジア進出が加速、企業が派遣する駐在員が急速に増えた。新興工業経済地域（ＮＩＥＳ）として成長していたシンガポールは、新産業や新技術を持ち込む外国企業と、それを運営する外国人の管理職や技術者を歓迎した。１９９０年代から２０００年代にはこれに加え、海外就職をめざす日本人が「現地採用」という枠で就職するのが一種のブームにもなった。しかし２０１０年以降、日本人など外国人がシンガポールで働くハードルは上がり続けている。国が成熟し、経済成長のスピードが鈍化するなか、自国民の雇用確保がシンガポール政府の最優先課題となった。このため政府が外国人の受け入れを厳しくし、日本人が気楽に仕事を見つけられる時代ではなくなった。新型コロナウィルス感染症による雇用情勢の悪化でこの傾向はさらに強まっている。

日本の外務省の統計によると、2020年10月時点でシンガポールに住む日本人は3万6585人（申告ベースなので実際はもう少し多いらしい）。国別在留邦人数でシンガポールは世界11位、都市別では5位と、日本人の集積度は高い。滞在目的は、ビザの種類が非公開のため不明だが、805社（2021年4月現在のシンガポール商工会議所の法人会員数）に上る日系企業の駐在員とその家族が大半とみられている。一方、マイノリティとはいえ、個人の意志でシンガポールに渡ってきた人々も一定数いる。日系企業や外資企業に勤める現地採用の会社員、レストランのオーナーなど個人事業主、起業家や投資家、医師、日本語教師、地元のオーケストラやバレエ団、プロサッカーチームに属するアーティストやアスリート。職種やステータスは時代とともに多様化し、幅広い分野で日本人が働き、活躍している。

新型コロナウィルスの感染拡大に世界が震撼した2020年。この年の8月末、日本人社会を驚かす出来事があった。シンガポール労働省が、外国人に与える就労ビザの条件を厳格化すると発表したのだ。管理職や高技能専門職向けの就労ビザである「EP（エンプロイメント・パス）」は、発給が認められる月収の最低ラインがそれまでの3900シンガポール（S）ドルから4500Sドルに引き上げられた。基準額は申請者の卒業大学の「ランク」が低ければさらに高まり、また年齢に比例して上昇する。人材業界の調べでは、45歳を超えると大学のランクに関係なく、最低8400Sドル（約66万円）の月収が必要だ。ここでいう月収には住宅手当を含めることができるため、住宅費を会社が出すことが多い駐在員にとってはクリアできない数字ではないが、福利厚生のクッションがない現地採用社員は、これだけの月給を稼ぎ出す人材でなければ、ビザが下りず就職は無理と、かなり厳しい事態になった。

労働省は同年5月にも基準額の引き上げを行ったばかり。立て続けに規則を強化したことで、外国人の雇用を絞り込もうとするシンガポール政府の本気度が伝わってきた。政府の狙いはシンガポール人の雇用を拡大することだ。厳しいＥＰの新基準をクリアできる人、高学歴高収入でシンガポールの発展に寄与する有能な外国人、いわゆる「フォーリン・タレント」は歓迎するが、基準に届かない人材なら、わざわざ外国人を雇うに及ばない。代わりにシンガポール人を雇うべきである――。こんな明確なメッセージを改めて発したのだ。

１９６５年の独立以来、シンガポールは外国人を活用して産業を育成した。日本企業と日本人も大きく貢献した。しかし２０１０年ころから、国民雇用優先、外国人絞り込みの傾向はじわじわと強まった。それに先立つ２０００年代前半、カジノやバイオ医薬、ＩＴなどの新産業を振興するなか、インドのコンピューターエンジニアなど海外からの人材が大量に流入、一部の国民の間で「低賃金の外国人に仕事を奪われた」と不満が高まったことが背景にある。外国人絞り込み政策は、日本企業だけをとりたててターゲットにしているわけではない。ただ「管理職以上を日本人で固める日本企業の習慣は見直してほしい」との声が政府関係者から聞かれる機会も増えた。

さて、シンガポールで仕事をしたいという日本人には今後、どんな選択肢があるのだろう。「現地採用」での就職機会は残るのだろうか。過去を振り返ると、現地採用が最初に増えたのは１９９０年代の前半とされる。海外就職ブームが起こり、香港と並んでシンガポールの人気が高まった。主役は海外留学の経験があり、英語力を活かして働きたいという20～30代の女性たちだ。日本ではバブル

オフィス街の通勤風景

崩壊後の就職氷河期が続いていたが、成長中のシンガポールの日系企業は人手不足。人材紹介会社が盛んに「現地採用」を募った。ただ当時の「現地採用」では海外就職という夢に手は届いても、キャリアアップの機会は限られていた。シンガポール国立大学日本研究科の湯玲玲准教授は、当時の現地採用の役割を「日本人駐在員と現地スタッフとの橋渡しが中心だった」と指摘する。2004年には中級技能労働者を対象とする新就労ビザ「Sパス」が導入され、就職できる職種の幅も広がった。

しかしグローバル化で、日系企業が日系企業だけを相手にビジネスをしていた時代が終わると、企業が「現地採用」に求める能力も変化した。「英語が話せる廉価で便利な補佐」ではなく、現地企業や外資企業相手の営業など、即戦力を持つ「グローバル人材」が求められるようになった。2008年のリーマンショックを期にこの変化は明確になる。このころにはアジアが世界の成長センターとなり、シンガポールはアジアのビジネスハブの地位を固めてグーグルやプロクター・アンド・ギャンブルなど世界大手企業が地域拠点や研究所を設置した。するとシンガポールで働く日本人も、こうした企業で国際的なキャリアを積極的に求めるタイプが、男女にかかわらず目に付くようになった。

これからのシンガポールは、その傾向が一層強まると見る向きが多い。シンガポール政府は外国人労働者の数を抑えようとはしているが、締め出しているわけではない。この国が力を入れる産業――デジタル金融やＡＩ（人工知能）、スマートシティ、バイオ医療技術など――の分野は、技術・ビジネスの両面で、有能な人材が喉から手が出るほど欲しい。外国人であっても、だ。２０２１年からシンガポールは超優秀なテクノロジー系の人材や企業家を優遇する「テックパス」を新たに導入した。人材紹介大手ジェイ・エイ・シー・リクルートメントでセールス・マーケティングを手掛け、企業の採用動向に詳しい永見亜弓氏は「シンガポールで就職したいから仕事を探すのではなく、やりたい仕事を世界中探したらシンガポールにあった、というパターンが増えるのでは」と予想する。リージョナル、あるいはグローバルなキャリアをめざす人には、困難だがおもしろい仕事が見つかる場所となるのではないだろうか。

（谷　繭子）

コラム2

本田智津絵

国民食となった日本食

シンガポールのどのショッピングモールを訪れても、日本食を売るお店を目にしないことはない。飲食情報サイトのオープンライスに掲載されたシンガポールの全レストランに占める日本食レストランの割合は2016年1月時点で17%と、中華の24%に次いで2番目に多い。日本食はすっかりシンガポールでは日常食だ。

もちろん日本食が最初からシンガポールで、広く普及していたわけではない。筆者が初めてシンガポールに来たばかりの頃の1970年代初期、日本食レストランといったら両手で数えるほどだったと記憶している。当時、近所のシンガポール人の友達を日本食レストランに誘うと、天ぷらは食べても、生魚を気持ち悪がってお寿司を食べたがらないことも多かった。しかし、約50年後の現在、シンガポールの高級寿司店を訪れると、カウンターに座るのはむしろ日本人よりも、地元客の方が多い。

シンガポールで当初、高級店のイメージのあった寿司などの日本食レストランが庶民化していったのは1990年代だ。手軽にお持ち帰りができて、一般庶民の食卓にお寿司が並ぶひとつのきっかけとされるのは1993年10月に、高島屋内に出店していたスーパーマーケットにできたお寿司のカウンターだ。1個1シンガポールドル以内で安く買えて、健康的で、鮮やかな色のネタにひきつけられ、スーパーのお寿司はヒット商品となった。その後、他のスーパーにも寿司カウンターが次々に設置されていったのである。

また、1994年には元気寿司のフランチャイズ店として、シンガポールでは初の回転寿司店が開店した。1997年には回転寿司チェーンのサカエ・スシが開店。そのほかにも回転寿司チェーンが次々に店を開き、寿司はシンガポールの人たちにとって日常食となっていった。

スーパーに並ぶお持ち帰り用の寿司パックをみると、圧倒的に多い人気のネタは、サーモンだ。炙ったサーモンや、マヨネーズや明太子の乗ったものも、人気ネタである。また、多民族国家であるシンガポールでは、イスラーム教の教義に基づいてアルコール類の入った味醂や酢を使わないハラル（イスラーム法上で食べることが許されている食材）のお寿司もある。サカエ・スシは2007年に、ハラル認証を得た回転寿司店「ヘイ・スシ」を開店している。

安価で気軽に食べられる日本食レストランが増える一方で、築地から空輸した新鮮なマグロや甘エビ、ウニなどを使って、お任せコースを頼めば4万円もするような高級寿司店や割烹も近年になって、増えている。こうした高級店には、日本を頻繁に旅行し、銀座の寿司店などを何度も訪れているような裕福なシンガポールの人たちで溢れている。2013年から新型コロナウィルスが流行する前の2019年まで、日本を訪れたシンガポール人は7年連続で過去最高を更新した。訪日シンガポール人の7割以上が2回以上日本を訪れているリピーターである。訪日旅行の人気は、日本食がさらに普及する一因ともなっており、これまで以上に本格的な日本食を求める消費者を増やしている。

日本食は今や、シンガポールの代表的国民食のひとつとなったのかもしれない。

社会のあり様を考える

管理国家の諸相

27

マスコミ事情

★「OB マーカー」内での活動★

シンガポールで発行されている主要な日刊紙は以下である。

英語紙 『ストレイト・タイムズ（*The Straits Times*）』
　『ビジネス・タイムズ（*The Business Times*）』
　『ニュー・ペーパー（*The New Paper*）』（タブロイド判の大衆紙）

華語紙 『連合早報』
　『連合晩報』（文化や生活、娯楽ニュースが中心）

マレー語紙 『ベリタ・ハリアン（*Berita Harian*）』

タミル語紙 『タミル・ムラス（*Tamil Murasu*）』

この中ではイギリス植民地政府が１８４５年に創刊した『ストレイト・タイムズ』が最も古い歴史を持つ。現在、これらすべての主要な日刊紙を発行する会社は、東南アジア最大の新聞・出版企業であるシンガール・プレス・ホールディング社（ＳＰＨ）である。同社は民間企業であるものの、経営陣には政府の高級官僚が加わり、新聞の言論はきわめて厳しい国家の規制の下にあり、主要新聞に掲載される記事の内容はあまり変わらない。

このようなマスメディアへの規制と監視は、１９７１年に華語紙『南洋商報』編集者ら４人が治安維持法によって拘束さ

シンガポール・プレス・ホールディング社（SPH）

れたことに始まる。『南洋商報』は1923年に抗日救国運動の指導者タン・カーキー（第4章「抗日救国運動」参照）によって創設された。同紙は、消炎鎮痛の塗薬タイガーバームで巨万の富を築いたオウ・ブーンホウが創設した『星洲日報』とともに、戦前は東南アジアの華僑・華人と中国をつなぐ媒体であったが、シンガポール独立後は英語の普及によって徐々にその価値を低下させた。1960年代末から『南洋商報』は、文化大革命の混乱から次第に国際社会復帰を試みる中国を評価する記事を掲載し、さらに1971年の新年特刊で華語教育の衰退を懸念する特集記事を組み、政府の英語教育重視を批判した。その批判が政府の怒りを買ったのである。

1974年に新聞報道法が改訂され、新聞社の株は普通株と経営株に分けられ、政府の許可した機関のみが経営株を取得できること、国民が経営株を取得する場合は主管大臣の許可を必要とすること、外国からの資金援助を受ける場合にも主管大臣の許可を必要とすることが決定された。さらに政府は、『ストレイト・タイムズ』と『南洋商報』、『星洲日報』の3紙の経営株を取得して、編集者人事に介入を始めた。82年には2つの華語紙を合併させてひとつの持株会社を誕生させ、その後、この新しい持株会社とストレイト・タイムズ社が合併してSPHが設立された。ここにおいて政府のマスメディアに対する影響力は絶大となったのである。

シンガポールには「ＯＢマーカー」という言葉がある。これは、本来はプレーできる境界を示すゴルフ用語であるが、「公に議論することが許容されるテーマや表現の範囲を示す」言葉として使われる。シンガポールのメディアは「ＯＢマーカー」から外れることは許されない。長らく『ストレイト・タイムズ』の編集主幹を務めた人物は回想録の中で、１９７０年代後半から80年代終わりまでは「野党の政策を少しでも評価するような記事を書くと、リー・クアンユー初代首相から怒りの電話がかかってきた」と述べている。このような状況下で、政府批判や政府に都合の悪い報道を報道機関自体が自粛するようになった。

なお、放送メディアも、政府系持株会社が１００％出資するメディアコープという巨大民間企業が言語別のテレビチャンネル６局とラジオ13局を所有し、政府の厳しい監視下にある。

政府のメディアに対する厳しい規制は外国紙・誌にも及び、「内政に干渉した」と判断された外国の出版物のシンガポールでの販売禁止や販売部数の制限がなされた。たとえば、アメリカの『タイム』誌は、政府の野党に対する姿勢を批判した１９８６年の記事を理由に販売部数を減らされた。ただ、同誌は政府の意見も掲載することで妥協し、販売数を戻した。高い教育を受けて英語を理解する国民が多いシンガポールでは外国の英語メディアの需要は高く、一定の販売部数を確保できるからである。

このような厳しい政府の規制について、リー初代首相は「シンガポールは国際的影響を受けやすい。シンガポールにおける報道の役割とは、国家の利益、そして国民に選ばれた政府与党の目的のために奉仕することである」（１９７１年）と述べたが、その姿勢は現在まであまり変わっていない。

では国民は主要新聞から離れたかといえばそうではない。２０１８年８月の主要新聞の１日当りの発行部数（紙版とデジタル版）は、『ストレイト・タイムズ』が同紙日曜版と合わせて37万部、『連合早報』21万部で、この国の人口を考えると決して少ない数ではない。それは、紙面を通して政府の新しい政策や政策の変更が発表されるだけでなく、それに伴う各種優遇措置の詳細や申込先などもいち早く掲載されるため、国民は常に新聞をチェックしておかねばならないからである。

ただ、近年のソーシャルメディア（インターネットやフェイスブックなど）はこの状況を変え始めている。特に2011年5月の総選挙からソーシャルメディアの使用が認められ、従来のメディアではこれまでほとんど報道されなかった野党の動向が大々的にソーシャルメディアを通して流れた。そのため主要新聞の発行部数は伸び悩み（とくに英語新聞）、各紙ともデジタル版に力を入れ始めた。

しかしながら、政府はソーシャルメディアの規制にも乗り出し、2013年にはインターネットでニュースを配信する電子メディアに対しても紙媒体のメディア同様のライセンス制度が導入され、「問題がある」として削除要求があった場合には24時間以内に対応することが求められるようになった。個人のブログにも厳しい監視が行われるようになり、2014年と15年には政府批判をしたブロガーが名誉棄損で現首相から訴えられた。2019年には「フェイクニュース情報操作対策法」が制定され、オンライン上に掲載された情報を「虚偽・誤解を招くため訂正が必要」と担当閣僚が判断した場合、掲載した個人や団体に訂正や削除などが命じられることになった。すでにいくつかの野党や独立系メディアのニュースに訂正や削除命令が出されている。

シンガポールの「2021年報道の自由度ランキング」が世界180カ国中160位と不名誉な順位なのは、メディアが「OBマーカー」のなかで活動せざるを得ないからである。

（田村慶子）

28

コミュニティ・クラブ

――★「草の根」の管理機関から娯楽・奉仕活動の場へ★――

シンガポールの住宅街を歩くと、体育館やテニス・コート、図書室、会議室、多目的ホールなどを持つコミュニティ・クラブもしくはセンターと呼ばれる3、4階建ての瀟洒（しょうしゃ）な建物を目にする。２０１９年で１０８のクラブとセンターが、人口の密集度に応じて網の目のように全国に設立されている。

コミュニティ・クラブもしくはセンターの起源は、１９４６年にイギリス植民地省が世界各地の植民地の住民の啓発や教育を行うために設立したコミュニティ・センターである。シンガポールでも１９５３年から１９５９年に、当時の社会福祉省が地域レベルでの社会福祉（孤児や貧民の救済）を推進するために、いくつかのコミュニティ・センターを設立した。しかし、運営は個々のセンターに任されていたために、当時大きな影響力を持っていた左派系労働組合や学生組織の活動拠点となっていた。

現在の政府与党人民行動党は、１９５９年に政権に就くとまもなくいくつかのセンターを廃止もしくは機能を停止させ、その上で「センターは政府指導者と民衆の架け橋として、政府与党の支持を動員する場とならねばならない」として、大々的な組織の改編に着手した。１９６０年、人民協会が政府内に設立されてセンターを統括的に運営するようになった。人民協会の目的は、社会、文化、教育および体育活動の企画や実践を行い、華人、マレー系、インド系などの民族別の垣根を越えて「シンガポール人」意識を醸成することであり、センターはこの目的に奉仕する場所とされた。しかし、当時は、人民行動党が野党と覇権を争っていた時期であり、センターの運営を人民行動党の意図の下に統括することが最大の目的であったことはいうまでもない。まもなく、野党幹部や支持者が逮捕されて彼らの活動の場であったいくつかのセンターの機能が麻痺すると、人民行動党はそれらを掌握、やがてほとんどのセンターが同党の管轄下に置かれた。

人民協会会長には首相自らが就任（2004年からはリー・シェンロン首相が会長）、副会長と協会理事はすべて会長が任命するが、任命はいつでも取り消せるようになっている。副会長と理事のほぼ半数は、閣僚が兼任している。センターの実際の運営は、人民協会が派遣する指導者と地域の住民がボランティアで参加する運営委員会が担い、運営費や維持費は人民協会からの補助金と各種講座の受講料や寄付金で賄われている。

もっとも、誰もが委員会に入れるわけではなく、まず当該選挙区選出の人民行動党国会議員の推薦を受けなければならず、さらに、過去の経歴などに問題がないか政府による調査を経て任命される。したがって、反政府的な人物は排除されるし、運営委員会を通して政府は地域の実情も把握できる。コミュニティ・センターは「人民行動党政府の神経組織」と呼ばれて、政府の管理体制の末端に位置づけられていた。1981年の補欠選挙で人民行動党候補者を破り、13年ぶりに野党議員となった労働者党のジェヤラトナムは、彼の選挙区にあるセンターへの出入りを拒否され、センターの運営

クオゥ・チュアン・コミュニティ・センター

から排除された。現在でも野党議員は自分の選挙区のコミュニティ・センターの運営に参画できない。その選挙区の人民行動党員が「草の根アドヴァイザー」として運営に携わっている。

多くのセンターは１９９０年代になると老朽化が目立つようになり、改修や改築が行われると、センターはクラブと名称が変更され、現在はかなりのセンターがクラブになった。クラブは、センターであった時代と同様に、地域住民の動向を把握するという草の根管理の役割を果たし、行政事務の一部を代行するクラブもあるが、同時にスポーツ教室や各種語学講座などの社会、文化、娯楽活動の提供を積極的に行うようになっている。磐石な人民行動党支配が続いているため、住民を監視する必要性が薄れ、本来の役割である「シンガポール人」意識の醸成が重要視されているためである。

センターの建物はシンプルで機能的なものがほとんどであったが（クオゥ・チュアン・コミュニティ・センター

の写真を参照）、改築・改修されてクラブになると、豊かになったシンガポール人の好みに合うように、斬新なデザインの色鮮やかな建物となっている。写真の「南洋コミュニティ・クラブ」には屋上庭園、多目的ホール、会議室、小劇場、図書室からカラオケラウンジまで備えられている。

もっとも、このような政府の「お仕着せ」で始まった地域活動であっても、活動に参加するシンガポール人は着実に増えている。それは、近年、少なからずのシンガポール人が自分たちの住む地域社会に関心を持ち、地域に貢献することに生きがいを見出そうとしているからである。

南洋コミュニティ・クラブ

2019年に文化・社会・青年省の「ボランティア・サイト（募金やボランティア活動を希望する人のサイト）」に登録した人は過去最高の22万人に、2019年の1年間に行われた個人あるいは団体の慈善活動は100万件にのぼった。このような人々のボランティア活動や慈善活動への関心の高まりを背景に、同省は6つの地域ボランティア拠点を様々な団体と協力して運営し、地域住民の参画を促している。コミュニティ・クラブもまたこれまでの役割に加え、人々の慈善活動や地域ボランティア活動の拠点のひとつとなっていくだろう。

（田村慶子）

Ⅲ

管理国家の諸相

29

HDB団地

★団地社会に生きなければならない人々★

シンガポールは、人口の80％がＨＤＢ（住宅開発庁）という団地当局の下にある公共住宅団地に暮らす、団地社会である。団地居住率は、かつて１９８８年度から１９９２年度にかけて87％に達していたこともあった。シンガポールで暮らしていくにあたっては、より値段の高いコンドミニアムか土地付きの住宅に住まない限り、団地に住まなければならない。「総団地化社会」が実現されていると言える。現地を実際に回れば、都心から郊外まで高層団地棟ばかりであることに驚くであろう。

２０１９年度ＨＤＢ年報によると、ＨＤＢの下にある団地戸（フラット）は、２０２０年3月末の時点で１０７万４６６７戸に達し、このうち94・1％にあたる１０１万１３３２戸を分譲団地戸が占める。団地住民のほとんどが自らの団地戸を99年のリースという形で購入しなければならない、「総分譲化社会」もまた実現されているのである。団地戸を購入せず賃貸団地戸に居住するためには厳しい所得制限があり、一部の限られた低所得者以外は、賃貸団地戸に住むことができない。

団地戸は、日本の１ＤＫにあたる1部屋型から4ＬＤＫにあたる5部屋型及びエグゼクティブ型までである。価格は、新規分譲時の価格のほかに中古団地戸の市場価格があり、市場価格は日々変動している。団地住民は自分の団地戸の最新市場価格に驚くほど詳しく、その価格を尋ねれば、自分がいくらで買って今いくらなのか、その差額すなわち含み益を喜んで話して聞かせてくれるだろう。しかし、総団地化社会及び総分譲化社会において、自分の団地戸以外に住処を見つけるのが難しいなか、その含み益を現金化することは不可能に近い。

シンガポールの団地について取り上げるにあたっては、総団地化社会及び総分譲化社会であることに留意しなければならない。団地に住みたくなければ、団地を出て他所に住めばいいのではないかといった考えが、シンガポールでは通用しないのである。

この結果、団地は、HDBを通して政府が強権をふるう格好の手段となっている。上階から物を投げたり落としたりする「キラーリッター」や不法滞在者を住まわせるといった政府が厳禁する行為を行った場合、こうした行為に対する刑罰のほか、団地戸の没収が加わり、政府の望む行為を行わせる効果的な抑止力の発揮ができるようになる。団地を手段とすることで、政府は、その基本政策を人々の暮らしの隅々にまで徹底して実行することが可能となるのである。

代表的なのがEIP（エスニック統合政策）という人種（民族）別割り当て政策である。EIPの下、各団地の近隣区や団地棟に至るまで人種別の割り当てを細かく定め、それを超えた場合に団地戸の売買をできなくすることによって、政府の求める形での多人種社会が実現可能となる。さらに2010年からは、「シンガポール永住者クオータ」が導入された。マレーシア人を除く永住者世帯が購入できる団地戸数の割合の上限が、EIPにならって、近隣区と団地棟で定められたのである。これによって、シンガポール人と外国人移民が平和裡に共住することを、多人種共住と同じように団地棟1棟にいたる細部にまで実現させようとしている。

以上記したシンガポールの団地に関する基礎知識を頭に入れた上で、実際に団地を見てみよう。シンガポールの団地開発は、ジェロン工業団地の開発とともに開発されたタマンジェロンやマレーシアに隣接するウッドランドといった例外を除けば、基本的に都心部から同心円状に広がる形で進められてきた。植民地時代の事実上の団地当局であったシンガポール改良信託を引き継いだHDBは、1960年代にはクイーンズタウンやトアパヨといった都心から5マイル（＝約8キロメートル）の範囲内で団地開発を進め、1970年代にはその外側のアンモキオ、ベドック、クレメンティで団地開発を進めた。1980年代に団地開発はその外側に広がり、1990年代以降は総団地化が実現し、国土の端まで団地化されるに至った。

しかしながら、以上記したことは、あくまで団地開発が始まった時期にすぎない。実際には、既存の団地内に団地棟が追加されて建設されるほか、団地再開発によって団地棟を取り壊した跡地に新しい団地棟が建設されたりして、団地の歴史が積み重ねられている。団地を歩いて、各団地棟が建設された年代がおおよそわかる人は、それだけでシンガポールの団地通だと言えるだろう。

各年代別の団地の特徴を大まかに記すと、1960年代に建設された団地は、ごく一部を除いて、3部屋型以下の間取りの小さいものしかない。1970年代の団地は、4部屋型以上の大きな間取りの団地戸が現われるなか、大量生産時代を迎え、団地のデザインはより画一化する。1980年代には、団地の個性化が唱えられ、あえて屋根をマレー人建築風や華人建築風にするといった細工が施されるようになる。１９９０年代以降は、土地の有効活用が唱えられるようになり、40階建てや50階建ての超高層団地棟が建設され、各戸の間取りはむしろ縮小されるようになった。

１９９０年代以降はまた、新しい団地開発だけでなく、既存の団地を対象とする団地再開発が積極的に行われている。団地再開発は、住民が住みながらそのまま団地戸をアップグレードするＭＵＰ（メインアップグレードプログラム）やＨＩＰ（住居改良プログラム）、分譲団地棟を取り壊すＳＥＲＳ（選択的全棟再開発スキーム）といった、様々なプログラムが行われてきた。団地再開発が積極的に行われるようになった背景に、団地化が国土の端にまで達し、これ以上拡大しようがなくなったことがあった。

ブキホスイ団地の新旧団地棟。1960年代初めに建設された団地棟（手前）と、最新型の高層団地棟（奥）

ＨＤＢ団地は、２０１０年代以降もまた興味深い展開を示している。２０１３年に、ビダダリをはじめとする新たな団地開発が公表された。これらが既存のニュータウン開発の延長であったのに対して、２０１６年には、約20年ぶりの新規ニュータウン開発として、テンガーニュータウンの開発が発表された。新たにニュータウンを開発する余地が、シンガポールにはまだあったのである。

団地再開発については、リー・シェンロン首相が

2018年に、リース期間内にHIPをもう1回行うHIPⅡと、SERSにかわるVERS（任意早期再開発スキーム）という新政策を発表した。ここで重要なのは、99年というリース期間を延長せず、リースが終了すると団地戸を回収して団地棟を取り壊すことを首相が明言したことである。これは、99年が経つと団地戸が無価値になることを意味する。

HDBによる分譲化が1964年に始まってから50年以上が経ち、シンガポールではこれから、99年のリース期間の半分が過ぎる団地戸が続出する。総分譲化社会であるために、いずれそれは社会全体に及ぶ。「無期」に等しかった99年が「有期」になり、リース期間が切れた後のことも、団地住民は考えなければならなくなったのである。政府の具体的なプランは、その後何も示されないままコロナ禍を迎えた。今後どうなるのかは不確かであるが、99年というリース期間がこれから重要な問題になっていくことは間違いない。

中古市場において、リースの残り期間が相対的に少ない団地戸の人気が依然として高いことが興味深い。築年数の長い団地に実際に行くと、古いと言うよりも、住みやすい団地が多いことがわかる。住民が長年そこに暮らし、住みやすい居住空間を自ら築いた結果にほかならない。ヘリテイジ活動が行われる団地もある。リースの残期間が日々減っていくなか、総団地化社会は今後も興味深い展開を示していくであろう。

（鍋倉　聰）

30

教育制度

――★すべての子どもの能力と努力を引き出す独自のシステム★――

天然資源に依存する国ほど、教育に対する国民の意欲はそがれ、高い教育水準は求められない。教育へのこのような消極性を生み出す現象を経済用語で「資源の呪い」という。逆に、天然資源や土地に恵まれないシンガポールはこの呪いをかけられるどころか、国策の柱である教育への公的資金投入が政府の歳出予算の2割近くを占めるほど膨大である。こうした甲斐もあってか、シンガポールは国際学力比較調査で常に上位をキープしてきた。

貴重な人的資源を最大限に活用して国の富を築くべく、シンガポールの教育制度の基本方針は、各々の子どもが自らの潜在的能力を発見し、できるだけそれを発揮できるように、また生涯学習に対しても情熱が持てるように支援することである。換言すれば、能力のある子どもには最良の教育機会を提供しつつ、そうでない者にもその人なりに潜在力を十分に引き出す努力をしてもらうことが重要である。

シンガポールの教育には3つの大きな特徴がある。第1に、子どもは学校で英語と民族語の2言語を学習しなければならない。1965年に独立した多民族国家シンガポールは、まず華語（標準中国語）を方言がバラバラな多数派華人の標準語にし、そのうえでイギリス植民地時代からの行政用語である英語を異民族どうしの共通語にした。それに伴い、教育制度にも2言語政策が実施され、華人なら華語と英語を、マレー系ならマレー語と英語を、インド系なら南インドの言葉であるタミル語と英語を学校で学ぶことになった。

ところが、2言語政策が強化された当時、多くの子どもが家で話されない言葉で学校の授業を受けることになったため、言語能力の乏しい児童生徒が学業について行けず、小中学校の中退率が高止まりしていた。人的資源理論の視点からみれば、学校の中退者はいわば教育の「浪費」であるとされた。この「浪費」を解消するために、落ちこぼれそうな子どもの能力に合わせた学習内容を提供し、児童生徒を能力別に振り分ける、シンガポールの教育における第2の特徴としてのストリーミング政策が1979年に登場したのである。

第3の特徴として、数校の小規模なイスラーム宗教学校を除けば、シンガポールには私立学校がほとんど存在しない。しかも、宗教学校の児童でも小学校修了試験を受けることが義務付けられ、またインターナショナルスクールへのシンガポール人の入学が原則的に禁止されているため、国内で教育を受ける以上、すべての国民は上述した2言語政策とストリーミング政策に従うことを余儀なくされる。

さて、シンガポールでは、義務教育の初等教育においてすべての小学生は5年次から教科ごとに基礎コースか基準コースに学力別に振り分けられる。また、強制的ではないものの、小学校3年次に行われるテストで好成績を収めたトップ1％の児童が翌年から英才教育コースに進むことになっている。

図　シンガポール教育制度の略図

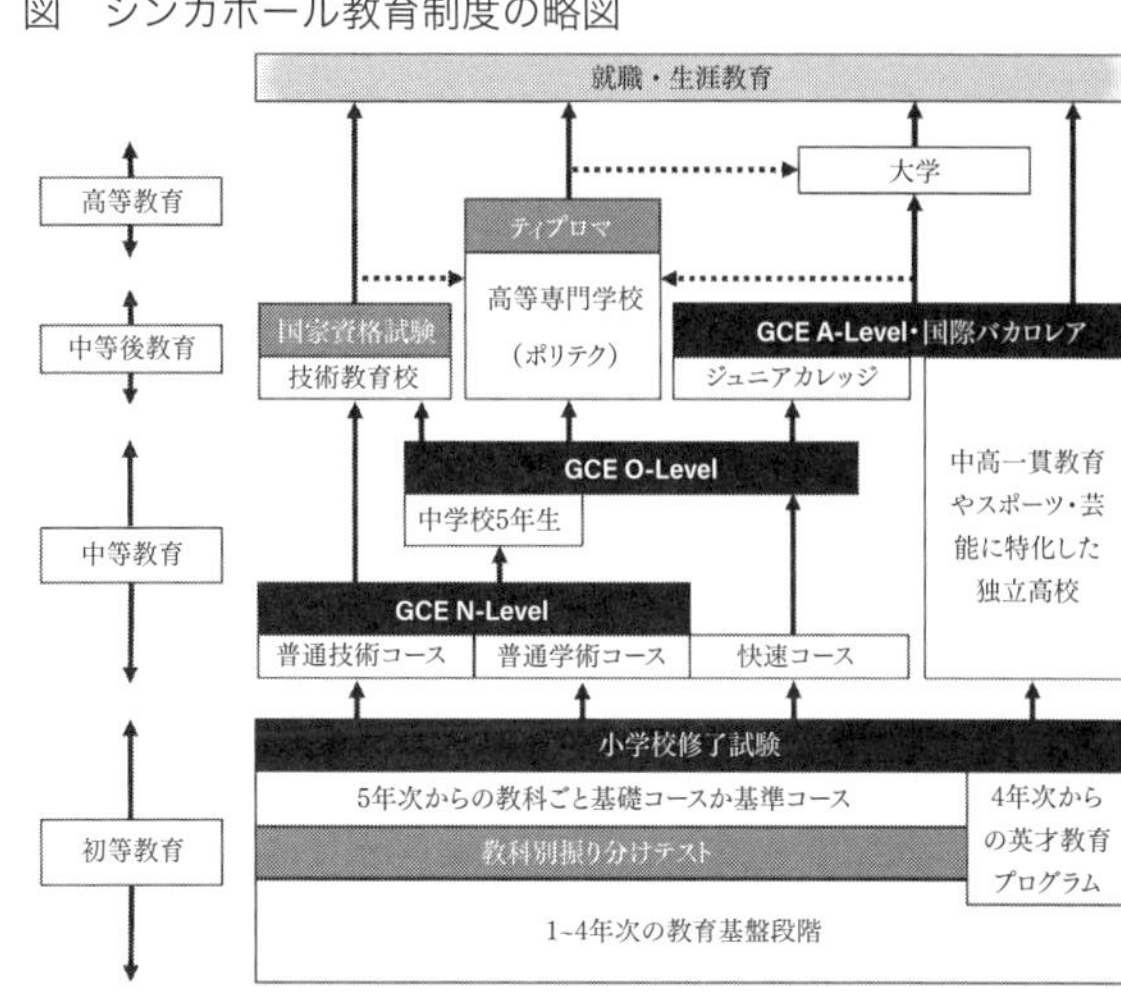

小学校6年次に受ける小学校修了試験の合格率は毎年約98％であるうえ、修了試験に2回挑戦しても合格できない小学生は職業訓練系の中学校に入る選択肢もあるため、ほぼすべての小学生が進学すると考えてよい。

一方、義務教育でない中等教育では、生徒はコース別に分類される。教育省の資料によると、上位の快速、中位の普通学術と下位の普通技術という3つのコースに在籍する中学校1年生の割合は、それぞれ約60％、25％、15％である。4年制の快速コースの中学生が卒業時にケンブリッジ教育認定試験GCEのOレベルを受験するのに対して、同じく4年制の普通コースの中学生は難易度のより低いNレベルの試験を受けることになる。ただ、Nレベルで良い成績を収めた生徒は中学5年に進級し、1年後にOレベルに挑戦することもできる。

近年、シンガポールでは中高一貫教育や芸術・スポーツなどの分野に特化した独立学校が増えており、その数は全体の中学校数の約1割強に相当する。これらの学校は、Oレベルを受けずストレートに高校まで進学できる成績優秀な小学生、もしくは優れた才能のある児童向けである。

中高一貫校の生徒を除けば、中卒者が入学できる公的教育機関は、大学進学をめざす2年制ジュニアカレッジ（JC）、もしくは卒業後の就職を前提としディプロマ資格を付与する3年制高等専門学校（ポリテクク）あるいは国家技術資格が取得できる2年制技術教育校のみである。

大学へ進学できるのは、大学入学試験にあたるGCEのAレベルあるいは数校の独立学校が行う国際バカロレアに合格したJCの生徒と優秀なポリテク生に限られ、技術教育校の卒業生の進学先はポリテクのみとなる。教育省の資料によると、JC・ポリテク・技術教育校への進学率がそれぞれ約30％、45％、25％であることから、ほぼすべての中学生がいずれかの教育機関に入学することがわかる。

さらに、教育省の資料では大学進学率（国内の全日制のみ）が40％弱となっているものの、統計局のデータをみると、25～34歳の年齢層における大卒者の割合が55％以上となっているため、数年働いた後にリカレント教育を受けるなり留学するなりなどして、別のルートで大卒の資格を取得するシンガポール人が多いことが考えられる。

なお、成績の良い技術教育校の学生でもポリテクへ、そしてそこからまた大学へ編入するというふうに、学術的な能力を基準とした選抜ルートとは手段も評価基準も異なる「敗者復活トンネル」を通じて学歴を高めていくこともできる。このように、シンガポールの教育制度に袋小路はなく、「敗者」には何回も復活戦が与えられる。しかも、最新設備が整った技術教育校の学費が月額数千円と安いだけでなく、キャンパスも最先端の環境デザインを駆使した学びの空間となっている。

家庭の経済環境が子どもの学力に影響を与える恐れから、国籍所持者に対してシンガポールの学校

低学力層が通う、学費の安い技術教育校のキャンパス

の学費は安く抑えられているうえ、経済的支援措置も充実している。たとえば、低所得層の場合では、学費の全額免除と教科書や制服の無料配布だけでなく、通学定期支援や給付型奨学金などが受けられる。加えて「下に手厚く」という原則で、学費の高い独立学校の場合でも、世帯収入に応じて学費と教育支援が細かく設定されており、「経済背景に関係なくすべての国民が最も良い教育機会を得られるよう貧窮な国民に経済的支援を提供する」との教育省の方針が実行されている。

さらに、国籍をもつ児童生徒を対象に教育貯蓄口座が設けられ、世帯収入や学業成績、品行、社会貢献、リーダーシップなどに応じて、この口座に毎年政府から教育支援奨励金が支給される。口座に入った金額は学校の承認のもとで書籍購入や海外研修旅行などの教育活動にのみ利用できる。

最後に、90年代から教育現場へのICT（情報通信技術）の導入が本格化したシンガポールでは、低所得層へのパソコン配布や購入支援に加え、学校では紙の教科書を全く使わない授業の展開を推進してきた背景があり、コロナ禍による学校教育への影響を最小限にとどめたことを記してこの章を終わる。

（シム　チュン・キャット）

31

大学生気質

★人生を変えるために大学に行く★

現在シンガポールには数多くの大学がある。国立大学6校、国立美術大学2校、私立大学、SIM大学をはじめとする世界の有名大学の現地校を運営する大学等。国立大学6校の学生総数は7万3797人。最も権威ある世界大学ランキング（イギリスの高等教育専門誌タイムズエデュケーション）2021年版で、シンガポールは国立大6校のうち、世界100位にシンガポール国立大学が25位、南洋理工大学が47位に入った（同ランキングで日本は東大が36位、京大が54位に入っている）。

シンガポールの大学は政府主導で世界的に需要のある分野を特定して予算をそこに重点的にかける。

学生にとって良い環境をつくるため、世界中から優秀な学生を奨学金を出して誘致する。学生だけでなく一流の研究者をお金の力で誘致してくる。コロナ禍が発生した時にはどの大学も即座にオンライン授業に切り替え、南洋理工大学では2021年8月から新1、2年生はポストコ

ロナの「オンライン時代」に活躍できる人材となるための新設7科目が必須となった。社会に出て活躍できる人材を育てるのだという軸がぶれない。

自分が教えている3大学の学生と講師に「シンガポールの大学生気質」とは何かきいてみた。

これは本章のために学生が描いてくれた「シンガポールの大学生」の絵。ディルックは好きなゲームの名前だそう。頭上の1から5は、

1 Kiasu (competitive) 負けたくない（競争意識）
2 Entitled 権利・特権意識
3 Anxiety (overthink) 不安感が強い（考えすぎ）
4 Stressed ストレスでいっぱい
5 Spoon-fed 手取り足取り希望（教科書に頼る）

「シンガポールの学生気質とは？」ときいてみた時に何度も出てきた言葉が並んでいる。実際どうかは別として、これがシンガポールの大学生が考えるシンガポールの大学生気質。

1 キアスは学生だけでなくシンガポール人の国民性を表すのによく使われる。筆者は2014年からシンガポール社会科大学で「シンガポール社会」という社会学課目を担当しており、授業のはじめに毎回必ず「シンガポール人気質」を学生全員に答えてもらうのだが、キアス（華語＝負けたくない）は必ず入ってくる。シンガポールは意図的につくられた学歴社会である。多民族をまとめる軸として民族出自に関係なく誰でもがんばれば成功できるという学歴制度はこの社会の軸になっている。Competitive（競争意識）という言葉自体、競争意識を強く持たなければならない、国際間競争に勝てる

学生を育てなければならないといった文脈で、政府、大学関係者の間でよく使われる。

2 権利・特権意識 エリート意識とはすこし違うのだが、お客様意識で大学にきてサービスを求める態度で、シンガポール人というより今の若い学生世代に共通してある特徴だといわれている。

3 不安感 がんばってがんばって入ってきた大学で、学生はまた厳しい競争にさらされる。シンガポールの学生はとても真面目でよく勉強するのだが、成績は学生同士の比較で決まる大学も多いため、こんなにがんばっているのにAがとれないと悩む学生も多い。また将来に対する漠然とした不安もあるようだ。今の学生の親世代は「なんとか大学に入ってほしい」「大学さえ入ってくれれば安心」という感覚が強く、実際親を喜ばせたくて、安心させたくて大学にきましたという学生も相当数いる。だが親の世代とは異なり、今は大学進学率が高い。国立大学だけでも42%。狭き門とはいっても大学進学率が20%台で卒業すれば一種の特権階級だった親の時代とは違う。

4 ストレスはおもに勉強と競争からくるのだという。シンガポールの大学は入ればいいのではなく、成績優秀者として卒業することができるかによって就職の時の採用から出世、特に公務員であれば生涯賃金に関わってくる。

5 手取り足取り指導希望。直訳するとスプーンで食べさせてもらう。これも今の若い世代の特徴としてよくいわれること。学生によくきかれるのは「模範解答はありませんか」。これは大学入学まで、ある程度知識の詰め込みが求められることと関係があるかもしれない。いろいろな知識を効率よく覚えること、それを適切に出すことができないと大学にくることができない。だが大学では学生の「自主性」、学生同士の「共同作業」に重きをおく。学生によっては違いに戸惑う。ただこれは今変わりつつあるかもしれない。学校が一斉に「批判的思考」をカリキュラムに取り入れだしたためだ。

お金がなくても優秀な学生には基本政府が奨学金を出すため、学費が払えなくて大学にいけませんという人が少なくとも建前上は存在しない。若者だけでなく、シンガポールは現在教育改革を推進中で、特に社会人の生涯教育に力を入れている。25歳以上のシンガポール人は「Skillsfuture（技術と未来）」口座に一律80万円強が配られスキルアップのための学費に使うことができる。40歳から60歳は１２０万円。産業経済から知識経済へと転換をとげる社会の中で「誰一人置いていかれることがないように」政府が機会を提供する。夜間大学ではほとんどの学位が卒業まで１２０万円ほどで取得できる。40歳以上の社会人なら50万円。学ぶ意欲を持ち努力さえすれば何歳からでも人生を変えることができる、そして誰にでもその機会を与えるという政策がシンガポールの学生を明るくしている。世論調査でもシンガポールでは、成功するために必要なのは人種や社会階層ではなく個人の努力という結果が出ており、多民族国家をまとめる指針として学歴主義が強く支持されていることがわかる。

何のために大学に行くのか。人生を変えるため。シンガポールの学生はとてもプラグマティック（実利的）だとよくいわれる。シンガポールの大学自体が実学（社会に実際に役に立つ。卒業したらいい賃金で世界マーケットに自分を売ることができる）第1で、男女共に「仕事のため、より良い未来のため、自己成長のため」とはっきりと答える学生が多い。

（藤田仁子）

32

社会福祉

★自立と家族支援が基本★

現実主義のシンガポール政府は、目覚ましい経済発展を遂げて先進国の仲間入りをしても、社会福祉の分野では先進国を見習おうとはしていない。政府は西欧の福祉主義とその経済的負担を懸念して、「福祉国家」を明確に否定している。リー・クアンユー初代首相は「植民地宗主国イギリスが残した様々な慣習から学ぶことは多かったが、『福祉国家』の考え方は避けるべきものである。なぜなら『福祉は自立を蝕む』ので国家福祉主義は国民のやる気を削ぐからである」と述べた。1998年の予算演説で、政府は「福祉プログラムを拡大すれば、個人の責任感や自立、地域の支援や労働倫理を妨げるので、我々の社会の構造に打撃を与える」と述べた。

反福祉国家の考え方とともに、個人の自立を促すこと、また困窮者への支援は家族がまず担うべきであるという理念は、これまでシンガポールの社会政策の基本であった。2012年に社会開発・青少年・スポーツ省を再編して作られた社会・家族発展省の最も重要な使命は、前省に引き続いて強靭な個人を育成することであり、社会支援の担い手としての、絆の強い家族と思いやりのある社会を育成することである。

社会サービスは以下の2つの理念によって行われている。

第1には、社会的な支援は短期的で一時的なもので、貧困者や障がい者のような恵まれない人々には雇用機会を与えて自立を促すという自助が強調されること。この哲学は次のような格言を反映したものである――「魚を恵んでもらえれば1日飢えない。魚の釣り方を教えてもらえれば一生飢えない」。

第2には、支援は政府や企業、宗教団体、ボランティアの慈善団体、草の根機構、自助団体などの「多くの援助の手」によってなされるべきこと。政府は、支援を必要とする人々の身近にいる民間の地域団体の仲介者もしくは助言者として中心的な役割を果たす。政府は、このやり方を通して、支援を必要としている人を助けるという気持ちを地域住民に持ってもらいたいと考えている。

社会・家族発展省は、戦後の食糧難に苦しむ人々の救済、その後は女性と子どもの支援と保護を目的として1946年に設立された社会福祉局が起源である。その他の関連する機構では、社会サービスを主導する国家社会サービス評議会（1958年設立）とその下部機関で慈善事業の募金集めをするコミュニティ・チェスト（1983年設立）、1999年設立の全国ボランティア慈善センターがある。

1997年には、新たな地域行政の単位として、政府が任命した市長を擁する5つの地域開発評議会（CDC）が、困っている人を支援し、人々の絆を強化し、地域をつなぐという目的の下に全国に設置された。CDCは社会・家族発展省の下に、地域社会における支援の重要な担い手として、困窮する家族や個人が自立するための様々な社会支援計画を行っている。また、CDCは2006年に設立された地域支援基金を使って、低所得世帯への財政支援も行っている。支援は直接の金銭的援助で、他の政府機関やボランティア団体、草の根機関などと連携しながら行っている。ただ、これら機関や団体の支援もまた期限付きの一時的なものである。たとえば、失業中でCDCの支援を求める人は各種の金銭的援助や引換券、医療補助、学童期の子どもがいる場合は教育支援などを受けることができるが、いずれも24カ月までである。

しかしながらこのような支援のあり方は貧困を個人の問題にしてしまい、社会的な不平等やグローバル経済下での持てる者と持たざる者の間で広がる格差、さらに最低賃金が決められていないことなどの構造的問題を無視するという根強い批判がある。定職を持つことができず、長期的な介護やリハビリが必要な病弱な人々などハンディを負ったグループをどうするのかという批判もなされている。さらに、より多くの女性が戸外労働をするなど変化する社会の環境は、家族を主要な福祉の担い手とすることを一層難しくしている。急激に進む高齢化とともに、健康管理や介護の需要も深刻な問題となりつつある。

しかしながら、GDPの20〜30%を社会福祉関連の支出にあてている北欧、欧米諸国に比べて、シンガポールの支出は年8・2%（2017年）と相対的に低い。このような現実は、政府の反福祉主義の姿勢への疑問と恵まれない人々へのセーフティ・ネットが不十分だという批判につながっている。2017年の国連人間開発報告によれば、シンガポールのジニ係数（所得・資産分配の不平等度を示す指数。係数は0と1の間の値を取り、1に近づくほど不平等度が高い）は0・356（税金や社会福祉によって再配分した後の数字）で韓国や日本など他の先進国に比べて高かった。

一方で、単なる社会福祉へのGDP支出割合の比較を越えて、シンガポール式の福祉制度は効果的に個人の自立と責任を促しているという評価もある。実際、近年の政策には所得格差を縮小させようという国家の継続的な努力が表れている。前首相ゴー・チョクトンは「優しく思いやりのある社会」を掲げて、豊かなシンガポール人は恵まれない人々に援助の手を差し伸べることを促し、同時に、教育と健康管理のための10億シンガポール（S）ドルの拠出を含む「レベルアップ」政策を発表した。

さらにグローバル化と経済の再編に伴って、低所得者が外国人労働者との厳しい競争に晒されるため、リー・シェンロン首相はより多くの資源を低所得者層に割り当てるという「寛容な社会」創造の努力も行っている。2006年には政府が自助努力する人を支援するという理念に基づく「ワークフェア（勤労福祉制度）プログラム」が開始された。翌年には名称を「ワークフェア収入助成プログラム」と変更し、40歳以上で月額1500Sドル以下の低所得者は所得に応じてボーナスを受け取れるようになった。2010年にはプログラム受給資格の月収上限が1500Sドルから1700Sドルとなり、40万人の労働者が資格を得た。その後、受給資格の月収上限がさらに引き上げられた。このプログラムは現在では主要な社会保障のひとつであり、その受給資格の月収上限はさらに2020年から引き上げられ、60歳以上の被雇用者は年間4000Sドルを受け取れることになった。これは35～44歳の被雇用者の2倍以上の金額である。また、退職後の貯蓄を増やすために、現金の支給や中央積立て基金への供出比率も増額される予定である。さらに、低賃金で働く35歳以上の人が訓練を受けてよりよい仕事を得るための「ワークフェア・トレーニング支援策」も開始された。

一方、近年、政府は「福祉国家」的な政策も取りつつある。2014年の「パイオニア世代パッケージ」は80億Sドルの予算を使って、65歳以上のシンガポール人の社会保障費を補助することになった。さらに、2015年には30億Sドルの予算で「明るい老後のための行動計画」が発表され、高齢者へのさらなる財政支援が行われることも決まった。2019年には、1950年から59年に生まれた「独立世代（華語では建国一代）」の健康と快適な日常生活を促進するために61億Sドルの予算を付けた「独立世代パッケージ」も決定した。コロナ感染が拡大した2020年、政府は総額で100億Sドルを拠出して個人や家族、企業を支援した。ただ、これらの政策は福祉国家的な側面を持っているものの、政府の役割は個人の自立を支援することという大きな方向性は変わっていない。

他国の政府にとっては、国民が政府に最低限しか依存しないというのは、羨ましい限りであろう。しかしながら、グローバル化による経済の再編と急速に進む高齢化によって、さらに多くの人々や家族が経済的自立のために社会的な支援を求めるだろう。人口の下層10％を越えてどの程度までの国民に追加補塡を行うべきか、また財政支援を求める下層のミドルクラスにどの程度支援をすべきなのだろうか、課題は多い。

（湯　玲玲）

33

老いるシンガポール

★「家族介護」の限界★

シンガポール政府の高齢者政策の基本は、前章で述べているように、「まず個人の自立を促すこと、支援の担い手としての絆の強い家族を育成すること」で、高齢者の介護は家族が担うべきであると考えられている。

2001年に策定された「高齢者介護のマスタープラン」は、この高齢者政策の基本的な考え方を反映している。そこでは以下の4つが高齢者介護の理念とされた。

(1)高齢者はできる限り健康で活動的に過ごし、個人はみな老後に備えて責任と計画を持つ。
(2)家族が高齢者の介護の重要な第1の担い手である。
(3)支援は宗教団体、ボランティアの慈善団体、草の根組織、自助団体など地域の「多くの支援の手」によってなされる。
(4)国家は、個人、家族、地域がそれぞれの役割を果たすための仲介者もしくは助言者の役割を果たす。

さらに、経済的自立が困難となった親が子どもに経済支援を求めることができるという、いわば親孝行を義務付けた法律「両親扶養法」も制定された。子どもから十分な支援を受けることができないとして親が裁判所に訴えた件数は毎年100から

200件あるが、そのほとんどは話し合いで解決している。

「家族が高齢者介護の担い手である」という考え方の下、政府の資金補助を受ける入所型の介護施設の数はとても少ない。介護施設には、看護と日常生活の介助を受けることができる療養老人ホーム、ある程度日常生活はできるが全く身寄りがないもしくは家族と疎遠になってしまった低所得者が対象の養護老人ホームなどがあるが、私立を含めてすべての施設の全ベッド数は1万床ほどと少なく、介護が必要な高齢者の3％ほどしか入所していない。また入所には厳しい条件が課されている。療養老人ホームの場合、①脳卒中や痴呆、その他の慢性的な病気によって身体的精神的に大きな障がいを負った者、②車椅子もしくは寝たきりで、日常生活に介助が必要な者、③外国人家事労働者やデイケア・センター、在宅看護などあらゆる介護の方法を試みたが入所以外の方法がない者、④家庭や地域で介護できる人がいない者、⑤入所者および家族が有する資産・収入調査に合格した者である。

なお、デイケア・センターとは、高齢者が娯楽や運動、リハビリ、ボランティアとの交流などをして1日を過ごすセンターで、利用には大きな制限はない。

このように高齢者介護施設の入所には厳しい制限を付ける一方で、家族介護がしやすいように、親と同居する子ども夫婦が新築や中古の公共住宅を購入する場合は優先的に希望の場所や物件を選ぶことができ、補助金や税の優遇措置を受けることができるといった制度を設けている。

また、高齢者の雇用を促進するための法律も制定され、62歳の定年を過ぎても65歳まではケースバイケースで雇用を継続することを雇用者に義務付けた。高齢者に少しでも長く働いてもらい、家族や政府の負担を減らすことが目的である。

しかしながら、急速に進む高齢化はこのような家族頼みの政策の有効性に大きな疑問を投げかけている。65歳以上の高齢者が人口に占める割合は２００２年には7・8%であったが、２０１４年には11・7%となり、２０３０年には25%になると予想されて、この国は東南アジアで最も早く高齢化の進む国となっている。平均寿命も１９９０年の75歳から２０１７年には84・8歳に、とくに女性の平均寿命は日本の87・21歳を上回る87・55歳と世界1位となった。女性の労働力化の進展と進む少子化、独身者の増大もまた、家族介護を難しくしている。２０１８年で15歳以上の女性の労働力化率は60・2%となる一方で、1人の女性が一生の間に産む子どもの数（特殊合計出生率）は1・6人にまで下がり、35～39歳の独身者は男性で21・3%、女性で18・4%になった。

このような状況の下で、ますます増加するだろう長期的な介護やリハビリが必要な病弱な高齢者には家族だけで対応できないという不安が国民の間で高まった。そのため政府は２０１３年に、国民の医療や介護施設へのアクセスを容易にすること、そのために医療支出を倍増させて病院のベッド数や介護施設、デイケア・センターを増加させることや医療スタッフの増員、さらに、外国人家事労働者雇用税を引き下げることなどが盛り込まれた「ヘルスケア２０２０マスタープラン」を発表し、さらに65歳以上の高齢者への医療優遇措置、国民皆保険制度も始まった。政府はようやく「福祉国家的な政策」に舵を切ったといえる。

ただ、「政府の役割は個人の自立を支援すること」というこれまでの大きな方向性は変わっていない。つまり、マスタープランにおいても外国人家事労働者の雇用に対する優遇措置が講じられているように、高齢者介護は今後ますます外国人に依存すると思われる。現在、介護が必要な高齢者を抱える世

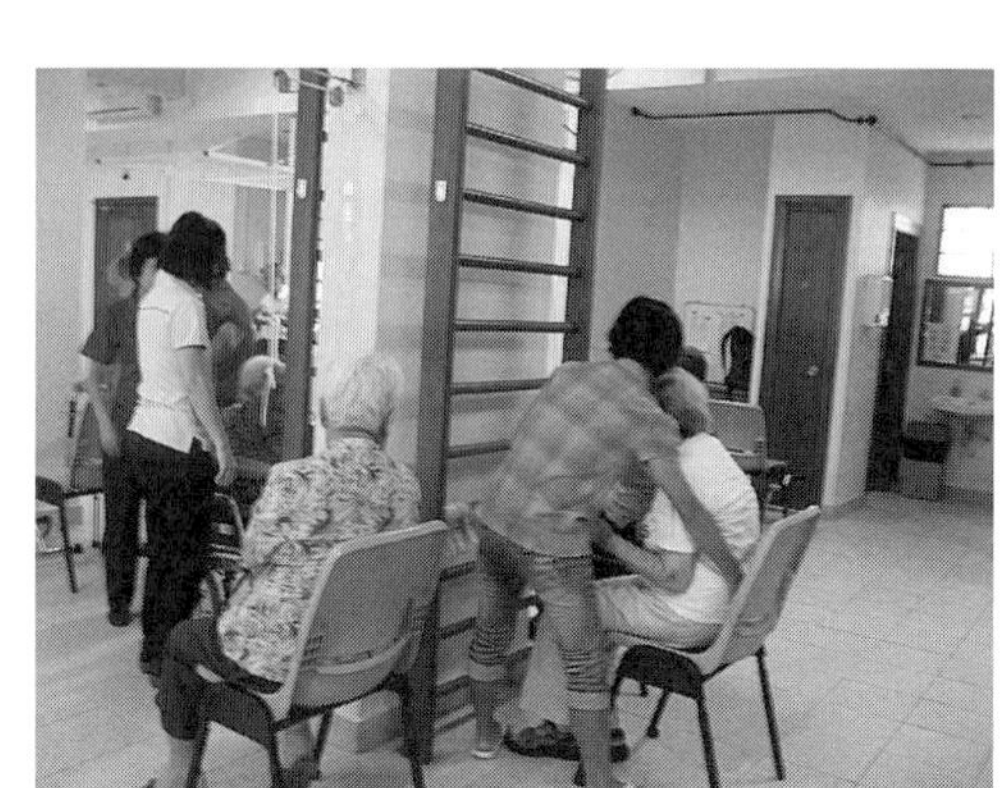
デイケアセンターでの高齢者のリハビリに付き添う外国人家事労働者

帯の49%が外国人家事労働者を雇用している。

なお、入所型の介護施設で働く職員の50～80%は外国人で、デイケア・センターでは10～15%ほどである。これは、入所型施設では痴呆が進んだ高齢者が多いために会話があまり必要ではないが、デイケア・センターでは高齢者とのコミュニケーションが求められるためである。家庭での介護も施設での介護も、現場は外国人によって担われていると言っても過言ではない。

しかし、外国人は高齢者との意思疎通が十分にできないために、無言で機械的に食事や体の洗浄を行うだけになり、結果的に孤独になる高齢者が多いことや虐待も指摘されている。子どもは外国人家事労働者を雇用して家庭で高齢の親を介護してもらい、「親孝行の面目」を保っているものの、「親を介護する」という考え方が社会から失われてしまうのではないかという不安もあるという。家族はすでに高齢者介護の第1の担い手ではなくなりつつあるにもかかわらず、高齢者の介護は家族が担うという基本政策を維持する矛盾は今後ますます大きくなるかもしれない。

（田村慶子）

34

土地収用法

★生者も死者も強制移転★

シンガポールを何度か訪れたことのある人は、新しい道路や地下鉄の駅が建設され、古い街並みが公共住宅に変わっているなど、街の風景が短期間で大きく変わっていることに気がつくだろう。このように街並みを一変させることができるのは、国土の多くが国有で、政府が容易に開発を進めることができるからである。1966年に制定された「土地収用法」によって、政府は公共公益目的の事業に必要な土地を容易に取得し、立ち退きに伴う補償額も政府が定めることができるようになった。

この強制的な土地収用によって、人々は住み慣れた場所から公共住宅へ、さらに政府が公共住宅の取り壊しを決めると、別の公共住宅に移転させられてきた。墓地もまた強制移転の対象となり、いわば生者も死者も狭い国土の有効利用のために、強制移転させられてきたのである。しかしながら近年、移転計画に異議を唱える市民や市民団体が増加、政府は市民との対話を重視し始めた。死者と生者の移転の事例を紹介したい。

東京ドームの約18倍の面積を持つ墓地ブキッ・ブラウンは、中国以外では世界最大の華人墓地である。政府は狭い国土の有効利用を理由に、1973年前後にすべての墓地を閉鎖、さらに土地収用法によって多くの墓地を強制収用したが、ブキッ・ブラウン墓地は収用から免れていた。なお、墓地閉鎖以降の死者は、政府が設立した郊外の墓地、寺院や教会、会館などの敷地にのみ埋葬されている。

ブキッ・ブラウン墓地には、中国南部から海路や陸路でシンガポールにたどり着いて懸命に生き抜いた人びとの墓が約10万基広がっている。最大の墓は600平方メートルの敷地を占有する大商人の墓で、初代首相リー・クアンユーの祖父もこの墓地に眠る。墓石には生年、出生地、シンガポールでの仕事や社会への貢献、死亡した年月日など、故人の人生が刻まれている。日本がシンガポールを陥落させた直後に行った大量の虐殺の犠牲者だろうか、死亡した年月日に1942年2月15日と刻まれている墓石も少なからずある。

ブキッ・ブラウン墓地

ひっそりと静まり返ったこの墓地が大きな注目を集めるようになったのは、2011年7月政府が墓地北西部に道路を建設することを発表し、2013年初頭から工事を開始すると発表した直後からである。道路建設によって、約5000基が移転を余儀なくされるのだが、政府はこれまで多くの墓地の移転に対してほとんど反対がなかった（できなかったと言うべきだろう）ために計画はスムーズに進むと考えていたようである。ところが、予想に反して計画は強烈な反対に直面した。それも埋葬されている故人の遺族よりも、一般の比較的若いシンガポール人が声をあげたのである。移転反対の人々は、墓地にはシンガポールの通りや公園に名を残す有名人が眠っている、さらには、無名ではあってもシンガポールの発展の礎を築いた多くの祖先が眠っていて、墓石に刻まれたその一生は、シンガポールの歴史そのものであるから、墓地を管理・保存すべきであると主張した。これに自然愛好家団体が加わり、墓地には絶滅危惧種を含む多くの野鳥が生息している、貴重な樹木も数多く生い茂っているので、この生態系を保護しようと訴えたのである。反対を唱える人々や団体は、週末に墓地ツアーを企画、多くの人を墓地に案内して自分たちの主張への理解を求めるだけでなく、サイトやフェイスブックを活用して賛同者を瞬く間に増やした。このような広範な反対運動に直面して、政府は運動の中心の人々との異例の対話を開始し、また、移転を余儀なくされる墓の詳細な記録を取ること、記録や調査のために顧問委員会を立ち上げることを発表した。ただ、数回の対話の後に、政府は建設予定の道路の3分の1を陸橋にして1000基ほどの墓は保護するものの工事は予定通り開始すると発表し、2018年に道路は完成し、約4000基の墓が移転あるいは取り壊された。

次に生者の移転を紹介する。2011年10月、高速道路建設のためにローチャー・センターという古い公共住宅が取り壊され、住人は新しい公共住宅に移転することが発表された。センターには約700の世帯と店舗が入っている。補償金は政府が移転を発表した日のローチャー・センター市場価格で、住人はこの補償金を使って新築の公共住宅団地戸（フラット）を割引で購入するので、「移転には何も問題はない」とされた。700の世帯と店舗が移転するというのは近年では最大の移転であるため、各紙には大きく報道されたものの、異議を唱える記事は皆無であり、これまで通りの移転風景が繰り返されるのであろうと予想された。

しかし、今回は住人から「移転先の選択肢をもっと多くしてほしい、移転先は都心部から遠いので通勤や通学も大変」という声が上がり、移転とは無関係の人びとからは「センターの長い歴史を大切にしよう」と保存を求める声だけでなく、土地収用法に対する不満も上がり始めた。これらを受けて、センターを含む地区選出の国会議員（政府与党）が「補償金をもっと上げるように政府に交渉する」と述べ、政府も住人が指定された移転先以外の場所を探すことを認めるなど、これまでの対応とは異なる柔軟な姿勢を見せ始めた。2012年に入ると、政府は、これまでの移転と大きく異なる対応はできないという条件つきであるものの、「補償額を含めて、影響を受ける住人に対してできるだけのことはする」と約束したのである。

この2つの移転問題で特筆すべきは当事者以外のシンガポール人、とくに若い層が積極的に関わって政府から譲歩をひきだしたことで、それは豊かさを当たり前にして育った若いシンガポール人に余裕が出てきて、開発よりも少し過去を見つめよう、自分たちが生きてきた歴史を大切にしようという姿勢が生まれているからである。今後、シンガポール社会の変化の兆しを、移転問題に取り組む若者のなかに見ることができるかもしれない。

（田村慶子）

35

外国人家事労働者

★女性の社会進出を支える外国人女性★

シンガポールは1978年という早い時期に「外国人メイド計画」を策定、外国人家事労働者（シンガポールではメイドと呼ばれる）の導入に踏み切った。それは、深刻化する労働者不足を解消するために女性を労働市場に積極的に動員しようとした結果、彼女らに代わって家事や育児、介護を担う家事労働者が必要となったためである。政府は、育児・介護施設などの公的サービス充実ではなく、近隣の相対的に貧しい国の女性に家事労働を担わせ、シンガポール女性の労働市場進出を可能にしようとした。女性の戸外労働はシンガポール経済のサービス産業化とともに進み、外国人家事労働者数は1987年の2万人から2019年には24万人となり、今や4・5世帯に1世帯以上は家事労働者を雇用していることになる。なお、家事・育児・介護は女性の仕事という保守的なジェンダー規範が未だに根強いため、外国人家事労働者は女性でなければならない。

国籍別ではインドネシア人が13万人、フィリピン人が7万人、他はスリランカ、ミャンマー人などである。ただ、1995年からフィリピンが、2010年からインドネシア政府が、海外で働く自国労働者の待遇改善を受け入れ国政府に強く要求し始めた。そのため、1995年からフィリピン人家事労働者の賃金と待遇が改善され、現在はインドネシア人家事労働者の賃金が上昇していて、シンガポールの斡旋業者は安価で雇用できるミャンマーとカンボジアに家事労働者の供給源をシフトさせようとしつつある。

彼女たちの越境の手続きは、ほとんどの場合、彼女らの本国およびシンガポールの斡旋業者を通して行われる。本国の業者は、まず、外国での家事労働を希望する女性を登録してシンガポールの業者にデータを送る。シンガポールの雇用主はデータのなかから候補者1人を選んで「基本許可」を政府の人材開発省から取得し、保証金5000シンガポール（S）ドルを払う。業者はその候補者の渡航手続きを代行してシンガポールに連れて来る。雇用主は業者に渡航手続き代行や航空運賃などを含めた手数料を支払う。このように雇用主が決まるまで彼女らがシンガポールに来ることができないのは、多くの非熟練労働者が求職を理由にシンガポールに滞在するのを防ぐためである。入国しても、彼女らはシンガポール人との結婚が禁止され、6カ月ごとに妊娠検査があり、妊娠がわかると強制送還されるなど、シンガポールへの定着を防ぐ措置が取られる。

家事労働者は労働時間や仕事の種類が家庭によって異なるという理由で、雇用法の適用外であり、労働時間や種類はそれぞれ個別に雇用者と契約を結ぶ。最低賃金や労働条件の基準は存在しない。そのために家事労働者の給与は国籍によって異なり、インドネシア人は450～500、フィリピン人は500、ミャンマー人は400Sドルが月額初任給の「相場」である。

このように給与は安価であるが、雇用主は一定以上の収入がなければ家事労働者を雇えない。保証金は契約終了後に戻ってくるものの、雇用主は約300Sドルの雇用税を毎月政府に支払い、家事労働者のために保険を購入し、住み込みが原則なので食事と寝起きする場所を与えなければならないからである。ただ、病弱の高齢者や幼児がいる家庭の雇用税は3分の1に減額され、家事労働者を雇用しやすくなっている。これは、子どもや高齢者の介護には家事労働者が欠かせないことを政府が認めているためで、シンガポールの中間層の家庭には今や家事労働者は不可欠になっているといえる。

住み込みが原則で、食事や医療費などの生活に関わることすべては雇用主が提供しなければならないため、家事労働者は雇用だけでなく異郷での生活基盤そのもののすべてを雇用主に依存することになる。雇用主は保証金を失いたくないために管理を厳しくしがちになり、家事労働者は常に雇用主の監視下に置かれることになる。このような状況は、家事労働者への身体的・性的虐待を生みやすくし、1990年代は虐待事件が相次いだ。1998年に刑法が改訂されて「メイド虐待に対する罪」が追加、虐待者には重い懲役と罰金、鞭打ちが科されるようになり、また、政府は雇用者向けのガイドブックを発行するなど、労働環境の改善に積極的に取り組むようになった。2012年からは新規雇用の家事労働者には雇用主とともに1日もしくは1日半のオリエンテーションが行われることになった。

シンガポールでは外国人労働者は労働組合に加入する権利はあるが、自分たちだけの組合を結成する権利を保障されていない。こうしたなか、家事労働者にとって重要な役割を果たしているのが、大使館やモスク、教会である。インドネシア大使館は英語や華語の講座を無料で開設し、さらに敷地内に家事労働者のシェルターを設けて雇用主とのトラブルが原因で逃げてきた家事労働者を保護し、大使館担当者が雇用者と直接会ってトラブルの解決に当たっている。また、サルタン・モスク（シンガポール最大のイスラーム寺院）の運営委員会がインドネシア人を対象に英語や裁縫、コーラン教室などの

インドネシア大使館シェルターに集うインドネシア人家事労働者

休日にショッピングセンター横の広場に集まるフィリピン人家事労働者者

講座を開いている。フィリピン人の場合は、大使館管轄下の海外フィリピン人協会が語学やコンピューター、介護・看護など多くの講座を開設している。また、カトリック教会が運営する講座もある。特筆すべきは、このような講座には講師やスタッフとして多くのシンガポール人が、ボランティアで熱心に参加していることと、家事労働者の労働環境の改善（2012年1月から雇用主は家事労働者に週1日の休暇、休暇を出さないなら日給を払う）にシンガポール人の支援NGOが大きな役割を果たし始めていることである。このような活動の広がりは、外国人労働者をシンガポール社会に生きる「他者」として認め、その存在を前提としてシンガポール社会のあり方を模索していこうというシンガポール人の活動が、ようやく根付き始めたことを示唆しているのだろう。

（田村慶子）

コラム3

罰金の国

田村慶子

「私は、国民の私生活に干渉しすぎるとたびたび非難される。そのとおりです。でもそうしなければ今日の我々はありえないでしょう。もしも政府が国民の個人的問題――誰が隣人になるのか、どのように住むのか、騒音を出していないか、どこに唾を吐くのか、どの言語を話すのかについて干渉してこなければ、今日の経済発展はありえなかったでしょう」――これは経済発展を達成した自信に裏打ちされた１９８７年のリー・クアンユー首相（当時）の言葉である。

この言葉どおり、シンガポール政府は国民の生活に干渉しすぎるのではないかと思えるほど干渉し、小さな都市国家の社会の安定と秩序を保ち、環境も美しく保たれている。

ゴミを道端に捨てると罰金になることは日本でもすでに有名であるが、環境公衆衛生法によれば、道路や公共の場所に痰や唾を吐いたり鼻水を垂らしたりすることも、主要な道路の斜め横断も、公衆トイレを流さないことも罰金の対象となる。公衆トイレにはトイレットペーパーや石鹸、タオル、ゴミ箱という備品を備え付けなければ、管理者には罰金が科せられる。チューインガムは国内での製造も販売も禁止され、外国人がうっかり持ち込むと押収されて罰金を払わされる。喫煙についても厳しく規制されている。開発業者には緑地帯の設定からゴミ収集所の周りに生垣を設置することまで義務付けられ、違反すると罰金が科される。もっとも環境が美しく保たれているのは都心の中心部だけで、郊外の住宅地の溝の中はゴミだらけ、歩行しながらの喫煙もよく見かける風景である。

さらに罰金だけでなく、私物・公共物破損、

規制をデザインしたＴシャツ

許可なくナイフやその他の攻撃用武器を所持する者、強盗や暴行を働いた者には、鞭打ち刑が科せられる。また、第64章「新型コロナウィルスと政府の対応」で述べられているように、感染拡大を防止するために、新たな厳しい規制がいくつも作られた。

このような管理や徹底した規制は、「旧ソ連に匹敵する抑圧体制」とまで揶揄されている。しかし、個人の人権や利益よりも社会の安定や秩序維持が優先されるべきであり、そのためには犯罪の抑止力となるような厳しい罰則規定を含む法律が必要で、長期間身体に傷が残る鞭打ちは効果的な抑止力になると考えられている。

シンガポールは美しく(fine)、でも罰金(fine)の多い国である。

IV

国際関係を考える

生存と繁栄の外交戦術

36

対マレーシア関係

★紆余曲折の２国関係★

シンガポールとマレーシア南部・ジョホール州を結ぶコーズウェイ橋の上で２０２０年7月30日、両国の運輸大臣が顔を合わせ、同州とシンガポールを結ぶ高速輸送システム（ＲＴＳ）のプロジェクトを再開することに合意する契約に署名した。この合意式典には、シンガポールのリー・シェンロン首相と、マレーシアのムヒディン首相が立ち会い、延期が続く両国を結ぶ鉄道の実現に向けた期待が再び高まっている。

この式典の開催の場となったコーズウェイ橋は、シンガポールとマレーシアの密接な2国関係を象徴する存在ともいえる。橋の全長はわずか1キロほど。歩いて渡れる近い存在にあるシンガポールとマレーシアの関係は、経済だけでなく、人、歴史的な関係からみてどこの国よりも最も近い関係にある。コーズウェイ橋と、そしてもうひとつの橋である「第2リンク」をわたって越境通勤や通学する人は、新型コロナウィルスで橋の行き来が停止するまで、1日当たり約3万人に上っていた。ＲＴＳを新設するプロジェクトは、混雑化する一方だった橋の負担を減らすために計画されたものだ。完成すれば、シンガポールの大量高速鉄道の新路線と接続され、シンガポールの都心部からジョホール州との間の行き来がこれまでよりもスムーズになると期待されている。両国との間ではこのほか、マレーシアの首都クアラルンプールとシンガポールを結ぶ首都間高速鉄道（HSR）も計画された。しかし、RTSもHSRもこれまでに、両国間の政治関係、そして新型コロナウィルスに翻弄される形で、幾度にわたり延期を余儀なくされてきた。

マレーシアとシンガポールとの間の近くて、そして微妙な関係は、両国の独立時から端を発する。共に英植民地だった両国は1963年9月16日、マレーシア連邦として独立した。しかし、1965年8月9日、リー・クアンユー初代首相の言葉を借りれば「マレーシアから追い出される」形で、シンガポールが分離独立した。その後、シンガポールは、民族に関係なく平等な機会を与え、能力を評価する「メリトクラシー」を政策として採用した。一方、マレーシアはマレー系民族を保護する政策を進めたのである。結果として現在、シンガポールは経済的にはマレーシアを上回る成功を収めている。同じ歴史を共有しながらも、両国の国民が互いの国を見る目に複雑な感情も混じるのは、そうした背景もある。

複雑な国民感情とは裏腹に、両国は互いに重要な経済パートナーである。シンガポールにとってマレーシアは、中国に次いで2番目に大きな貿易相手国だ。また、マレーシアにとってシンガポールは、中国に次いで第2位の投資国でもある。さらに、国際連合開発計

マレーシアとシンガポールは連絡橋で結ばれている。マレーシア側から見たシンガポール

画によると、シンガポールに居住するマレーシア人は1980年に12万104人から、2010年に38万5979人へと増加した。『マレー・メール』紙（2014年6月22日付）によると、マレーシアから2013年時点で30万8834人の高度人材が海外に移住し、このうち47・2％がシンガポールに住む。シンガポールの経済活動を支える上で、マレーシアの人材は欠かせない存在でもある。

2国間の政治関係はより複雑だ。2000年以降、両国の間で最も対立となったのは、マレーシア・ジョホール州から、シンガポールへの水供給をめぐる問題だ。1961年と1962年に当時英自治領だったシンガポールは、マラヤ連邦と呼ばれていたマレーシアと、それぞれ2つの水供給契約を結んだ。島内に十分な水源を持たないシンガポールは英植民地時代から、ジョホール州からコーズウェイ橋をわたるパイプラインを通じて運ばれる水に深く依存している。この水供給契約の価格をめぐり、価格引き上げを求める当時のマレーシアのマハティール首相と、価格引き上げに抵抗する当時のシンガポールのゴー・チョクトン首相との間で、2000〜2003年、対立が激化したのである。

しかし、シンガポールは、下水の再生や、海水の淡水化、そして国内の貯水池の拡大を通じて、水を自給自足できる体制を整えた。2005年10月に、1962年の水供給契約が期限を迎える2061年までに水の自給自足体制を確立すると発表したことで、水供給契約交渉をめぐる対立は一応の沈静化をみたのである。

さらに、2003年10月にアブドラ・バダウィ氏がマレーシア第5代首相に就任。そして2009年4月、ナジブ氏が同首相の地位を引き継いだ。一方、リー・シェンロン首相は2004年8月に、シンガポールの第3代首相に就任した。両国のトップが新しい世代へと交代することで、両国関係は徐々に関係修復に向かっていった。水供給契約交渉の対立も解消され、シンガポール国内のマレー鉄道の返還交渉の問題も2010年5月に解決し、両国が争っていた両島の帰属問題も国際司法裁判所を通じて決着した。良好なムードの中で、ジョホール州で開発が始まった複合開発区「イスカンダル開発地域」へのシンガポール政府の協力も本格化した。

さらに、良好な2国間関係の中で始まったのが冒頭の首都クアラルンプールとシンガポール間のHSRと、ジョホールとシンガポール間のRTSの敷設プロジェクトである。両国は2010年5月、RTSの建設に合意。また、2013年2月に、HSRを建設することに合意した。

しかし、2018年5月9日のマレーシア総選挙でマハティール元首相が率いる野党連合・希望連盟が勝利して、史上初めて政権交代が成立した。マハティール氏が再び第7代首相に就任したことで、好転していたシンガポールとの2国関係にも変化が訪れたのである。マハティール首相は水供給契約に言及すると共に、多額の債務を理由に2018年9月に建設計画の凍結を発表した。その後、マレーシアの政権内の対立が深刻化し、2020年3月に内相を務めていたムヒディン首相が第8代首相に就任した。両国は2020年末、HSRプロジェクトの中止を決めた。一方、RTSについては冒頭にある通り、7月に再開することで合意した。2021年に入っても新型コロナウィルスに伴う渡航規制で、シンガポールの対岸からコーズウェイ橋をみると、橋を渡る車は少なく時が止まったかのようだ。両国がそれぞれ新型コロナウィルスの感染対策に追われるなか、2国間の対立解消に向けた動きも停止状態にあるようだ。

（本田智津絵）

37

対中国関係

★「中国の影」と対峙する小国外交★

先住のマレー系よりも華人人口が多数を占める特異な人口構成比は、シンガポールの対中国関係をより複雑にした。1965年建国当初からシンガポールは、人口構成比に由来する民族対立を国内的にも、周辺国を含んだ国際的にも抑える必要に迫られていた。シンガポールの対中国関係は、中国との関係を意味するとともに、国内に残る中国の影響力＝「中国の影」に対抗する政策という一面を持っている。

国内政策では、華語派華人たちの中国への帰属意識を抑え、4つの民族集団に分かれた国民にシンガポールの国民意識を創出させるため、英語を公用語の中心とする教育・言語政策、民族別すみわけを解体する住宅政策を実行する。外交においては中国・台湾双方とも国交を結ばず、政治的側面での接触を避け、貿易等実質的な関係を拡大する政経分離政策を取り続ける。

1975年、1976年、1978年と両国首脳が相互に訪問を繰り返す中、中国はシンガポールに対して「親戚国」という強い親近感を持って接近を図ってきた。しかし、シンガポールは中国に対して親近感を打ち消す言動に終始し、中国とはまったく違う主権国家である事実について中国首脳に再確認を迫った。

こうした対中姿勢も、中国改革開放政策の定着やマラヤ共産党をはじめとする東南アジアの共産勢力の衰退、さらに東西冷戦構造の崩壊やインドシナ半島情勢の安定化を背景に変化し、中国と激しく対立していたインドネシアが中国と国交回復したのを見届け、シンガポールは1990年ASEAN（東南アジア諸国連合）加盟国で最後に中国と国交を樹立する。

国交樹立後、シンガポールは、教育機関やメディアにおける華語の復権や第1回世界華商大会の開催、中台関係修復の両岸代表会談の開催など内政外政とも対中接近を積極的に進める。

なかでも、1994年開始の蘇州工業団地開発は緊密化した対中国関係の象徴的存在である。シンガポール政府が中国政府国務院とともに江蘇省蘇州市に建設を進める中国初の政府間地域開発プロジェクトで、開発を通して中国側も単に経済開発のノウハウをシンガポールから学ぶだけではなく、シンガポールの国造りの経験「シンガポール経験」を中国の「近代化」に利用する試みとして注目を集めた。さらに、中国には、欧米の民主主義国と一線を画し、政治的安定と経済成長を遂げた「シンガポールモデル」を将来の中国の政治体制改革のモデルとする議論も存在する。

2008年、シンガポールと中国は、自由貿易協定を締結し、両国間の経済関係はより緊密化している。

さらにシンガポールは、中国から欧州につながる経済圏構想である「一帯一路（「シルクロード経済ベルト」と「21世紀海上シルクロード」）」政策にも積極的に関与している。2015年、「中国シンガポール（重慶）コネクティビティ・イニシアティブ」に合意し、蘇州、天津に続く、第3の政府間プロジェクト

図　一帯一路と国際陸海貿易新通道

出典：在シンガポール中国大使館経済商務処資料より筆者作成

として物流、航空、金融、情報通信等シンガポールが得意とする4分野での協力を推進している。重慶は「一帯一路」における中国側の拠点都市でもある。なかでも2017年から、シンガポールは、重慶から広西チュワン族自治区欽州湾を経由し、シンガポール、ASEANにつながる「国際陸海貿易新通道」を始動し、中国内陸部からの物流ボトルネック解消が期待されている。

中国との国交樹立以降、対中関係はおおむね順調に推移してきたが、関係が悪化する事態も発生している。2004年、首相就任直前のリー・シェンロン副総理（当時）が台湾訪問した際と、2016年、台湾での軍事演習に参加したシンガポール軍装甲車が香港で差し押さえられた事態である。いずれも台湾独立を志向する民進党政権時に起きた事態で、中台対立がシンガポールとの関係にも影響を与えており、同じく「華の要素」を共有する台湾との関係の複雑さを表している。

蘇州工業団地開発は、両国政府の政治保証にもかかわらず、中国国内の中央と地方政府の開発に対する態度の相違のため、当初計画を変更し、2001年に開発の主導権を中国側に譲った。現在、シンガポールは、蘇州開発から教訓を学び、中国中央政府の庇護が期待できる「天津エコシティー」、「重慶コネクティビティ・イニシアティブ」へと投資の分散を図りつつ、世界第2の経済規模となった中国の経済発展を自国経済とリンクさせている。

蘇州の地域開発で挫折を強いられたシンガポールは、中国地域開発のリスク分散とともに、外国の高度人材を招へいする政策の中で、民族構成比への配慮から、華人や中国人を招へい、育成することで、自国内で中国人人材を利用し始めた。

シンガポールは、高額報酬のほかに高級マンションや引越費用の提供等を行うなど外国人の高度人材、留学生受け入れに積極的で、2020年現在、シンガポール総人口568・6万人のうち外国籍永住権保持者、非居住者が216・3万人と、2000年の104・2万人から大幅増加している。シンガポール政府は新移民の出身国等を公表していないものの、中国人が1990年〜2009年までに約50〜60万人増加し、中国新移民がシンガポール総人口の10〜12%の規模になったといわれている。

現在、中国人のシンガポールへの移動は、ビジネスマンだけでなく、鞏俐（コンリー）に代表される女優、卓球等スポーツ選手など幅広く拡大している。とくに、建国以来の英語化徹底で落ちた華語能力を補うため、現地華語紙等メディア、教育機関の華語教員等世論形成や義務教育に関わる分野にまで進出している。

2005年3月、メディア報道が中国人記者、編集者により、論調が中国寄りになっているとして、政府が主要紙に注意喚起を行う事態に至った。『聯合早報』の社説と論評記事で、日米安保協議について「日本は中国を安全上の脅威とみなし、日米軍事同盟を一段と強化している」と中国の主張を代

北京でのシンガポール大使館主催建国39周年レセプション（2004年８月撮影）

弁するような内容だったことから、情報通信芸術省報道官は「記事が外国人によって中国の視点で書かれている」と異例の批判をし「バランスを取った報道に細心の注意を払うべき」と主要紙に書簡で通知した。日米関係や対米関係を重視するシンガポールにとっては、中国人記者による同記事が「政府見解」と受け取られかねないと危惧した。

政府主導の急速な中国人流入に対し、国民の間にも摩擦の拡大や就業機会の喪失に対する不安が広がっている。政府は、中国の経済成長と自国経済をリンクさせ、経済発展や中国投資での優位性確保に活用しようとの戦略に国民の理解を求めているものの、「新移民問題」は近年の総選挙の主要な争点となっている。

建国以来、シンガポール人意識の創造や周辺国の疑念払拭に成功したシンガポールは「中国の影」に打ち勝った。強い親近感で接近を試みる中国に対し、シンガポールは中国をＡＳＥＡＮや国際社会の枠組みに取り込む形で、大国としての役割を中国に説く努力をしてきた。貿易、経済協力、中国地域開発や移民受け入れの当事者である今日のシンガポールは「影」でなく、本物の「中国」と向き合っている。

（駒見一善）

38

対台湾関係

★「特別な関係」とその終焉★

シンガポールと台湾の関係は「特別な関係」と呼ばれてきた。それは、国交がないにもかかわらずシンガポール国軍が台湾で毎年軍事演習を行っていること、リー・クアンユー初代首相と第3代総統蔣経国との間に「友情」があったことが理由である。

シンガポールが独立した直後、台湾（当時は中華民国として国連に加盟）は、「華」の民族や文化の共通点を持ち、同じ西側自由主義経済圏に属するシンガポールとの国交樹立を強く望んだが、シンガポールが中国と台湾のどちらとも国交を結ばずに貿易や投資などを拡大するという政経分離政策を明らかにしたため、失望した。しかし、創設したばかりの国軍兵士を訓練する広い場所を確保したいシンガポールと、外国軍との共同演習の機会が欲しい台湾は、共同軍事演習を行う協議を始めた。ただ、台湾で軍事演習を行えば、見返りに中華民国の国家承認を求められることをシンガポールは恐れ、協議は慎重に続けられた。

１９７１年に中国に国連代表権を与える決議がなされ、台湾は国連とその関連機関から脱退して国際的な孤立を深めたことが、共同軍事演習に関する協議を進展させた。１９７３年にはシンガポール国軍兵士の訓練のために台湾から多くの軍人がシンガポールを訪れただけでなく、台湾軍人がシンガポール海軍と空軍の初代司令官を務めた。「星光演習」と呼ばれるシンガポール軍と台湾軍の合同軍事演習が1975年に台湾で始まり、1999年までに兵役に就いたシンガポール人男性の約80％が軍事演習に参加している。なお、この中にはリー・シェンロン現首相も含まれている。

リー初代首相と蔣経国の「友情」は1973年5月、リーが初めて台湾を訪問したときに始まった。蔣経国（当時は日本の首相に相当する行政院長で、総統就任は1978年）はリゾート地で2日間一緒に過ごすなどリーを歓待するだけでなく、海外に自由に行くことができない蔣はリーに多くの国際情報などの質問を浴びせた。リーはその後、年に1回から2回の割合で訪台し、その度に蔣は台湾各地の訪問に付き添い、個人的な「友情」を深めた。リーは「私は蔣経国と個人的に相性がよかったが、我々の関係の土台には反共主義という共通性があった。中国共産党は蔣の不倶戴天の敵だったし、（中国が支援する）マラヤ共産党は私の敵だった。我々は共通の利害で結ばれていた」と語っている。

なお、リーの訪問はシンガポールでも台湾でも秘密だった。国際的な注目を集めて物議をかもすことを避けるためである。ただ、リーは故宮博物館を参観することを好んだため、故宮博物館が突然休館になると、リーが訪問中であると政府内でささやかれたという。1988年1月の蔣の葬儀にリーは自ら参列、国交を持たない国のなかで参列した唯一の国家元首となった。

表はシンガポールの全貿易に占める台湾の貿易額と比率を示す。近年まで台湾との貿易は全体の4％前後の比率であるものの、低賃金の労働集約型産業からハイテク産業へと着実に技術レベルを向上させる台湾経済の順調な歩みは、シンガポールのよき指標となった。近年は、電子電気機械や金属

表　シンガポールの貿易（輸入／輸出）に占める台湾の貿易額と比率

	1980年	1990年	1999年	2018年
輸入	1,216.3（2.3%）	4,677.5（4.2%）	7,540（4.0%）	42,415.4（8.5%）
輸出	702.0（1.6%）	3,421.8（3.5%）	9,477（4.8%）	22,886.0（4.1%）

単位：100万シンガポールドル　　出典：*Yearbook of Statistics Singapore.*

製品などを中心に台湾からの輸入が増加している。

シンガポールにとって台湾との「特別な関係」の継続は、単にシンガポール軍の軍事演習場を提供してくれる相手としてだけでなく、シンガポールが１９８０年以降に経済的・文化的にも中国に急接近するなかで、「中国に決して近づきすぎていない」ことを近隣の東南アジア諸国に示すという意味でも、重要であった。

このような「特別な関係」は総統が李登輝に代わっても継続し、１９８９年に李はシンガポールを訪問した。これは台湾総統としての初の東南アジア訪問であるが、シンガポール政府は彼を歓迎する儀礼レベルを国家元首に相当するものとはせずに、国旗掲揚もなく儀仗兵もいなかった。中国の反応を考慮したためである。

ただ、リーは李との対談を通して、李が博学多才であることに感心しつつも、中国共産党指導部を公然と軽蔑し、台湾の独立を志向する李に不安を覚えた。リーの不安はその後に現実となった。李が台湾の独立を志向していると中国が見なし、１９９６年に中国が台湾西海岸付近の海にミサイルを撃ち込んだのである。

リーにとって最も重要なのは、外部の政治経済の変動に大きな影響を受けるシンガポールの安定と繁栄である。そのためには中国と台湾がともに協力して現状を維持するか、平和的再統一を実現することが望ましい。シンガポールが中台間のメッセンジャー役を積極的に務め、１９９３年４月史上初の中台対話の場所となったのもそのためである。

1987年に戒厳令が解除された後、急速に民主化に向かう台湾は、強権的な人民行動党の一党支配が続くシンガポールに徐々に批判的な視線を向け始めた。李登輝総統は中華世界で台湾だけが民主主義と経済発展を両立させることを可能にしたと強調し、シンガポールを暗に批判するようになった。さらに、1990年6月、当時は貿易商業大臣として訪台したリー・シェンロンに対して、台湾の新聞記者はシンガポールでは報道の自由や市民的自由、労働組合が抑圧されていると批判する一幕もあった。また、2000年9月に訪台したリー・クアンユー上級相（当時）は、政権を取ったばかりの民主進歩党委員長との会談を希望したが、拒否された。この頃からシンガポールはオーストラリアなどと協定を結んで台湾以外の軍事演習場所を確保し、台湾での演習の規模は縮小され始めた。

2016年11月シンガポール国軍装甲車が台湾での軍事演習の帰途に香港税関で押収された。中国外務省は「中国と外交関係のある国が、台湾との間で軍事を含む公式交流や協力をすることに反対する。シンガポール政府に対しては、ひとつの中国の原則を守るように求める」という声明を発表し、もはや中国は「特別な関係」を黙認しないことを示した。シンガポールが2000年代に入ってアメリカとの防衛関係を強化したことは中国には認めがたいものであったし、中国政治指導者と親しい関係にあったリー初代首相が2015年に死去したため、中国はシンガポールに対して遠慮する必要を感じなかったことも、事件の背景にあったろう。中国は貿易と投資の最大のパートナーであるため、シンガポールは、今後対台湾関係に細心の注意を払わねばならないことを痛感したはずである。すでに首脳どうしの「友情」は終わり、シンガポール国軍の台湾での軍事演習の規模はかなり縮小されている。「特別な関係」はすでに過去のものとなったといえよう。

（田村慶子）

39

対アメリカ関係

★経済と安全保障を依存★

シンガポールは１９６５年の独立直後の一時期、非同盟中立外交を掲げるだけでなく、極端な反米感情をあらわにしたことがあった。１９６５年8月末、シンガポール政府は、１９６０年にアメリカの中央情報局（ＣＩＡ）員がシンガポール政府役人を買収して秘密情報を入手しようとした事実があることを暴露した。アメリカがこれを否定すると、シンガポールは米国務長官署名入りの謝罪の手紙と、これをもみ消すためにアメリカが経済援助を申し出たことも暴露し、リー首相は「アメリカはアジアの指導者を理解するのに必要な経験と英知に欠けている」と発言したのである。このような暴露や発言は、マレーシアから分離独立したばかりのシンガポールが、新興のアジア・アフリカ諸国の支持を得るためであった。

しかし、シンガポールの安全保障の要であった極東英軍が１９６６年2月に撤退を発表すると、シンガポールはアメリカの東南アジアでの軍事行動を全面的に支持し、また経済関係を強化するようになる。同年6月には、当時の南ベトナム駐留米軍が破損艦船や航空機の修理・補修のためにシンガポール軍基地を使用することを認めた。また、シンガポールから南ベトナムへの石油および石油製品の大量輸出を決定し、シンガポール経済は戦争特需で大きく潤うことになった。1969年の南ベトナムへの輸出額は全体の9・4％を占めている。1967年10月にリー首相は初めてアメリカを訪問、「両国関係の緊密化を約束する」共同声明を発表した後、シンガポールへの投資を求める演説をアメリカ各地で行った。彼の訪問と前後して、シンガポールの外資誘致促進機関である経済開発庁の海外事務所がニューヨーク、シカゴなどに設立されたのである。

以来今日まで、シンガポールにとってアメリカは重要な経済のパートナーである。2018年でアメリカはシンガポールにとって輸出では第5位、輸入では第2位の貿易相手国であり、アメリカの対シンガポール直接投資は外国からの投資全体の18・0％を占めて第1位である。シンガポールはまた、アメリカをアジアおよび東南アジアの秩序を保ってくれる国であり、小国シンガポールの安全保障に欠かすことのできない存在と認識している。とくに1990年代になって増大した中国の東南アジアにおける影響力を抑えるためにも、アメリカのプレゼンスは欠かせないと考えている。

1990年にフィリピンから米軍が撤退すると、シンガポールは自国の港湾を米軍が利用することを認めた。また1998年、他の東南アジア諸国と事前協議なく自国の海軍基地に米空母や戦艦の寄港を認め、2001年3月には米空母キティホークなど大規模艦隊が相次いで入港した。これは、アジア経済危機後の近隣諸国の政治的社会的不安定を懸念したものといわれている。2005年7月には安全保障でアメリカとシンガポールが多方面の協力をするという協定を結び、2012年から定期的な戦略対話も開始、両国が重要な安全保障のパートナーであることを確認している。

また、シンガポールとアメリカの国交樹立50年となる2016年8月、リー首相はホワイトハウスでの夕食会に招待され、「シンガポールは東南アジアで最も信頼できるパートナーの1国、アジアでのアメリカの存在を最も支えてくれる国家」と当時のオバマ大統領から最大級の賛辞を受けた。さらに11月にマレーシアで行われたオバマ大統領との会談でリー首相は「域内のすべての国がアメリカとの経済・安全保障関係に感謝している」と発言、12月には国防相が訪米してアメリカとの二国間防衛協定を改定、南シナ海の監視活動に従事すると考えられるアメリカ軍哨戒機の配備を受け入れることを決定した。

そのアメリカに頼まれて、2018年6月にセントサ島（シンガポール本島の南に位置する小島）で開催されたのが、史上初の米朝首脳会談であった。開催場所を提供しただけではなく、シンガポールは北朝鮮最高指導者である金正恩（キム・ジョンオン）一行の滞在費から警備に動員された人件費などを含めて、1630万シンガポールドル（約13億円）を負担した。

もっとも、このような大きな財政的負担をしてまでホスト国を引き受けたのは、安全保障と経済を依存するアメリカに頼まれたからだけではない。シンガポールは北朝鮮とも国交を有し、中国、台湾とも良好な関係を持っている。会談を成功させてシンガポールが「安全と中立の国」であることを広く世界にアピールし、「サミット・シティ」としての地位を不動のものにすることも意図されていた。会談の内容そのものの評価は低かったが、短い準備期間だったにもかかわらず効率的な会談の運営を行ったシンガポールに対して、アメリカをはじめとする世界は高い評価を与えたはずである。

しかしながらシンガポールは、政治体制や社会的価値に対してアメリカが干渉することは断固として拒んでいる。この背景にあるのは、欧米的価値観や個人主義への反感と不信であろう。1993年の「マイケル・フェイ事件」はシンガポールが断固としてアメリカ的価値観を拒んだ事件として、いまだに語り継がれている。シンガポールに住む18歳のアメリカ人ら数人の外国人少年が駐車中の車60台以上を壊したり、道路標識を破損させたりした罪で有罪となり、少年グループの中心だったマイケル・フェイには罰金3500シンガポールドル、禁固4カ月、鞭打ち6回が言い渡された。

シンガポールでは鞭打ちは決して珍しい刑ではない。彼のような私物・公共物の破損だけではなく、許可なく銃を保持する者、強盗や暴行にも鞭打ち刑は適用される（ただし、男性のみ）。しかしながら、この判決に対してアメリカは猛反発をした。マスコミは「鞭打ちは拷問であり人権侵害である」として、シンガポールに進出している米企業や在シンガポールのアメリカ人に抗議の声を上げるよう連日キャンペーンを行い、クリントン大統領（当時）は「犯した犯罪に比べて刑が重過ぎる」と発言し、シンガポール大統領に刑の軽減を願う手紙を送ったことで、事態は深刻な国際問題となった。しかし、シンガポールは「社会の長期的利益の方が個人の利益に優先する。社会の安定と秩序の確立こそが重要」（当時のゴー首相）として、鞭打ちの回数を6回から4回に減らして執行したのである。

このようにシンガポールは、アメリカを経済の重要なパートナーであり、東南アジア安定と自国の安全保障の要と見なしているものの、シンガポールにはシンガポール固有の政治制度や社会的価値があると考え、断固としてアメリカの干渉を排除する姿勢を貫いている。一方、アメリカがシンガポールの抑圧的政治体制を批判しないのは、シンガポールが重要な経済的パートナーだからである。

（田村慶子）

40

対インドネシア関係

★東南アジアと自国の安定の要★

インドネシアとの関係は、対マレーシア関係とは対照的に独立以来良好な関係を維持してきた。それは面積も人口も東南アジア最大のインドネシアに比べてシンガポールは「点」でしかなく、インドネシアには恭順にならざるを得ないからである。

もっとも、独立直後の対インドネシア政策は、対決政策（マレーシア連邦結成に反対して、武力でマレーシア構想を粉砕しようとした政策）を推進した初代大統領スカルノが新大統領スハルトに代わっても、その「後遺症」でしばらくギクシャクしていた。対決政策中の1964年にオーチャード通りのマクドナルドハウス・ビルを爆破したインドネシア海兵隊員2人を、インドネシアとマレーシアからの減刑要請にもかかわらず、シンガポールが1968年に処刑したことが、その大きな要因である、この爆破によって3人が死亡、33人が負傷した。シンガポールにとってこの処刑は、死傷者の数の大きさもさることながら、独立したばかりの小国であってもインドネシアやマレーシアと対等な国家であることを内外に示すために重要であった。

リー・クアンユー首相のインドネシア公式訪問は、独立から8年も経った1973年5月であった。彼は到着の朝に海兵隊員2人が眠るインドネシア軍英雄墓地を訪れ、墓に花を手向けた。この行為をインドネシアは「謝罪」と見なし、リーはスハルト大統領との直接対話を許されたのである。リーは他の政府要人も通訳も入れずにスハルトと2人だけで対談、「その席でスハルトは政治的安定と開発、対ASEAN政策や対中政策を自分に話した。私はスハルトが自分と同じ考えを持っていること、彼との友好関係がシンガポールの国益にかなうことを認識した」（リーの回顧録より）。

この会談の直後から両国の友好関係は緊密となり、翌年（1974年）3月にスハルトはシンガポールを訪問して技術・経済協力協定を締結、友好関係をアピールした。シンガポールの対インドネシア投資が活発化し、経済関係は深化していった。1980年代になると、防衛協力も進展、

爆破されたマクドナルドハウス・ビル（現在は再建されている）の前に立つ犠牲者慰霊碑

スハルト大統領（在位 1968 ～ 1998 年、2008 年死去）

スマトラ島での両国の空軍の合同訓練が始まり、合同軍事演習も行われるようになった。１９９７年のアジア経済危機でインドネシア経済が破綻すると、シンガポールは一国としては最高額の50億米ドルを援助した。シンガポールのような小国が多額の支援を行うのは異例である。インドネシア経済の破綻がシンガポールに及ぼす影響の大きさを考慮した援助であった。

もっとも、このようなインドネシアとの緊密な関係は、対マレーシア関係へのけん制でもあるだろう。シンガポールにとって、インドネシアとマレーシアが協力してシンガポールに何かを迫るような事態は何としても避けたい。対インドネシア関係を良好なものにすることで、シンガポールとマレーシアとの軋轢や紛争にインドネシアが介入することを抑えてきたといえよう。

１９９８年にスハルトが大統領を辞任して政治家どうしの親密な関係はなくなったが、シンガポールの対インドネシア関係には大きな変化はない。２０１８年でシンガポールはインドネシアにとって輸出では第４位、輸入では第５位の貿易相手であり、最大の対インドネシア投資を行っている国である。

（田村慶子）

41

ASEAN

★小国外交の最大化を図る外交装置★

東南アジア諸国連合（ＡＳＥＡＮ：Association of Southeast Asian Nations）は、１９６７年に採択された「バンコク宣言」に基づいて結成された政府間組織である。ＡＳＥＡＮ結成には、シンガポール、インドネシア、タイ、マレーシア、フィリピンの５カ国が参加し、バンコク宣言にはＡＳＥＡＮを設立し、地域の平和と繁栄のために相互に協力することが盛り込まれた。その後、ＡＳＥＡＮは１９８４年にブルネイが加盟し、冷戦終結後の１９９０年代半ば以降、ベトナム、ミャンマー、ラオス、カンボジアが順次、ＡＳＥＡＮに加盟、現在の10カ国による枠組みとなった。

独立当初のシンガポールは、不安定な外交・安全保障環境に置かれていた。１９６５年に、シンガポールはマレーシアから追い出されるかたちで分離独立したシンガポールはマレーシアとは緊張関係にあり、インドネシアでは１９６３年のマレーシア成立に対して対決政策を打ち出していたスカルノ初代大統領からスハルト第２代大統領への権力移行期であった。そして、シンガポールの安全保障の要諦となっていた駐シンガポール英軍の撤退が示され、国内では共産主義勢力への中国の影響に対して、引き続き、神経をとがらしていた時期である。こうした不安定な状況下、近隣諸国との信頼関係の構築につながるＡＳＥＡＮは小国であったシンガポールを取り巻く外交・安全保障上の安定性を強化していく上で重要な枠組みとなったのである。

シンガポールにとり、ＡＳＥＡＮは小国外交を最大化する枠組みでもある。リー・クアンユー初代首相は、１９７６年の第１回ＡＳＥＡＮ首脳会議における演説で、「我々はＡＳＥＡＮとしてなら、アメリカ、日本、西ヨーロッパの工業国とより対等な立場で話すことができます」（黄・呉編、田中訳、１９８８）と発言しており、シンガポールがＡＳＥＡＮを大国に対する外交装置として重視していたことがわかる。その後、ＡＳＥＡＮは政治・経済両面で同地域の重要性が増していく中で、その重力を高め、現在では、毎年、開催されるＡＳＥＡＮ首脳会議に併せて、日本、中国、インドなどとの首脳会議が定期的に開かれており、ＡＳＥＡＮが中心となって、外交フォーラムを形成している。

また、ＡＳＥＡＮ各国は周辺の大国と比較すれば、それぞれの国内市場は小さいため、ＡＳＥＡＮとして６・７億人（２０２０年）の共通市場形成をめざす枠組みでもある。このＡＳＥＡＮの経済協力分野で主導的な役割を担ってきたのが、シンガポールである。

当初、なかなか進展しなかった経済協力が結実したのが、１９９２年の第４回首脳会議で採択された「シンガポール宣言」である。同宣言にはＡＳＥＡＮ自由貿易地域を形成することが盛り込まれ、同時に締結された「ＡＳＥＡＮ自由貿易地域のための共通効果特恵関税協定」では関税削減・撤廃の大枠のスケジュールが定められた。これによって、１９９３年から各国が段階的にＡＳＥＡＮ域内向けの関税削減を開始した。この合意について、リー・クアンユー初代首相は、冷戦終結後、ＡＳＥＡ

Nは結束のための新たな共通目標を必要としていたと振り返っている。同時に、シンガポールが経済協力の重要性を当初から促してきたもののなかなか実現しなかったのは、シンガポールが貿易自由化を主導して進めることに対して、他のＡＳＥＡＮ諸国の警戒感を呼び起こしたためであるとも述べている（Lee, 2000）。

貿易・投資面でハブとなっているシンガポールにとり、ＡＳＥＡＮの経済成長はシンガポールの経済成長に寄与する構図にある。シンガポールの輸出額の約３割はＡＳＥＡＮ諸国向けであるとともに、シンガポールの輸出額の半分は再輸出で、各国から輸入された物品の積み替え等を行い、ＡＳＥＡＮ諸国など第三国へと再び輸出されている。ＡＳＥＡＮ経済の活性化は、シンガポールの原産品輸出と再輸出の拡大につながる。また、ＡＳＥＡＮでの資金需要の拡大は、シンガポールからの投資の拡大にもつながる。

１９９３年から開始された関税削減・撤廃は、その後、段階的にかつ着実に進展していく。２０１０年にはＡＳＥＡＮ６（原加盟５カ国とブルネイ）は平均99％の品目で関税を撤廃し、ＣＬＭＶ（カンボジア、ラオス、ミャンマー、ベトナム）は２０１５年に同91％、２０１８年には同98％の品目で関税を撤廃した。ＡＳＥＡＮは関税面ではほぼ全ての品目を対象に自由化を実現したのである。

また、ＡＳＥＡＮは、物品貿易以外に、サービス分野やデジタル貿易など様々な分野での交渉を継続的に進めており、シンガポールは積極的に関与をしている。東南アジア各国では、サービス業を中心に外資規制が残されている国も多く、サービス業の外資自由化はシンガポールからの投資拡大につながる。自由なデータフローなどを担保するデジタル貿易分野も、デジタル産業の集積をめざすシンガポールにとって重要視する政策となっている。

ＡＳＥＡＮは、ＡＳＥＡＮ域内での取り組みのみならず、２０００年代以降、ＡＳＥＡＮ10カ国でまとまって対外的な通商交渉を積極化させ、これまで中国、韓国、日本、オーストラリア・ニュージーランド、インド、香港と自由貿易協定を発効させてきた。２０２０年には、ＡＳＥＡＮ10カ国と日本、中国、韓国、オーストラリア、ニュージーランドの15カ国で地域的な包括的経済連携協定にも署名している。

ＡＳＥＡＮは２０１５年に、ひとつの節目として、ＡＳＥＡＮ共同体の設立を宣言した。ＡＳＥＡＮ共同体は、政治安全保障共同体、経済共同体、社会文化共同体の3つから成る。ＡＳＥＡＮは、共同体の宣言とともに、「ＡＳＥＡＮ共同体ビジョン２０２５」を発表しており、２０２５年までに共同体としての深化を模索している段階にある。一方、ＡＳＥＡＮを取り巻く国際環境は、南シナ海をめぐる問題、一帯一路、自由で開かれたインド太平洋などその複雑性を増しており、ＡＳＥＡＮとしての一体性、中心性を維持していく上で課題も顕在化しつつある。

シンガポールにとり、ＡＳＥＡＮは域内の安定・経済連携の枠組みとして、また域外との外交フォーラムとして重要な枠組みであり、これからも、シンガポールはＡＳＥＡＮという枠組みを活用し、域内の貿易・投資自由化の触媒となるとともに、外交・通商戦略の最大化に取り組んでいくことになろう。

（椎野幸平）

42

対日関係

★「親日」は変わる？★

戦後の日本とシンガポール関係は、日本軍政時代の華人虐殺や強制労働に対する戦争裁判で始まった。この裁判は1947年2月に終了し、被告7人は全員有罪（2人死刑、5人は無期懲役）となった。だが、大量虐殺の犠牲者を出した華人社会はこの裁判に不満で、裁判のやり直しをイギリスに迫ったが、当時のイギリスは労働運動や学生運動、マラヤ共産党の武装蜂起への対応に追われ、華人社会の要求を相手にしなかった。華人社会は独自に調査委員会を立ち上げて犠牲者の調査と賠償要求を行ったものの、マラヤとシンガポールの混乱する政治情勢のなかで賠償要求はかき消されてしまった。1950年代に日本の大手銀行や商社がシンガポールに復帰し、日本の経済復興に伴って対日経済関係が拡大したことも、華人社会の賠償要求を鈍らせた。

だが、1962年初頭にシンガポール島東部で大量の人骨が発見され、対日賠償要求は「血債問題」として再び大きな運動となる。1962年8月には「虐殺の真相究明と犠牲者の調査、日本による賠償」を求める10万人の反日大集会が行われた。集まった人々は「真相究明と賠償が行われるまでは日本製品を買わない、日本人を入国させない」と涙ながらに叫んだという。この「血債問題」を抑えこんだのがシンガポール政府であった。当時のシンガポールは自治領で、政府（人民行動党政府）は隣国マラヤ連邦への統合（新連邦マレーシア結成）による独立を最重要課題とし、また工業化推進のために日本との協力を進めたいと考えていたからである。さらにシンガポールは1965年にマレーシアから分離・独立し、日本との経済関係の強化は不可欠となった。政府は「血債問題」の決着を急ぎ、1966年に5000万マレーシアドルの援助と引き換えにこの問題を終結させた（調印は1967年）。1967年には犠牲者慰霊塔（写真は38ページ）を市の中心部に建立、遺族の反日感情を慰撫したものの、公的な犠牲者調査は行わず、慰霊塔に犠牲者の名前はない。この後にも犠牲者のものではないかという人骨が発見されたが、政府は不問に付した。

1970年に日本の皇太子夫妻（現上皇ご夫妻）がシンガポールを訪問、リー首相はご夫妻を開発の進むジュロン工業地帯に自ら案内するなど、最大級の歓迎をした。日本とのより深い経済関係構築をめざしたのである。1970年代には日本は欧米を抜いて最大の投資国、貿易国となった。リー首相は一貫して親日政策を採り、投資や観光誘致の環境整備に取り組み、1970年代後半は「日本に学ぶ運動」を展開して日本人の職業倫理（転職をせずに各自の仕事を天職と考えて打ち込むなど）を学ぶように国民に訴えた。同時に、日本式経営や企業別組合、警察が地域に密着する交番制度など、日本独特の制度の採用を試み、企業別組合や交番はシンガポールに定着した。1990年代になると「日本に学ぶ運動」は下火になって自然消滅したものの、両国関係はきわめて順調に推移している。また、シンガポール国立大学に日本研究学科が設立され、日本語や日本文化を学ぶ学生は数多い。

ただ、シンガポールは日本が単独でアジアにおいて政治的に主導的な地位を占めることには慎重な見方をし、日本は日米協力の枠内で行動するように求めている。リーのような独立第1世代には、日本軍政の生々しい記憶が残っているからである。

1980年代になると反日感情は薄らいだ。日本軍政を知らない戦後世代が増えたからである。若い世代は日本のポップカルチャーを無条件に受け入れ、アニメやゲームは1980年代に浸透、1990年代後半から2000年にはTVドラマ、Jポップ、サンリオ商品や映画が日本のポップカルチャー・ブームを作り上げた。寿司やお好み焼き、天ぷらなどの日本食もシンガポール人に受け入れられた。日本のラーメン店も数多く進出している。1993年シンガポール国立大学の社会学者が、若い華人の多くが日本人や白人になりたがっているという調査結果を公表した。高校生や大学生の調査対象者のうち12%が白人に、10%が日本人になりたいと回答したという。「シンガポール文化」と呼べるものがなく、文化的な自尊心の危機を多くのシンガポール人が感じていることや、若い世代に食生活も含めて日本のポップカルチャーが浸透していることがこの結果の背景にあると考えられるものの、日本軍政時代を記憶している世代は驚愕した。なお、「常に未来を見て進む」という政府の方針ゆえ、1965年から1980年代前半までシンガポールの学校では歴史教育はほとんど行われなかった（第6章「歴史教科書に見る『戦争の記憶』」参照）。この時期に子ども時代を過ごした世代には日本軍政の歴史を知らない人も多いから、素直に「日本人になりたい」と回答したのだろう。

ただ、これからはシンガポール人の親日感情が少しずつ変わっていくように思われる。その背景には、第1に、日本の経済的プレゼンスが後退しているため政府が以前のように親日政策を採る必要がなくなっていること。２０１８年のシンガポール貿易全体に占める日本の割合はわずか５・４％で、これは１９９０年の半分以下である。日本に代わって中国が最大の貿易相手国として台頭している。日本の投資も１９９０年には外国からの直接投資全体の20・６％を占めたが、２０１８年には６・

2012年2月15日の犠牲者慰霊祭

慰霊祭には多くの小・中学校生徒も参加

7％となり、代わって中国からの投資が激増している。

第2には、1980年代に歴史教育が復活して日本軍政時代の苦難の歴史が繰り返し語られるようになったこと。歴史教育の復活は、若い世代に苦難の歴史と貧しかった時代のシンガポールを理解させようという愛国心教育の一環であるが、「シンガポール人」であることに誇りを持ちたいという若い世代は、積極的にこれに応じている。冷戦が終わって、これまで語られなかったマラヤ共産党の軍政時代の活動が少しずつ評価されるようになったことも大きいだろう。シンガポール歴史博物館は軍政時代の展示を拡大した。毎年2月15日（シンガポールが日本軍に陥落した日）に日本占領期の犠牲者慰霊祭が慰霊塔の前で行われているが、近年は小中学校に呼びかけて生徒を多数参加させるようになった（写真参照）。また抗日戦争中の中国にビルマ（ミャンマー）経由で物資を運ぶためにトラックの運転手となったシンガポール人（南洋ボランティアと呼ばれた）の歴史が詳細に調査され、2011年にはドキュメンタリー映画が作られ、4回行われた試写会はどの回も満席だった。映画はロンドンの戦争映画祭でも上映され、好評だったという。

シンガポールでこのように苦難の歴史を知ろうという動きがあることを、多くの日本人は知らない。シンガポールを訪れる日本人で、市の中心地に立つ慰霊塔の意味を知っている人はどのくらいいるのだろうか。シンガポール最大の苦難に責任があるはずの日本人が何も知らない状況が続けば、これまで親日だったシンガポール人が少しずつ日本から離れていく時代が来るのではないかと危惧している。

（田村慶子）

43

軍事力と防衛政策

★抑止力強化をめざす総合防衛★

シンガポールは、東南アジアにおいて屈指の軍事力を誇っている。軍事予算は東南アジア諸国連合（ASEAN）の中でも首位の座についており、その総額は2019年の時点で113億米ドルにも上り、2位のインドネシア（74・3億米ドル）を大きく引き離している。陸海空の軍備も、常時近代化を図っており、特に空海軍への投資には目を見張るものがある。その代表的なものとして、2020年2月にアメリカのロッキード・マーティン社から第5世代最新鋭戦闘機であるF35Bを12機、購入することを決定したことが挙げられる。

もちろん、近代化によって軍事費は嵩み、2019年には全歳出予算の19％をも占めることになった。しかし、2010〜2019年の10年間はGDPの約3％強を引き続き計上していることからも、常に高い水準を維持していることがわかる。これは、ブルネイを除く東南アジア諸国の平均が1〜2％であることを考慮すると飛びぬけて高い。GDPの3・35％を費やしているブルネイの軍事予算額と比べても、その実質額は4・35億米ドルであるため、シンガポールのそれには遠く及ばない。

しかし、なぜシンガポールはこれほどの軍事力強化に乗り出す必要があるのだろうか。その理由は、シンガポールの建国の歴史と地域の戦略環境の変化が関係している。1965年にシンガポールは、民族的・政治的な緊張状態を背景にマレーシアから追い出されるように独立した。また、隣国のインドネシアでは、スカルノ政権が第2次大戦後もイギリスの影響下にあるマレーシアやシンガポールを敵対視しており、「対決政策」を打ち出し国際的な緊張状態を作り出していた。他方、マレー半島を長く影響下に置いていたイギリスは、1960年代後半に「スエズ以東」から撤退、そしてアメリカはベトナム戦争から撤退と、それぞれ東南アジア地域への関与を減らしていたため、欧米寄りであったシンガポールの戦略環境はきわめて厳しいものとなっていったのである。

F35 導入後、徐々に退役予定のシンガポール空軍 F16 戦闘機
（撮影：Luhai Wong）

これらを背景に、シンガポールは他国に依存しすぎないよう、独自の軍隊を構築することをめざすことになる。1965年の独立時には歩兵連隊2個1800人と警察官500人のみしかいなかったため、軍隊の設立を急いだ。1967年には国民兵役法が成立し、①18歳以上の男子を対象に、②兵役2年半（2004年からは2年）を義務化し、③40歳まで（士官は50歳まで）の予備役として

第43章
軍事力と防衛政策

年間最長40日間の訓練を行う（2006年に予備役は退役後13年から10年に変更）こととなった。2019年、人口は約570万人、現役軍人が約5万1000人、予備役兵が約25万3000人となり、全人口の5％にもなった。ただし、シンガポール総人口のうち約170万人が外国人で構成されているため、実際は7・5％となっている。日本の人口が約1億2500万人、そのうち自衛隊隊員数が27万人程度であり、全人口の約0・2％しか占めていないことからも、その規模の大きさがわかる。

しかし、シンガポールが兵力、軍事技術、軍備の質をいくら高めたといっても、結局のところ国土がきわめて小規模な都市国家という事実は変わらない。独立直後にゴー・ケンスイ防衛相は「1600キロメートル圏内の隣国が本気になれば、シンガポールは数時間もたたないうちに占領されてしまう」と述べているが、この安全保障認識は現在も続いている。というのも、総人口・総国土で圧倒するマレーシアやインドネシアは常にシンガポールの潜在的脅威として存在しているからである。

結果、これらの戦略環境はシンガポールの安全保障観に「脆弱性」「プラグマティズム」という2つの原則を定着させることとなった。初代首相リー・クアンユーが2011年のインタビューでシンガポールを「沼地にそびえる80階建てのビル」と表現したように、きわめて高い経済成長を遂げたにもかかわらず、都市国家という小国の存続は常に危うい、脆弱なものであることを思い起こさせている。また、初代外相ラジャラトナムとリー・クアンユーが繰り返し述べたように、国際的な「友好関係」とは常に国益に基づくものでなければならないというプラグマティズムに重きを置くことになった。

シンガポールの現在の安全保障政策を見てみると、この原則が現代にも活かされていることがよくわかる。たとえば、冷戦が終わると、フィリピンの基地を筆頭に、米軍の東アジア地域からの撤退可能性が国際的に注目を集めたが、同時に中国といった地域大国が影響力を高め安全保障環境の不安定化を招くことも懸念された。戦略的脆弱性に敏感なシンガポールはこの点を憂慮しており、米軍のプレゼンスを確保しようと１９９０年、米軍にシンガポールの軍事施設へのアクセス権を与える覚書を結んだ。その後もアメリカとの軍事協力を強化しており、アメリカはシンガポールの最大の防衛パートナーとなっている（第39章「対アメリカ関係」参照）。

しかし、２０００年代より中国に対しても軍事協力の強化を進め、２００８年には防衛交流・安全保障協力に関する合意（ＡＤＥＳＣ）、２０１９年にはＡＤＥＳＣ強化に関する合意を結んでいる。シンガポールの中国に対する経済依存度の高まり、そして２０１０年代からの米中対立の高まりを背景に、両国との関係のバランスをとる姿勢がうかがえる。これは、米中大国間競争に巻き込まれることを回避し、両国からの軍事・経済利益を最大限に享受することを目的に、両国との軍事協力を強化していくことが、シンガポールにとってプラグマティックな選択であるという考えを反映している。

また、脆弱性を認識しているシンガポールの軍事力はあくまで国防を主目的としている。リー・クアンユーが１９６６年に表現したように、シンガポールは「毒エビ」となりうる軍事力を最低でも確保し、攻撃を仕掛けた対象国に大きな損害を与えることを目指している。現代もこの戦略思考は引き継がれており、抑止力を高めるために軍の近代化を常時進めている。

シンガポールの国益に大きく関わるシーレーンや経済インフラの確保も防衛目標ではあるが、軍事力のみに頼るのではなく、国際法や大国との外交関係を駆使し、多角的な安全保障政策を構築している。たとえば、シーレーンの確保においては国連海洋法の重要性を常に強調する立場であり、マレーシアと争ったペドラ・ブランカ島といった領土問題に関しては、国際司法裁判所を利用し、解決策を模索している。

これらの防衛思考は制度化され、現在は「総合防衛」と呼ばれる防衛概念が打ち出されている。この概念は１９８４年に発表され、「軍事」「市民」「経済」「社会」「心理」安全保障という5つの柱から成っていた。これは、軍事力の向上、国内治安の確保、経済力の向上、市民間での信頼向上、心理面での強靱性を成し遂げることにより、国家の安全保障に貢献できるという考えである。２０１９年になると、サイバー空間での安全を確保するために「デジタル防衛」が追加され、６つの柱となった。「総合防衛」の概念をとおして、都市国家の防衛には様々な側面の安全保障政策を考慮しなければいけない、というシンガポールの思考が良くわかる。

このように、シンガポールの防衛思考は建国時から続くものが多くあり、国家防衛に対する国民の意識向上プログラムも市民生活に埋め込まれている。特に顕著なものとしては、「総合防衛の日」と「国家防衛教育」の設定だ。１９９４年にシンガポール政府は毎年2月15日（１９４２年に日本がイギリス領シンガポールを占領した日）を「総合防衛の日」として定め、「シンガポール建国の父たちが日本占領時に経験した苦悩を思い起こすこと」「シンガポールの近代防衛戦略を再認識すること」を目的としている。この日は避難・防衛訓練が全国的に行われ、前後には航空ショーなどのイベントも開催される。また、国家防衛教育においては、すべての教育実習生に防衛政策の基礎が必修とされている。

都市国家という特殊性を持ち、厳しい地域戦略環境を切り抜け、シンガポールは軍事力や防衛政策に対する独自の考えを形成してきている。

（古賀　慶）

44

マラッカ海峡の安全航行

★海上物流を支える国際中継拠点・シンガポール★

誰しも漠然と耳にしているであろう「マラッカ海峡」。だが、ここでいうマラッカ海峡とは、「マラッカ・シンガポール海峡」を意味する。インド洋と太平洋を結ぶ海路としてとらえる場合には、繋がった2つの海峡で成り立っていることから、このように表現しなくてはならない。その全長はおよそ1000キロメートル、そのうちの東端100キロメートル部分がシンガポール海峡である。両海峡の長さの割合から、概念的にシンガポール海峡を含めてマラッカ海峡と呼んでも一般的には支障はない。シンガポールのビル街から望む目の前の海は全てシンガポール海峡である。

マラッカ・シンガポール海峡は、太平洋、極東、インド洋、欧州方面を行き来するほとんどの船が利用する最短の海上ルートだ。シンガポールが世界の海上交通の要衝と位置付けられる背景には、長距離航路の中間地点に位置するという地理的立地の優位さがあげられる。加えて、シンガポールの港は航路に接しているため、道路沿いのドライブインや、高速道路のサービスエリアの便利さにも似ていて、寄港のためのタイムロスも発生しない。入港せずに減速し、航走しながらの食材補給や船用

図　マラッカ海峡とシンガポール海峡

品の積み込みも可能な便利な港だ。

シンガポールの「建設者」ラッフルズは、海の深さを表す地図（海図）を作成し、陸地の地理的情報も十分とはいえない時代にこの場所の優位性に着目し、東西交易の中継地と位置付けた。その先見性には頭が上がらない。それが、彼自身が所属していた東インド会社の東西交易ルートの覇権を握るための下心があったとしても。

ラッフルズが思い描いた地の利を活かした自由貿易港としてのシンガポールは、彼の上陸から２００年を経た現在でも衰退することなく具現化され発展してきた。ただ、シンガポールが国際ハブ港として今日の姿に至るまでには、地理的な立地条件の良さだけでは語れない同国のたゆみない努力の積み重ねがあったことは否定できない。

２０１９年の年末に発生した新型コロナウイルスの世界への拡散（パンデミック）という状況にあっても、日常生活を支える「物」はとどまることなく流れていた。まさに、この物流を支えているのが船舶輸送で、マラッカ・シンガポール海峡はその流れの大動脈なのである。船もそう遠くない将来、無人で自律航行する時代を迎えるが、現時点では人が動かしている。ほとんどの国が感染拡大防止のための出入国制限を実施した。規制は船員の交代にも支障をきたし、海運界では大問題となった。国際海運団体は、船員の交代が叶わず、全世界の海上で40万人が超過勤務を続けていると発表している。

先が見通せないコロナ禍においても、シンガポール政府は、感染拡大防止対策と並行して、国際物流拠点としての港湾機能を停滞させないための特例措置を次々と打ち出した。その一例が、外航船員交代への対応だ。海路のハブと共に空路のハブでもあるチャンギ空港には、様々な地域から航空機が乗り入れている。この海と空の2つのハブ港の利便性から、船の乗組員交代の場所もシンガポールに集中している。

コロナ禍の厳しい行動制限の中で、シンガポールの海事港湾庁は、船員の交代を原則禁止としつつも、雇用契約の延長不可の船員、身内に不幸が生じた船員、乗船不適と医師が診断した船員に限って下船を容認した。その2カ月後には特例措置をさらに拡充するなど、段階的な対応で、3カ月足らずの間に、300社超4000件超の交代実績があったと発表している。シンガポールの国内総生産に占める海事産業の割合は、コロナ禍の2020年には5%台に落ち込んだが、それ以前は7%台が続いている。ちなみに、日本のそれは1%前後である。海運がこの国にとっての経済活動の基幹としていかに重要であるかが、コロナ禍での対応でより鮮明になった。

船員の交代に関わるシンガポールの対応は、少し片目を閉じた状態と思えなくもないが、国際的な条約で船員の連続勤務期間が定められている。詳細な運用は各国の船員法によって異なるものの目安は最長12カ月未満である。この規則を犯すと、ポート・ステート・コントロールという別の国際規則で、船の運航そのものを止める事態になりかねない。長期乗船による過剰なストレスは、精神と肉体

シンガポール海峡の航路標識とビル街

の健康をも脅かしかねない。大型船の衝突事故、座礁事故の50%以上は、見張り不十分や操船ミスなどの人的要因とされている。

一般にはあまり知られていないが、日本はマラッカ海峡の航行安全のために、これまで半世紀にわたって途切れることのない活動をマラッカ・シンガポール海峡の現場で続けている。海峡沿岸国の領海内で、他国がなぜこのような活動が可能なのかについては少し説明が要る。

戦後の世界的な石油需要の増大に伴って、中東諸国からの原油の輸入量が増大した。日本は、石油のほぼ全てを輸入に依存しているが、マラッカ・シンガポール海峡は、その運搬に際しての最短ルートである。原油を運ぶ船（タンカー）は、輸送効率を上げるために、当然のように大型化していった。一方で、複雑な海底地形とこの海峡特有の潮の流れの中を航行する船舶の大型化は、同時に座礁事故などの海難事故のリスクをも高めることとなった。

大型船舶による海難事故が、環境や経済に及ぼす影響は、時に計り知れない代償を伴うことになる。事故によってマラッカ・シンガポール海峡が航行不能に陥る事態が発生すると、私たちの日常の生活にも少なからず影響を及ぼすことになることは避けられない。

海峡を利用する日本の海運界から、政府に対して航路整備の要望がなされことを契機に、海峡沿岸国と日本が手を取り合って、海図作りや航路標識の設置、メンテナンス作業などを行い今日に至っている。当然のことながら、利用国の利益のみでの発想は許されるはずもなく、海難事故を恐れる海峡沿岸国との航行ルール作りの話し合いには多くの時間を費やしている。共同作業とはいえ、戦争の記憶が尾を引いていた時代であり、ともすれば、軍事情報にも抵触しかねないデリケートな場所での業務である。今もこうして他国の領海で、長期にわたっての活動が許されているのは、政治的意図を持ち込まずに、航行安全のための地道な活動に徹してきたからに他ならない。領海主権国の理解が得られないままの、お仕着せの国際協力は決して長続きしない。

（佐々木生治）

コラム4

シンガポールの地名あれこれ

田村慶子

シンガポールの地名（通り、河川、丘、周辺の小島などの名前）のほとんどすべては、ラッフルズがシンガポールを獲得して以降に考案されたものである。ただ、わずかではあるが、シンガポールが14～16世紀にマラッカ海峡の交通の要として繁栄した時代の名前も残っている。

そのひとつがブキッ・メラ（赤い丘）である。当時シンガポールはジョホール王国の一部で、メカジキの攻撃に悩まされていた。1人の聡明な少年がバナナの木を使った罠を作ることを提案、これが奏効してメカジキは撤退した。しかしサルタンは聡明な少年がやがて自分の地位を脅かすことを恐れ、部下に命じて少年を丘の上で殺害してしまった。少年の血が丘全体を真っ赤に染めたことから、丘はブキッ・メラと呼ばれるようになったという。その他、この時代に名残のある地名ではカランやカトンがあり、すべてマレー語である。

ラッフルズはシンガポールを獲得すると、アジア各地から押し寄せる移民を民族別に分離居住させ、アジア移民居住区とは別にヨーロッパ・タウンも作った。ハイ・ストリートは当時のヨーロッパ・タウンで最も早く命名された通りで、当時のなだらかな丘にちなんだ地名といわれる。

シンガポールがイギリスの植民地として本格的に開発されるようになると、ジャングルが切り開かれて次々と道路や埠頭、橋が建設され、植民地政府はイギリス人長官や総督の名をつけた。クラーク・キーにその名を残すアンドリュー・クラークは1873年から1875年まで海峡植民地（イギリス直轄植民地のシンガポール、マラッカ、ペナンの総称）総督、シェントン・ウェイは1934年から1946年まで総督であったシェントン・ホワイトレェッジにちなんでいる。また、クィーンズ・タウンは1953年にエリザベス2世の即位を記念して命名されたものである。

クラーク・キー地下鉄駅

また、非イギリス人であっても著名な貿易商人の名も採用された。1852年にシンガポールにやってきたアラブの貿易商人アカフ一族は貿易で巨額な富を築き、広大な土地を所有した。アカフ・アヴェニューはこの一族の繁栄の証である。ユー・トンセン・ストリートに名を残すユー・トンセン（1877~1941年）はゴム園の経営で富を築き、イギリス植民地政府行政審議会に華人代表として参加した。

独立後の新政府は多言語・多民族・多文化社会を反映させること、発音が容易であることなどの方針の下で、命名を行った。2000年代に入ると、国家の発展に貢献した人物の名前が道路や駅名などに採用されるようになった。大商人であり外交官としても活躍したリェン・インチョウ（1907~2008年）、国歌を作詞・作曲したザビァ・サイド（1907~1987年）などである。

経済発展を考える

多国籍企業のビジネス・ハブ

45

経済政策

―――――★新たな成長モデルにリセットへ★―――――

シンガポールの1人当たりのGDPは1965年の独立時には500米ドル程度だったのが、1985年には6781米ドル、そして2019年に6万5234米ドルと急成長を遂げた。今や米国と並んで世界でも有数の富裕国のひとつだ（図参照）。独立して50年ほどで急成長を遂げた背景には、その成長モデルを常に調整しながら、新たな競争力を獲得してきた歴史がある。

経済産業省管轄下の外資誘致機関である経済開発庁が1991年に発表した経済政策報告書によると、1965〜1990年までの25年間の経済の基本政策とは、①市場経済の採用、②外国直接投資を誘致し、自由貿易を推進し、国際経済システムに参加、③実力主義（メリトクラシー）、④汚職のない行政システムとクリーンな環境づくり、である。この経済の基本政策スタンスは、2020年の今も変わっていない。

しかし、人口はわずか600万人足らず。水や電力も国外に依存し、資源もない。貿易総額のGDP比は319％（2019年時点、世界銀行）と貿易依存度が高く、外資にオープンな同国は世界の景気動向に大きく左右されやすい。このため、これまで世界経済の外部ショックを受ける度に、その成長モデルの調

図　米国、日本、シンガポールの１人当たりGDPの推移（単位：米ドル）

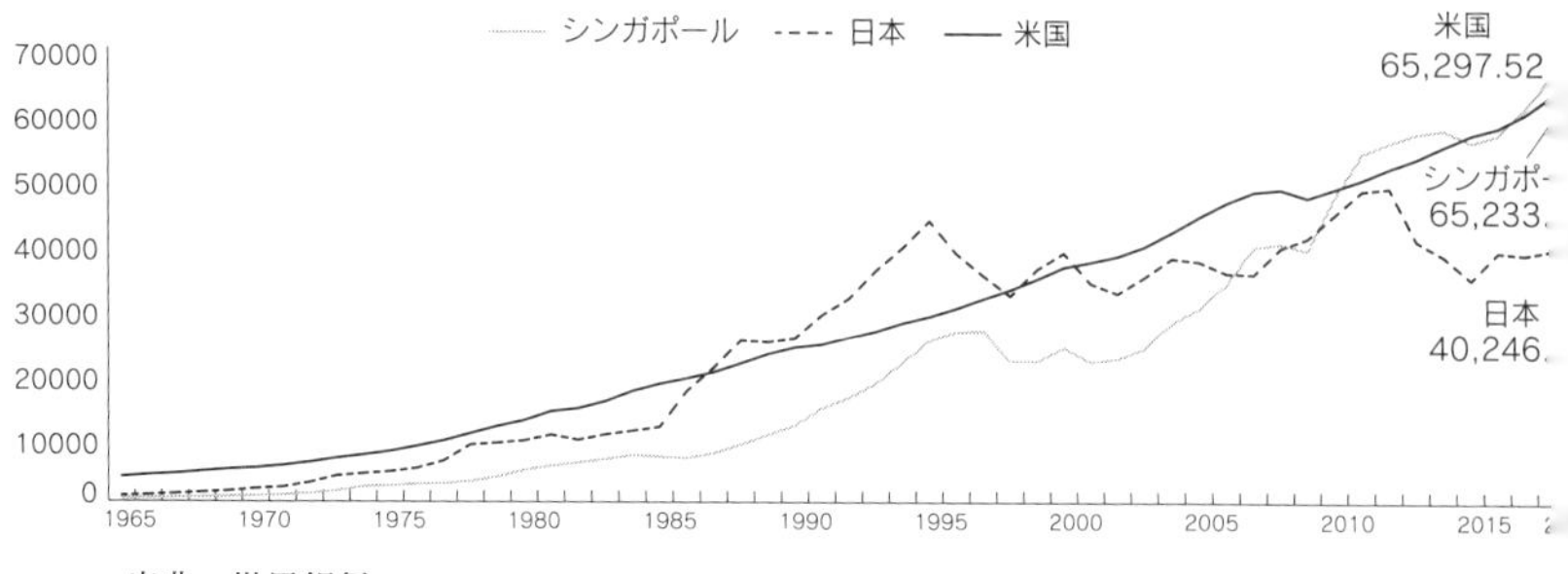

出典：世界銀行

整に迫られている。とくにこの過去20年を振り返ってみると、複数回にわたる大きな外部ショックにシンガポールは直面している。たとえば１９９８年のアジア経済危機で、景気後退（リセッション）に陥ったのを受け、コスト削減など経済競争力の強化をめざす「競争力レポート」をまとめた。翌年には知識集約型経済への転換に向けて10年間の開発ブループリント「インダストリー21」を発表し、この重点分野のひとつとしてバイオメディカル分野を振興する方針が決められ、医薬品などの研究・開発拠点「バイオポリス」を開発してノーベル賞受賞者など著名な研究者が集められ、医薬品の製造拠点の誘致なども本格化していく。しかし、２００１年のＩＴバブル崩壊、２００３年の新型肺炎と２つの大きな経済的ショックを受け、より抜本的な対策を迫られたのである。そして、官民合同の経済再検討委員会は２００３年２月、「ダイナミックなグローバル都市を目指して」と題した提言を発表。この中で、再び短期的対策として、法人税と個人所得税の引き下げなどからなるコスト削減と、年平均３～５％の経済成長をめざす長期目標が設定された。さらに、教育、医療ツーリズム、ＩＴ、クリエイティブ産業と、サービス産業のニッチ部門を振興する方針が採用

表　名目GDPの産業別構成比の推移（単位：％）

	1980年	1990年	2000年	2010年	2019年
	GDP構成比（％）	GDP構成比（％）	GDP構成比（％）	GDP構成比（％）	GDP構成比（％）
製造	26.5	24.4	25.9	20.8	19.8
建設	6.0	4.6	4.9	4.4	3.5
サービス	58.0	60.7	57.2	64.4	66.8
卸売・小売	16.4	12.3	12.5	18.1	16.4
輸送・倉庫	11.4	10.8	9.3	7.7	6.3
宿泊・飲食	3.9	3.4	2.3	1.9	2.0
情報・通信	2.4	2.6	3.5	3.5	4.1
金融・保険	8.9	13.0	9.4	10.4	13.1
ビジネスサービス	7.0	9.4	10.7	12.9	14.1
その他サービス	8.1	9.3	9.5	9.9	10.7

注：2020年2月改定値
出典：シンガポール統計局

された。

２００８～09年には世界経済危機を受けて、経済モデルの見直しにまた迫られた。経済戦略委員会（ＥＳＣ）は２０１０年２月、それまでの人口を拡大させることによる成長モデルから、労働生産性を引き上げて実質所得を引き上げるという戦略転換を提言。外国人を労働人口の３分の１に抑制するという方針が示され、外国人移民の積極的な導入から、一転抑制へと姿勢を転換させた（第21章「移民」参照）。

シンガポールの経済産業構造もこれまでに、大きな変化を遂げている。ＧＤＰに占める製造業の割合は１９８０年に26・５％を占めていたのが、２０１０年には20・８％へと低下。その一方で、サービス業が拡大している（表参照）。中でも、１９９０年後半から２０００年代初期にかけて保険、証券サービスが段階的に自由化されると共に、国内の銀行業界も国際競争に備えて自由化されていった結果、金融ハブとしてのシンガポールの機能が強化された。これにより、金融・保険サービスが

GDPに占める割合は1980年の8・9%から、2010年に10・4%へと拡大。また、多国籍企業の地域統括拠点の集積が加速するなかで、こうした企業の活動を支える会計、法律、広告、コンサルタントなどビジネスサービスも拡大したのである。

シンガポール経済はその後、経済構造が成熟化していくなかで、2000年までのような高度成長がもはや見込めなくなっている。国内の労働生産性が低迷する一方、グローバル化と逆行する外部環境の構造の変化にも直面した。これを受け、官民代表からなる未来経済委員会（CFE）は2017年2月、向こう10年間の新たな経済戦略を打ち出した。2010年のESCによる経済戦略では業界一律の労働生産性の向上目標を設定していたのに対し、CFEの提言では建設やエレクトロニクスなど23の業種について個別の労働生産性の向上と国際化、人材育成などの取り組みを示した「業界変革マップ」をとりまとめた。この中で、共通するキーワードがデジタル化、そしてイノベーションである。CFEは今後10年の経済成長率目標を「年2〜3%」と設定した。国内では少子高齢化によって人口の増加は見込めないが、外国人の移民を大きく増やすことは政治的にできない。2〜3%の経済成長の下で、労働生産性を引き上げて、国民の所得を向上させていくにはテクノロジーの採用がますます不可欠になっている。

テクノロジーの活用については2014年から国を挙げて、スマート・ネーションの実現に向けた実現的な取り組みが同時並行で進んでいる。新しいテクノロジーを活用して行政を効率化し、国民の暮らしを豊かにし、そして新たなビジネスの創出を目指している（第55章「スマート・ネーション」参照）。そして、生活や経済活動のあらゆる場面で進むデジタル化は2020年、新型コロナウィルスの感染拡大に伴って、ますます加速している。新型コロナウィルスを受けてシンガポール経済は2020年、前年比5・4%減へと落ち込み、独立以来の最大の危機を迎えている」に修正。政府は2020年5月、新たな官民の諮問委員会「力強く再生タスクフォース」を設置。同タスクフォースの下で、物流、環境、建設、小売り、ロボティクス、観光、教育、医療機器、農業テックの9つの分野で、官民が協力して海外に展開可能な新たなソリューションづくりに取り組んでいる。これら開発したソリューションの中から、新型コロナ後のシンガポール経済の新たなけん引役を見出すことを模索している。

シンガポールの政策シンクタンク、政策研究所は毎年1月、政治家や学識者、経済界の代表を招いて、その年の課題を話し合う恒例の年次フォーラムを開いている。このフォーラムの2021年のテーマは、「リセット」だった。新型コロナウィルスという独立以来最大の危機を受けて、これまでの成長モデルの抜本的なリセットをする必要に迫られている。

（本田智津絵）

46

外資系企業

★変化する投資家の顔ぶれ★

外国投資はシンガポールの独立当初から、国内経済の成長にとって大切なけん引役を果たしている。

小さな島国のシンガポールには、有用な資源もなければ、水も食糧も海外からの輸入に依存しなくてはいけない。シンガポールが経済的に繁栄していくには、魅力的なビジネス拠点とすることで、海外から多くの人と投資資金を集める必要がある。

その外資誘致に中心的な役割を果たしている政府機関が、シンガポール貿易産業省管轄下の経済開発庁（ＥＤＢ）である。ＥＤＢは１９９１年発表の小冊子「シンガポールの経済発展、１９６０〜１９９０年」で、「政府の役割とは、シンガポールを世界で最もビジネスのしやすい環境にすることだ」と断言している。ＥＤＢが創設されたのは、シンガポール独立前の１９６１年８月。のちにシンガポール政府の経済顧問となるアルバート・ウィンセミウス博士が率いる国連調査団が１９６１年、雇用創出のためにも工業化を推進し、その推進機関としてＥＤＢの設置を提言したのである。

ＥＤＢをはじめとする政府の努力の成果もあって、スイスのビジネススクールの２０２０年世界競争力ランキングで（２０

表1　対シンガポール直接投資（FDI）　産業別推移（単位：100万Sドル、%）

	1990	(%)	2000	(%)	2010	(%)	2018	(%)
製造業	21,936.1	41.3%	66,305.7	37.0%	116,006.4	19.7%	217,141.7	13.7%
建設	580.4	1.1%	1,935.7	1.1%	1,649.7	0.3%	6,390	0.4%
卸売り・小売り	6,369.4	12.0%	23,439.1	13.1%	105,389.6	17.9%	264,724.2	16.6%
輸送・倉庫	1,364.9	2.6%	6,358	3.6%	30,056.3	5.1%	26,612.9	1.7%
情報通信	277.8	0.5%	1,480.7	0.8%	6,413.6	1.1%	32,045.6	2.0%
金融・保険サービス	17,998.5	33.9%	66,711.4	37.3%	268,840.5	45.6%	815,730.6	51.3%
不動産	2,620.7	4.9%	5,696.6	3.2%	16,171.2	2.7%	40,599.6	2.6%
専門・科学技術・事務サポート・サービス	1,314.3	2.5%	5,065.5	2.8%	35,467.5	6.0%	169,225	10.6%
その他	689.4	1.3%	1,711.0	1.0%	9,958.4	1.7%	17,518.2	1.1%
合計	53,151.5		178,979.1		589,953.1		1,589,987.8	

出典：シンガポール統計局（2020年3月1日時点での数値）

２０年６月発表）、２年連続で１位となるなど、シンガポールは常に主要な国際的な競争力ランキングで上位を維持している。２０１６年時点でシンガポールには約３万７４００社もの外資系企業が拠点を置く。このうち約７０００社が大手の多国籍企業であり、この多くが周辺のアジア太平洋地域を統括する機能を持つ。多くの外資系企業にとって、シンガポールは周辺の東南アジア、そしてインドなどの国々の既存事業を管理し、さらに進出を拡大するための情報収集やパートナー探し、そして資金調達するための拠点なのである。

シンガポールへの直接投資は拡大を続けるものの、その中身は大きく変化している。１９９０年の５３１億５１５０万シンガポール（Ｓ）ドルから、２０１８年に１兆５８９９億８７８０万Ｓドルへと約30倍に拡大した。その産業別でみると、１９９０年には製造業が41・３％と最大だったが、２０１８年には13・７％へと縮小している（表１参照）。製造業への投資の割合が縮小した背景には、シンガポールでの製造拠点コストが周辺国と比較して割高となるなかで、

第46章

外資系企業

ＥＤＢが投資誘致の戦略を転換させたことが背景にあるとみられる。ＥＤＲが管轄する製造業の固定資産投資額も２０１３年～18年まで６年連続で前年を割った。この理由についてＥＤＢは２０１６年２月、「シンガポールが付加価値型から価値創造型へと転換しており、投資対象を絞る方針を継続する」との方針を表明した。同庁は製造拠点を誘致するにあたって、多くの作業員に依存した労働集約的な製造活動ではなく、ロボットの導入や自動化などを通じて工場をスマート化する第４次産業革命の実現を目指した投資を積極的に後押ししている。

また、固定資産投資額に占める統括拠点や研究・開発（Ｒ＆Ｄ）施設、物流設備などのサービス関連の投資の割合は２００７年の６％から、２０１９年の28％へと拡大傾向にある。約７０００社あると推定される多国籍企業の大半はアジア太平洋地域の拠点を統括する何らかの機能をシンガポールにすでに置いているが、さらなる統括拠点の新設や、統括機能をさらに強化する動きが近年になっても増えている。英高級家電のダイソンは２０１７年２月、新製品開発を行うテクノロジーセンターを開設した。さらに、２０１９年１月にはシンガポールに本社そのものを英国から移転する計画を発表している。対シンガポールＦＤＩで、専門・科学技術・事務サポートの投資拡大の勢いが最も著しいのも、こうした統括拠点やＲ＆Ｄ拠点の設置の増加を反映したものとみられる。

また、２０１８年の対シンガポールＦＤＩで約半分を占めるまでになったのが、金融・保険サービス業だ。シンガポールに拠点を置く外資の銀行は２０１９年末時点で１２７行、外資と内資を含む保険会社が１８７社、資産運用会社が４９５社、ベンチャーキャピタル54社などが集積するアジア有数の金融センターである。これら金融機関は、貿易活動や近隣地域への進出などの資金需要を支えるほ

表２　対シンガポール直接投資（FDI）国別推移（単位：100万Sドル、%）

	1990	(%)	2000	(%)	2010	(%)	2018	(%)
欧州	15,482.8	29.1%	67,810.4	37.9%	221,011.2	37.5%	537,020	33.8%
米国	9,457.6	17.8%	31,294.3	17.5%	61,514.5	10.4%	286,109.2	18.0%
日本	10,938.7	20.6%	24,516.6	13.7%	48,447.8	8.2%	106,042.7	6.7%
香港	3,277.1	6.2%	5,566.3	3.1%	17,427.5	3.0%	57,116.8	3.6%
中国	61.5	0.1%	821.4	0.5%	16,886.2	2.9%	37,758.8	2.4%
ASEAN	3,179.6	6.0%	7,814	4.4%	28,230.9	4.8%	55,321.2	3.5%
中南米・カリブ諸島	4,483.7	8.4%	28,214.2	15.8%	135,120.7	22.9%	380,937.9	24.0%
その他	6,270.5	11.8%	12,941.9	7.2%	61,314.3	10.4%	129,681.2	8.2%
合計	53,151.5	100.0%	178,979.1	100.0%	589,953.1	100.0%	1,589,987.8	100.0%

出典：シンガポール統計局（2020年3月1日時点での数値）

か、近年ではスタートアップへの投資や、富裕層のための資産管理などを行っている。

一方、投資国の顔ぶれも大きく変化している。欧州と米国がシンガポールにとって最大の投資国・地域であることは今も変わりない。ただ、独立時から１９９０年代まで欧米に並ぶ投資国であり、シンガポールの工業化に貢献してきた日本の対シンガポールＦＤＩに占める割合は１９９０年に20・６％だったのが、２０１８年に６・７％に縮小した。その代わりに、急速に投資比重を拡大させているのが中国だ（表２参照）。２０１８年時点で香港を含む中国の対シンガポールＦＤＩに占める割合は６・０％と、日本に迫る。

シンガポールは今後の経済成長を支えるためにも、これからも外資を誘致し続ける必要がある。経済情勢が変化し続けるなか、外資にとって拠点を置くための新しい魅力を提示する必要があるのである。

（本田智津絵）

47

政府系ファンド

★GICとテマセク、拡大するその役割★

２０２０年の新型コロナウィルスの感染拡大で独立以来最大の経済的打撃を受けたシンガポール政府は、国民の生活と企業の経営を支えるため、その年の２〜５月に４回にわたり総額９２９億シンガポール（Ｓ）ドル（約７・２兆円）に上る経済支援パッケージを発表した。この支援総額の半分以上に相当する５２０億Ｓドルが、財源として過去の政府準備金から支出された。政府が過去の準備金を取り崩すのは、２００９年の世界経済危機以来のことである。この過去の政府準備金を運用する役割を担っているのが、３つの政府系ファンド（ＳＷＦ）である。

ＳＷＦのひとつでもある通貨金融庁（ＭＡＳ）によると、政府準備金の用途は３つある。第１に世界経済危機や新型コロナウィルスのような危機への対応資金である。そして、第２に毎年の政府予算の財源の一部を補完するためであり、第３にＳドルの安定を目的とした為替管理政策のために用いられる。

中央銀行としての役割を担っているＭＡＳは、ＳＷＦとして約３億５２６２万米ドル（２０２０年11月時点）もの外貨準備高の運用を行っている。このほかのＳＷＦとして、財務省管轄のＧＩＣ（旧シンガポール政府投資公社）とテマセク・ホールディングがある。ＭＡＳ、ＧＩＣとテマセクはそれぞれＳＷＦとして、異なる投資スタンスをもっている。このうち、ＭＡＳは外貨準備金を用いて為替の安定を図る必要があることから、最もリスクの低く、安定的な流動資産におもに投資している。これに対し、テマセクとＧＩＣはよりリスクがあり、より高い投資益を追求している。米調査会社ＳＷＦＩによると、ＧＩＣとテマセクは運用資産額ベースでそれぞれ6位、7位と、世界トップ10位内に入るＳＷＦだ。

テマセクとＧＩＣは共に財務省傘下だが、それぞれ創立の経緯も異なれば、投資会社としての性格も異なる。テマセクが設立されたのは、１９７４年である。政府は１９６５年の独立以降、工業を推進し、輸出産業を育成し、雇用を創出するためにも、自ら企業活動に乗り出した。造船会社のケッペル、開発融資のためのＤＢＳ（旧シンガポール開発銀行）、船会社のネプチューン・オリエント・ラインズなどの政府系企業（ＧＬＣ）を次々に立ち上げ、テマセクはこれらＧＬＣの持ち株会社として設立されたのである。一方、１９７０年代に財政黒字が続き、資産が積み上がるなか、ＭＡＳが為替を安定する必要な分を超過する資産が積み上がっていった。このため、ＧＩＣはこの余剰分の政府の資産を運用する投資会社として１９８１年に設立された。テマセクとＧＩＣの運用実態などは、長年にわたり公表されていなかったが、テマセクは２００４年から年次報告書の公表を開始。次いで、ＧＩＣも２００８年から運用利回りや保有資産の内訳など、限定的ながらも年次報告書を公表するようになった。テマセクの運用資産総額は２０２０年3月末時点で、３０６０億Ｓドル。ＧＩＣの運用資産総額はこれまで、「１０００億米ドルを大きく超える額」とのみ発表しているが、ＳＷＦＩの推測では４１７４億米ドルに上るとみられている。

投資家としてのテマセクはこの20年で、大きく変貌を遂げている。テマセクは当初、戦略企業の持ち株会社だったために、投資先は国内に集中していた。２００２年以降、アジアを中心に海外での投資活動を活発化している。テマセクの運用資産の大半は株式である。同社が２００２年に発表し、その後２００６年に改定した投資運用指針の中で、同社が「アクティブな投資家であり、株主」であり、商業的な原則に基づいて資産を運用すると規定している。また、２００６年に投資先として、シンガポールを30％、シンガポールを除くアジアを40％、ＯＥＣＤ諸国を約20％、残り10％を南米、アフリカなどの新興市場とする目標を設定した。この結果、運用資産総額に占めるシンガポールを除くアジアの投資比重は２００４年の18％から、２０２０年に42％に拡大している（図参照）。

一方、ＧＩＣの資産は先進国や途上国の株式だけでなく、不動産や債券、現金などで構成されている。ＧＩＣは２０００年代以降、未公開株や新興国など、よりリスクの高い投資先へと、運用をシフトしている。ＧＩＣの投資先に占める日本を除く北アジア地域の比重は２００８年３月末の15％から、２０２０年３月末に19％に拡大。また、南米やアフリカなど新興国市場への投資比重も２００８年３月末の10％から２０２０年３月末に15％へと、拡大している。

テマセクとＧＩＣの投資運用資産額は２００８～09年の世界経済危機、そして２０１５年の株安、２０２０年の新型コロナウィルスに伴って前年を割ったものの、この20年の長期的トレンドでみれば増加を続けている。そして、その投資益の政府の一般会計への貢献も拡大している。政府の一般会計には、ＭＡＳ、ＧＩＣとテマセクが各政府会計年度に運用した準備金からのキャピタルゲインなどの長期実質利益見込み額の最大50％までの「純投資リターン（ＮＩＲ）」と、過去の準備金か

図　政府一般会計に組み込まれる主な税収と、政府系ファンド（SWF）の投資活動からの純投資収入（NII）・純投資リターン貢献額（単位：10億Sドル）

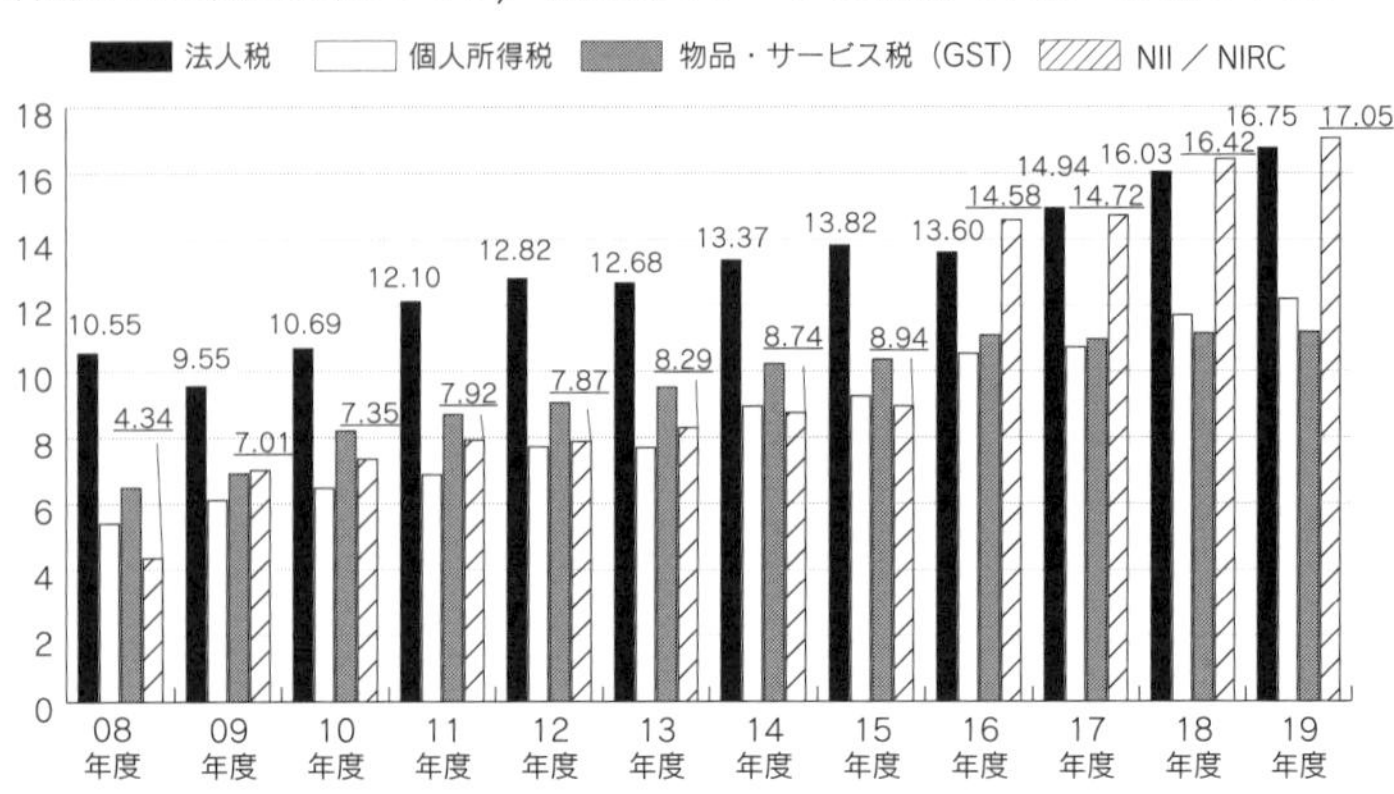

注：2008年度までは政府一般会計にはNIIが組み込まれていたが、2009年度からはNIRC
出典：シンガポール財務省、政府予算

らの配当金や金利などの最大50%までの「純投資収入（NII）」を合算した「純投資リターン貢献額（NIRC）」が組み込まれている。2009年度の予算に組み込まれたNIRCは70億1000万Sドルだったが、2019年度に170億5000万Sドルへと、100億Sドル以上拡大した。NIRCは2018年度以降、法人税を上回る最大の収入源となっているのである（図参照）。

政府が新型コロナウィルス対策のため大型の財政出動ができたのは、政府系ファンドが運用してきた準備金の存在が大きい。新型コロナウィルスで打撃を受けた国民や企業への支援は2021年以降も続く。人口高齢化に伴う保健支出も大きく拡大する見通しで、こうした財政支出を支えていくためにも政府系投資ファンドの重要性が高まっている。

（本田智津絵）

48

スタートアップ

★東南アジア最大級の企業拠点★

街を移動する際にスマートフォンを出して、グラブ社やゴジェック社のアプリを使って車を予約するのは、いまや当たり前の光景をはじめとする東南アジアの都市では、シンガポールだ。２００９年創業のゴジェックは、スマートフォンのアプリを介した配車サービスやＥコマースなどを提供するインドネシア最大のスタートアップ。また、グラブ社は２０１３年10月から、スマートフォンのアプリを介してタクシーを皮切りに、契約ドライバーが運転する乗用車、シャトルバスなど配車サービスを展開している東南アジア最大のスタートアップだ。両社のように新しいテクノロジーを活用して、これまでと異なるビジネスを確立し、短期間で急成長をし、新規株式公開や合併・買収（Ｍ＆Ａ）で投資資金の回収をめざすスタートアップが近年、東南アジアで急速に増え、人々の生活のあり方も変えている。

世界有数のイノベーション拠点といえば、シリコンバレーを中心とするアメリカが頭に浮かぶ。米調査会社ＣＢインサイツによると、企業価値10億米ドル以上の「ユニコーン」といわれるスタートアップは２０２０年11月25日時点で、５０１社に上る。この中で２４５社と最も多くユニコーンを輩出するのは北米地域だが、アジア地域も171社と、中国を中心に急速にユニコーンが大きく増えている。東南アジア地域においては、すでに新規株式公開（IPO）や他社による合併・買収（M&A）されたものを含めユニコーンは13社ある。このうち、シンガポールにはグラブを含め最も多い6社のユニコーンが集積する。

シンガポールに拠点を置くテック系スタートアップは現在、約3800社と推定される。そのスタートアップに投資する専門のベンチャーキャピタル（VC）は約150社に上り、起業したばかりの起業家を支えるプログラムを提供するアクセラレーターやインキュベーターが約100カ所、国内には安価なオフィススペースを提供するコワーキングスペースが約250カ所あるとされる。こうしたスタートアップを支える有利な環境（エコシステム）づくりに政府が大きな役割を果たしている。

スタートアップ支援にはシンガポールの複数の政府機関や公立の高等教育機関が関わる。政府が認定したVCやインキュベーターなどの投資家が選定した有望なスタートアップに、投資家と政府が共同で投資する「スタートアップSGエクイティー」のように、政府の支援はスタートアップそのものへの支援スキームだけでない。アクセラレーターやインキュベーターのプログラムを実施するためのコストや人件費などを支援する「スタートアップSGアクセラレーター」制度もある。さらに、郊外のワンノース地区にある古い多層階の工業施設を改造した「JTCロンチパッド@ワンノース」には、800社以上ものスタートアップ向けの安価なコワーキングスペース、VC、インキュベーター、アクセラレーターなどが集まる。このJTCロンチパッドの前身であるブロック71を2011年に立ち上げるのにあたって、中心的な役割を果たしたのがシンガポール国立大学（NUS）だ。

第48章

スタートアップ

スタートアップが東南アジア各国で急成長している背景には、経済成長と共に豊かとなっている人々の間で、スマートフォンが急速に普及していることもある。シンガポール政府系テマセク・ホールディングスと米グーグルの共同調査「e-Conomy SEA2020（２０２０年11月発表）」によると、東南アジアのインターネットの利用者は２０１５年時点で２億６０００万人だったのが、２０２０年に４億人へと増えると推定されている。インドネシアやタイ、ベトナムなどの国々では、インターネットを接続するのにコンピューターではなく、スマートフォンを使う消費者が多い。スマートフォンの普及拡大でインターネットに接続できるようになった人々が増え、冒頭のグラブのような携帯アプリを使ったサービスを展開する基盤ができたのである。シンガポールを除く他の東南アジアの国々で、銀行口座を持つこともできない人々も少なくない。スマートフォンを手にすることで、銀行口座やクレジットカードがなくても、お財布ケータイ機能を使って、ネットショッピングをするだけでなく、金融ローンも申請して商売を始めたり、初めて保険を購入したりする人々も

スタートアップとそれを支えるインキュベーターやベンチャーキャピタル（VC）などが集積する「JTC ロンチパッド@ワンノース」

図　東南アジア６カ国へのテクノロジー系スタートアップ投資推移（単位：百万米ドル、件）

出典：セント・ベンチャーズ　2020年上半期東南アジアのテック投資

増えている。

こうして新たに広がる市場に着目して、投資マネーも東南アジアに集まっている。東南アジア６カ国のテクノロジー系のスタートアップへの投資額は２０１８年に総額１２１億９５００万米ドルと、前年の約２倍へと拡大し、過去最大となった。２０１９年には投資額が87億２１００万米ドルへと前年を下回ったものの、投資件数では過去最高を記録した（図参照）。２０２０年に入り、新型コロナ禍でも東南アジアへのテック投資の勢いは衰えていない。

東南アジアの中でスタートアップの投資案件が最も多いのがシンガポールだ。豊富な投資資金に加え、充実した起業環境にひきつけられる形で、シンガポールには各国から起業家が集まる。グラブの創業者がマレーシア人であるように、シンガポールに本社を置くスタートアップの創業者の顔ぶれが国際的なのも、他のアジアの国々とは異なる特徴だ。

しかし、人口わずか５６９万人のシンガポール国内には、

第48章

スタートアップ

スタートアップがビジネスを拡大していくためのマーケットが限定されている。事業拡大のためには、シンガポールを拠点に国外に展開していくしかない。東南アジアはこれから成長していくマーケットだが、その中で事業を展開していくには、それぞれがその経済的な成長段階も違えば、言葉も宗教も政治体制も、その規制環境も多様で、域内の横展開は他の地域と比べて決して簡単ではない。

さらに、シンガポールは東南アジアでは起業拠点としては最も環境が整う都市だが、他の各都市も激しく追い上げている。米調査会社スタートアップ・ゲノムの調査によると、グローバル・スタートアップ・エコシステム・ランキングで、シンガポールは２０１７年に12位だったのが、２０１９年に14位、２０２０年には17位へと低下している。２０２０年現在、東南アジア地域で上位30位内にランク入りしているのはシンガポールのみだが、インドネシアやベトナムなども起業拠点として急速に存在感を増している。シンガポールの東南アジアの一大起業拠点としての地位維持に向けた競争が、本格化している。

（本田智津絵）

49

労働組合

★政府と経営者と連携する組合★

「政労使三位一体」は、シンガポール政府の人材政策を語る上で欠かせない言葉だ。政府、経営者、そして労働組合の独特な協力関係を表し、シンガポールの経済的競争力の基盤のひとつとされる。

政府と組合との密接な関係は、最大与党である人民行動党（PAP）と最大の組合組織である全国組合会議（NTUC）との独立前からの関係に端を発する。そもそも初代首相であるリー・クアンユーが政界入りするきっかけとなったのが、1952年の郵便職員のストで弁護士だったリーが法律顧問を務めたことにある。この弁護を機に、リーは50以上の組合の顧問を務め、組合員からの支持を基盤に政界入りしたのである。

NTUCの創立は1961年9月のことである。その直前の同年7月にPAPから、共産党寄りのグループが脱党して「社会主義戦線」を創立した。NTUCの前身だったシンガポール労働組合会議（STUC）も同年9月に分裂し、社会主義戦線がシンガポール組合協会（SATU）を創立。一方、PAP寄りの組合員がNTUCを創立したのである。SATUが1963年に非合法化された後、NTUCがその後シンガポール全体の組合活動において中心的な役割を果たすことになるのである。

シンガポール人材省に登録されている組合は２０１９年末時点で、63ある。このうちＮＴＵＣ傘下の組合は59に上り、ＮＴＵＣは国内最大の組合組織だ。ＮＴＵＣの書記長は２０２０年12月現在、同年7月10日の総選挙で落選するまで首相府相を兼任していたウン・チーメンである。１９８０年からウンが落選するまで、書記長を閣僚が兼任する慣行が続いており、これは労働組合と政府との深い関係を象徴するものだ。

NTUC本部ビル

シンガポールでは１９６５年の独立以来、労使が常に協調関係にあったわけではない。それが労使協調へと向かったきっかけのひとつが、１９７１年の英軍のシンガポールからの撤退である。英軍は撤退前に約２万１０００人を雇用し、シンガポールのＧＤＰの14％も貢献していた。ＮＴＵＣ創立50周年の記念本に掲載されたリー・クアンユーのインタビューによると、英軍の撤退によって生じる失業者のための新たな雇用を創出するには、海外から企業を誘致しなくてはいけない。しかし、そのためには当時は頻繁だった労働争議を収め、それまでの労使対立から労使協調に向かう必要がある。このため、労使関係法を改正し、ストライキの決行にあたっては、政府登録の組合の組合員の秘密投票で過半数の支持を得ることを義務付けた。

また、労使協調を目的に推進したのが、NTUCの企業活動への参入である。転機となったのは1969年にゴー・ケンスイ副首相（当時）の発案で、NTUCのデバン・ナイア書記長（当時、後に第3代大統領）が共同開催した現代化セミナーだ。同セミナーで、NTUCが組合員の経済、社会的支援やレクリエーションの提供を、組合として取り組むことが決められたのである。これを受け、NTUCは次々に共同組合を創立した。保険会社のNTUCインカムは、低所得労働者向けに保険を提供することを目的に創立された。次いでタクシー運転手が自身で車両を保有して、安定した生活が得られるようタクシー会社NTUCコンフォートが創立された。そして、スーパーのNTUCフェアプライスが1973年、安価な食料品を労働者向けに提供するために創立された。このほかにも、幼稚園や高齢者ケア施設、医療など次々と共同組合が創立されていったのである。これら協同組合のトップには、組合指導者らが経営を学ぶことを理由に就任した。現在、NTUCインカムや、フェアプライスなどは、それぞれ業界では最大級のシェアを誇る企業であり、NTUCは組合でもあり、多くの労働者を雇用する雇用主でもある。

さらに、1980年代にはNTUCの指導者らは、政策立案を学ぶために政府機関にも出向した。政策立案に関わることで、組合員の声を政策の現場に反映できると共に、政策立案の当事者でもあることから実行するにあたっては責任感も生じるということが理由だった。

シンガポールの政労使の三位一体の関係が最も明確な形で示されているのが、毎年発表される賃金評議会（ＮＷＣ）のガイドラインだ。同評議会のメンバーは、政府代表、経営者と外国企業の代表、ＮＴＵＣなどからなり、その年の賃金のガイドラインを策定している。ガイドラインには法的拘束力がないが、最低賃金のないシンガポールでは唯一の公式な給与ガイドラインであって、影響力は小さくない。

政労使の安定的な関係が構築されるにしたがって、労働争議も沈静化した。しかし、労働者の顔ぶれもこの30年間で、大きく変化している。とくに２０００年以降、外国人の受け入れを積極化していった結果、労働人口に占める外国人の割合が３割を超え、今もその割合が拡大傾向にある。こうした中、２０１２年11月26日に26年ぶりにストライキを行ったのは、中国からの労働者だったというのは象徴的ともいえる。ストに踏み切ったのは、公共バスを運行するＳＭＲＴ社の中国籍のバス運転手である。中国人運転手１７１人はスト初日、マレーシア人運転手との給与格差や社宅などの待遇不満を理由に、勤務を拒否した。２日目にはこのうち88人が勤務拒否を継続した。しかし、バスや鉄道、航空など公共輸送、ガス・水道・電力、警察、消防、医療など国家の基幹にかかわるサービスの従事者は、経営者側に14日以上前に事前通知を行わない限り、ストをすることは禁止されている。中国人運転手によるストは「違法ストライキ」とされ、５人を刑法違反で逮捕して６～７カ月の禁固刑を科すと共に、ストに積極的にかかわった29人を中国に送還し、さらに１人を刑法違反で起訴したのである。

また、労働者の顔ぶれの変化は外国人の増加だけではない。人材省によると、15歳以上の国民（外国人永住権者を含む）の39％が学卒（２０２０年時点）と学歴の向上に伴って、国民に占める専門職・幹部・技術職（ＰＭＥＴ）の割合も58％（２０１９年時点）に上る。ＰＭＥＴの増加に伴い、組合に対する期待も従来とは異なっている。さらに、フリーランスで働く人も増え、労働に対する意識そのものも変化している。

一方、NTUCの組合の加盟者数は2018年時点で94万3000人と、2015年の89万6200人から増加した。NTUCは2030年までに組合員数を150万人とする目標を掲げている。NTUCはPMETの期待に応えるために、法律相談や研修、ネットワーキングなどを行う専用の「UPMEセンター」を2014年に設置したほか、雇用者との連携で外国人労働者向けのセンターも2009年に開設している。

NTUCはこれまで労働者が求めるサービスを提供する一方、政労使の連携を通じて労使協調路線を支えてきた。これからも安定的な労使協調を実現できるかは、外国人労働者から幹部、専門職の国民の幅広いニーズにどれだけ応えることができるかにかかっている。

（本田智津絵）

50

チャンギ空港

★再生なるか、シンガポールの象徴★

チャンギ空港の第1ターミナル前の駐車場跡に2019年4月、大規模なガラスドーム型の商業施設がオープンした。世界中から集められた約2000本もの木がドーム内に配置され、その真ん中に屋内の人工滝として世界最長の高さ40メートルの滝（本書の表紙の写真を参照）。滝を取り巻くように配置された多層階の廊下には約280店もの飲食店や小売店があり、熱帯植物園のような雰囲気の中で買い物や食事も楽しめる。「ジュエル（宝石）」という名のこの施設を設計したのは、統合型リゾートのマリーナベイ・サンズを設計したのと同じ著名建築家のモシェ・サフディ氏である。施設がターゲットとするのは、チャンギ空港を利用する年間6800万人以上もの旅客だ。ジュエルは飛行機を待つ間、空港内で楽しめるよう開発された最新の観光アトラクションだ。

チャンギ空港が開業したのは1981年7月のことである。そもそも空港が建てられたのは、その前身の都心部からより近いパヤレバ地区に1955年からあった旧空港が、増え続ける航空旅客の増加に対応できなくなると判断されたためだ。初代首相のリー・クアンユーは1970年8月、シンガポールの政

図　チャンギ空港の旅客数の推移（単位：人）

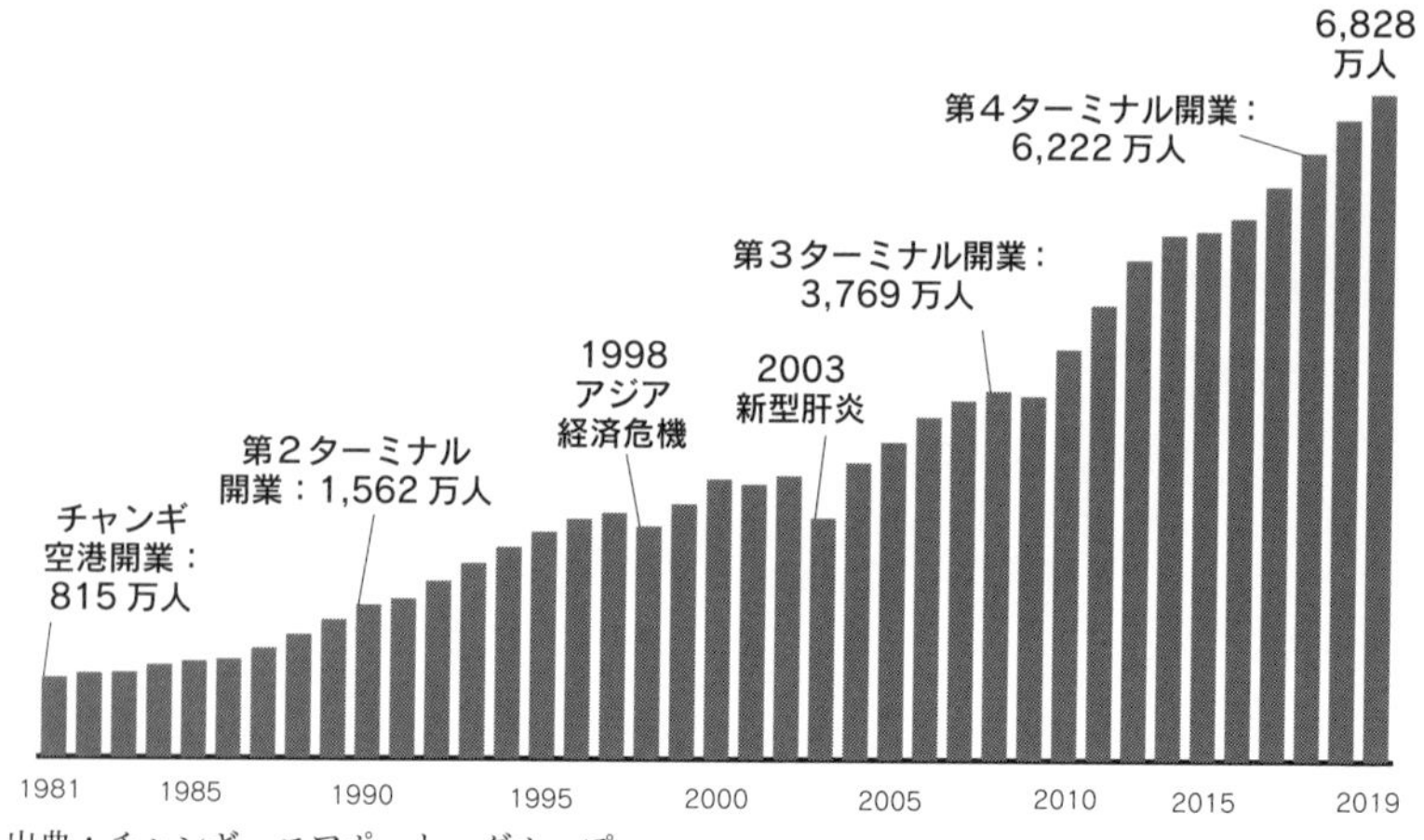

出典：チャンギ・エアポート・グループ

策方針演説に相当する恒例の独立記念演説で、郊外の東部沿岸のチャンギへと移転する意向を初めて発表した。リー首相は「10年以内に空港をチャンギに移し、航空機が（住宅地区の）カトンやカランの上を飛ばないようになる」と述べた。しかし、実際にチャンギへの移転が正式に決まったのは1975年6月。南部沿岸にある都心部と空港の間を移動しやすいように、2つの高速道路のイースト・コースト・パークウェイとパン・アイランド・ハイウェイも同時に建設された。飛行機から降りたばかりの旅行者に対して、「ガーデンシティ（庭園都市）」としてのシンガポールのイメージを焼き付けるためにも、空港の周辺、そして高速道路沿いに街路樹も整備された。

　そして、チャンギ空港が1981年の開業後、旅客の増加と共に拡張していった。開業初年のチャンギ空港の利用者は、年間815万人だった。その後、増え続ける航空旅客に対応するため、

第50章

チャンギ空港

1990年に第2ターミナルが開業した際には旅客は1562万人。そして、2008年1月の第3ターミナルの開業時には、旅客は3769万人へと増えた。さらに、第4ターミナルが2017年10月に開業した時には、旅客は6222万人に達したのである（図参照）。

2019年には空港の利用者は、過去最高の6828万人となった。航空旅客数でチャンギ空港はこの時点で世界7位。100社もの航空会社が世界の380都市を結ぶ航空便を定期運航し、80秒ごとに航空機が離発着するアジアでも有数の一大空港となったのである。増え続ける旅客に対応するため、リー・シェンロン首相は第4ターミナル開業前の2013年8月18日、独立記念集会での演説で、2020年半ばまでに第5ターミナルを開業し、冒頭のジュエルを建設する計画を明らかにした。第5ターミナルは計画では総床面積が76万6000平方メートルと第1～3ターミナルを合わせた規模とし、年間空港取扱能力が5000万人と計画された。チャンギ空港の第1～4ターミナルの年間空港取扱能力は2019年時点で8500万人、これに第5ターミナルが完成すれば年間空港取扱能力は1億3500万人となる。

積極的な空港の拡張には、航空旅客をめぐる世界の空港間の厳しい競争がその背景にある。空港を拡張しているのはチャンギ空港だけではない。隣国マレーシアのクアラルンプール国際空港は2030年までに、年間空港取扱能力1億人を目指している。また、タイの首都バンコクのスワンナプーム国際空港も拡張で、年間空港取扱能力を9000万人とする計画だ。冒頭のジュエルは、旅客獲得のための厳しい国際競争で、差別化を図るための切り札のひとつでもあるのである。

しかし、順調に見えたチャンギ空港の拡張プロジェクトも2020年に入り、新型コロナ禍で大幅な見直しに迫られている。2020年1月23日にシンガポールで最初の新型コロナウィルスの感染者が確認された後、1月29日に中国湖北省からの入国を規制したのを皮切りに、入国規制の対象国・地域を拡大していき、3月22日には海外からの短期渡航者の入国を全面的に禁止した。このためチャンギ空港を利用する旅客は4～9月まで前年同月と比べて98～99％減にまで落ち込んだ。チャンギ空港の年間旅客取扱能力は世界第7位から、58位にまで転落。4つあるターミナルのうち、2つが閉鎖され、空港を行きかう人の波も途絶えた。第5ターミナルの建設計画も新型コロナウィルスを受けて、見直しを迫られている。

リー首相は2013年の前掲の独立記念演説で、「チャンギ空港は、再生と変化というシンガポールのアイデンティティを象徴している」と語っている。シンガポールの国自体も55年の歴史で、世界の動向に向き合いながら、その競争力を向上させながら、姿を変えてきた。シンガポールも、そしてその空の玄関口であるチャンギ空港もいま、新型コロナ禍で史上最大の危機に直面している。入国規制は2020年6月から、各国の感染状況をみながら段階的な解除を模索している。チャンギ空港の「再生」への厳しい道のりは、まだ始まったばかりだ。

（本田智津絵）

51

港と貿易

★港の都市の賭け★

1972年6月23日、シンガポールの都心部にあるタンジョンパガー港に、船舶「日本丸」が入港した。積んでいたのは、約300個のコンテナ。海上貨物を運ぶ手段としてのコンテナの普及が始まったのは、じつは1970年代のこと。タンジョンパガー港は、東南アジアで初めてのコンテナ・ターミナルとして開港した。それは、やがてコンテナ船時代が主流になると予測しての一種の賭けでもあったのである。その後、コンテナ時代は到来。シンガポールの港のコンテナ取扱量は1982年、世界第1位となり、賭けは成功したのである。

シンガポールは元々、独立以前から港町として発展してきた歴史がある。資源もない小さな島であるシンガポールに、有利な点があるとすれば、その地理的な優位性だ。シンガポールはマレー半島の南端に位置し、インド洋と太平洋を結ぶ海上交通の要衝にある。近代史においてシンガポールがアジア有数の港として発展するきっかけとなったのは、イギリスの東インド会社のラッフルズ卿が1819年、貿易拠点を設置したことである。ラッフルズ卿はその際、「シンガポールの港は、どこの国からの船舶も平等に受け入れる自由港となる」と書き残した。

東インド会社は1823年、シンガポールを正式に自由港とし、近隣から多くの貨物を集める基盤となった。その後、蒸気船の発達と1869年のスエズ運河の開通で、英国とアジアとの間の航行距離と時間が大幅に短縮されると、多くの国々からの移民と貨物を集めた。シンガポールは「大英帝国の王冠の中の珠玉の宝石」として知られる一大貿易港へと発展したのである。

シンガポール港は2019年現在、上海に次ぐ世界第2位の港である。シンガポールの2019年の輸出総額は5325億Sドル、このうち53%が積み替え貨物だ。シンガポール港は近隣から集まる荷を集積し、積み替える世界最大級のハブ港である。港には、年間平均で13万隻が寄港する。世界各国の港と、どれだけ定期船サービスを運航しているかを示す国連貿易開発会議（UNCTAD）の「定期船サービス連結指数（LSCI）」でみると、2020年第3四半期にシンガポールは138・9と、上海に次いで世界第2位だ。また、船舶への燃料港としてもシンガポールは世界最大級である。初代首相のリー・クアンユー顧問相は2007年9月、第1回シンガポール海洋講義で、「シンガポールの存在は港に大きく依存する。（国家存続のためには）常に主要な港であり続けなくてはいけない」と述べたように、港を柱とする海運、貿易産業は近代シンガポールの経済の根幹を支えている。

シンガポール港は1982年にコンテナ取扱量で世界トップとなった後、その後常に1〜2位を維持している（表参照）。政府は輸送貨物の増加をにらみ、1982年に新たな港の建設を計画した。しかし、港を管理するシンガポール港湾局（当時、現港湾会社PSA）は翌1983年、世界貿易の鈍化を見越し、予定していた2つ目のターミナルをブラニ島に建設する計画を一時停止した。1985年にシンガポールは独立以来、初めての景気後退（リセッション）を経験し、この年には世界の貿易も大き

表　世界の上位10港のコンテナ取扱量の推移　（単位：100万TEU）

順位	1980		1990		2000		2010		2019	
	港湾	百万TEU	港湾	百万TEU	港湾	百万TEU	港湾	百万TEU	港湾	百万TEU
1	ニューヨーク・ニュージャージー	1.95	シンガポール	5.22	香港	18.10	上海	29.07	上海	43.30
2	ロッテルダム	1.90	香港	5.10	シンガポール	17.04	シンガポール	28.43	シンガポール	37.20
3	香港	1.47	ロッテルダム	3.67	寧波舟山	7.54	香港	23.70	寧波舟山	27.54
4	神戸	1.46	高雄	3.49	高雄	7.43	深圳	22.51	深圳	25.77
5	高雄	0.98	神戸	2.60	ロッテルダム	6.28	釜山	14.19	広州	23.24
6	シンガポール	0.92	釜山	2.35	上海	5.61	寧波舟山	13.14	釜山	21.99
7	サンファン	0.85	ロサンゼルス	2.12	ロサンゼルス	4.88	広州	12.55	青島	21.01
8	ロングビーチ	0.83	ハンブルグ	1.97	ロングビーチ	4.60	青島	12.01	香港	18.36
9	ハンブルグ	0.78	ニューヨーク・ニュージャージー	1.90	ハンブルグ	4.25	ドバイ	11.60	天津	17.30
10	オークランド・シアトル	0.782 0.782	基隆	1.81	アントワープ	4.08	ロッテルダム	11.15	ロッテルダム	14.81
上位10港合計		12.70		30.23		79.81		178.35		250.52

出典：日本港湾協会、CONTAINERISATION INTERNATIONAL YEARBOOK、JOC.com

く減速した。しかし、翌年の１９８６年半ばまでには国内経済は完全回復し、ブラニ島の新しいターミナル計画が発表された。１９９１年にはブラニ島のターミナルと、ケッペル・ターミナルが開港。さらに、これらターミナル建設中にも次のターミナル建設が計画され、西の海岸沿いのパシルパンジャン・ターミナルの第１期工事が１９９７年、第２期が２００５年、２０１５年に第３期・第４期が開港していった。

しかし、シンガポールの港を取り巻く環境が常に順風満帆だったわけではない。世界最大のコンテナ輸送会社であるデンマークのマースク・シーランドは２０００年８月、同社の貨物積み替え拠点をシンガポールから、対岸のマレーシア南部ジョホール州のタンジョン・プルパス港（ＰＴＰ）に移転すると共に、ＰＴＰの運営会社への出資を発表した。マースクは当時のシンガポール港が扱っていた貨物の約10％を取り扱っており、最大の顧客だった。さらに、翌２００1年10月、台湾の海運会社エバーグリーン・マリーンもＰＴＰへの拠点移転を発表した。この一連の移転の結果、２００1年のコンテナ取扱量は前年比8・9％の減少となった。

船会社が貨物積み替え拠点を置くにあたり重要視するのは、その港を利用するコストに加え、どれだけ多くの他の港との定期船があるかというその港のネットワーク力だ。２０００年3月に開港したばかりのジョホール州のＰＴＰはＬＳＣＩの世界ランキングで、２００6年第1四半期には38位だったのが、２０２０年第3四半期に20位へと追い上げ、積み替え港としてのその存在感をじわじわと拡大している。

迎え撃つシンガポール港は、その定期船運航先の拡大を続けており、ＬＳＣＩの世界ランキングで2位の地位を維持している。また、船会社が積み替えを行う時間を短縮してコスト削減をできるよう、自動化などテクノロジーに投資し、労働生産性の向上を図っている。さらに、コンテナ船の大型化に対応するため、そして一層の自動化を図るため政府は、新たな大型投資に踏み切っている。

政府は２０１2年10月、国内5カ所のコンテナ・ターミナルを、西のトゥアスに新たに建設する大型港に集約すると発表した。トゥアス新港のコンテナ取扱能力は年間６５００ＴＥＵ（20フィート・コンテナ換算）と、既存の5ターミナルの取り扱い能力の約2倍へと拡大する。さらに、新港は世界最大級の自動化ターミナルとなる見通しで、人工知能（ＡＩ）を用いた船舶入港の予測システムや、燃料補給時の不正探知システムなど、最新テクノロジーを数多く採用した次世代港となる。東南アジア初

1972年に東南アジア初のコンテナ・ターミナルとして開港したタンジョンパガー港は、2027年にその役割を終える

のコンテナ港だったタンジョンパガー港（写真参照）と、ケッペルとブラニの両ターミナルは２０２７年にその役割を終え、トゥアスに移転する。そして、新しいパシルパンジャン・ターミナルも、最終的にはトゥアス港に統合される。トゥアス港は２０２１年に第１期工事が完成する予定で、その後段階的に開港し、最終完成は２０４０年となる見通しだ。シンガポールの港は世界の海上貿易の変化に対応し、これまで進化を続けてきた。新しいトゥアス港という新たな賭けの成否は、貿易都市であるシンガポール経済の未来を左右する試金石となる。

（本田智津絵）

52

FTA政策

★ハブ戦略の一翼を担うFTAネットワーク★

小国で内需が小さいシンガポール経済を世界でも有数の高所得国に押し上げたエンジンのひとつが、貿易と投資である。シンガポールでは、政府・国有企業がインフラや制度を整備した上で、外資を積極的に受け入れ、産業集積を形成、輸出主導型の成長を実現してきた。シンガポールの輸出依存度（輸出額／GDP）は104％（2019年）に及び、対内直接投資残高（2019年末）のGDP比も468％と世界の中でも高水準にある。

この貿易、投資を支える制度的な枠組みのひとつが自由貿易協定（FTA）である。FTAは、2カ国・地域以上の国・地域間で、相互に関税の削減・撤廃や貿易手続きの簡素化等の貿易の自由化を行うとともに、近年のFTAは外資規制の自由化、さらには投資、政府調達、デジタル貿易など様々な分野のルール形成を含む包括的な協定となっている。

シンガポールが発効させたFTAは65カ国・地域と27件に及ぶ。2000年代以降はほぼ毎年のように新たなFTAを締結し、そのFTAネットワークを広げている。相手国はASEANに加え、中国、韓国、日本、インド、オーストラリア、ニュージー

表　シンガポールの発行済FTA

	FTA	発効年
1	ASEAN	1993年
2	シンガポール・ニュージーランド	2001年
3	日本・シンガポール	2002年
4	EFTA・シンガポール	2003年
5	シンガポール・オーストラリア	2003年
6	米国・シンガポール	2004年
7	ASEAN・中国	2004年
8	シンガポール・インド	2005年
9	シンガポール・ヨルダン	2005年
10	シンガポール・韓国	2006年
11	環太平洋戦略経済パートナーシップ協定(P4)	2006年
12	シンガポール・パナマ	2006年
13	ASEAN・韓国	2007年
14	ASEAN・日本	2008年
15	シンガポール・中国	2009年
16	シンガポール・ペルー	2009年
17	ASEAN・オーストラリア・ニュージーランド	2010年
18	ASEAN・インド	2010年
19	シンガポール・コスタリカ	2013年
20	シンガポール・GCC	2013年
21	シンガポール・台湾	2014年
22	シンガポール・トルコ	2017年
23	シンガポール・スリランカ	2018年
24	CPTPP（TPP11)	2018年
25	ASEAN・香港	2019年
26	シンガポール・EU	2019年
27	シンガポール・英国	2021年

出典：Enterprise Singapore、ジェトロ

ランドなどの周辺国を中心に、米国やＥＵともＦＴＡを発効させている。日本も初めて締結したＦＴＡはシンガポールである。

アジアにおいて、シンガポールの最大のライバルと位置付けられるのが香港で、貿易や投資の結節点となっている。しかし、香港が締結したＦＴＡはこれまで中国、オーストラリア、ニュージーランド、チリ、ＡＳＥＡＮなど20カ国・地域と8件にとどまっており、ＦＴＡネットワークの面ではシンガポールが圧倒的に有意な立ち位置を形成している。

シンガポールが関与したＦＴＡがプラットフォームとなり、広域のＦＴＡ形成に結実した事例もある。環太平洋パートナーシップ協定（ＴＰＰ12）である。シンガポールは、ニュージーランド、チリ、ブルネイとともに、２００６年にＰ４と呼ばれるＦＴＡ（環太平洋戦略経済パートナーシップ協定）を発効させた。このＰ４に、２００８年に米国が交渉参加することを表明し、Ｐ４は一気にその重力を高め、交渉参加国を拡大、12カ国でのＴＰＰ署名につながっていったものである。その後、米国のトランプ前政権がＴＰＰ離脱を決めたが、先進的なルールを盛り込んだＴＰＰ11が２０１８年末に発効している。米国のバイデン政権の誕生によって、今後、米国がＴＰＰへ復帰する可能性も視野に入る。

ＦＴＡがもたらす経済面での効果としては貿易の促進が挙げられる。シンガポールの輸出総額（２０１９年）に占めるＦＴＡ発効国向けの輸出額の比率は95％に及ぶ。つまり、シンガポールの輸出の９割以上はＦＴＡ締結国向けで、有利な関税もしくは無税で相手国の市場にアクセスできることを意味する（ただし、相手国でもともと無税の品目もある）。在シンガポール企業が輸出する際に他国から輸出する場合と比較して、有利な条件を得やすいとともに、そうした有利な投資環境を形成することは投資誘致にもつながることとなる。

前述の通り、ＦＴＡは物品貿易以外の自由化や様々な分野のルール形成を含むことが特徴で、シンガポールはこれらの分野でも積極的に取り組んでいる。物品貿易分野以外の自由化やルール形成も、シンガポールのハブ機能を強化することにつながる。

たとえば、投資である。ＦＴＡの中に含まれる投資関連分野では、外資規制の自由化や投資保護に関するルールなどが含まれる。こうした自由化や投資保護ルールの強化は、シンガポールへの対

シンガポール港前に停泊する船舶の数々

内投資とともに、シンガポールからの対外投資の促進に寄与することが期待される。シンガポールの対内直接投資残高は１兆７５１２億米ドル（２０１９年末）である中、対外直接投資残高は１兆１０３３億米ドル（対内外ともに国連貿易開発会議の統計に基づく）に及んでおり、シンガポールへの対内直接投資は同時にシンガポールからの対外直接投資にもつながり、投資面でハブとなっていることが伺える。在シンガポールの地場・外資系金融機関等は対外的な投資を積極的に展開し、また日本や欧米等の多国籍企業はシンガポールに地域統括拠点を設置し、アジアのグループ企業を対象とした統括機能を果たすとともに、出資や貸し出しなども行っている。

投資にはＦＴＡとともに租税条約も重要な役割を果たす。租税条約は配当等について相互に上限税率を定めるなど税に関する取り決めであり、対内外投資を行う企業にとっては、国境を超えた収益に対する課税の透明性を高めることにつながる。シンガポールは約90カ国・地域と租税条約を発効させており、ＦＴＡと租税条約の両面でハブ機能を支える制度的インフラを整えている。

また、近年、シンガポール政府が注力しているのがデジタル産業の育成であり、Startup SGなどの産業政策を打ち出し、通商政策面ではデジタル分野のルール整備に積極的に取り組んでいる。デジタル産業は今後の成長産業と目され、2020年のコロナ禍によって各国でデジタル化は一段と進展しつつある。デジタル産業にとって、成長に欠かせない要素のひとつが21世紀のオイルと呼ばれるデータであり、そのデータが国境を超えて自由に流通できるルールを整備することが世界的な課題となっている。また、ネット等を経由して取引される電子的送信への関税の不賦課なども重要な論点となる。シンガポールが参加するTPP11ではこうしたルール整備を実現し、世界貿易機関（WTO）の有志国が進めるデジタル貿易に関する交渉では、シンガポールは、日本やオーストラリアとともに主導的な役割を担っている。さらに、2020年6月にはP4で連携したチリ、ニュージーランドとともにデジタル経済パートナーシップ協定に署名し、デジタル分野のルールのネットワークを広げている。

シンガポールは、これまでFTAネットワークを拡大し、貿易・投資面でのハブ機能を強化する制度的インフラを整えてきた。シンガポール経済にとっては、今後とも、自由で開かれた世界経済の中で、その強い結節点として自らを位置付けていくことは不可欠な要素となっている。一方で、世界では2010年代半ば以降、英国のEU離脱に加え、トランプ米前政権によるTPP離脱など自由化に反発・逆行する動きも顕在化している。こうした荒波の中でも、シンガポールは自らのハブ機能の一段の強化に向けてFTAを活用していくことになるだろう。

（椎野幸平）

53

都市交通政策

★公共交通の充実と自動車の需要管理★

都市の発展は「集積の経済」がカギである。人が集まり産業が集積しているところにますます多くの人や企業が吸引される。しかし都市への集積により、交通混雑や都市環境問題に代表されるマイナス面が生み出されることで、都市の発展には歯止めがかかる。もし集積に伴う問題がうまく解消されれば、都市にはさらなる発展の余地が生まれる。その意味で、交通混雑に悩まされない効率的な交通システムを提供してきたシンガポールが、アジア最高水準の発展を遂げてきたことは必然的だといえるだろう。経済力で日本を凌駕するこの都市国家の内部を移動するのはきわめて効率的であり、所要時間を予測するのも容易である。

シンガポールで初めて大量高速鉄道（MRT）が開通したのは1987年であった。2002年にはチャンギ国際空港へも延伸、翌年には北東線も開通した。2012年には環状線が全線開通し、2017年に全線開通したダウンタウン線（42キロ）は世界最長の無人運転の地下鉄線となった。MRTのネットワークは2019年時点で199キロとなり、すでに東京メトロ（195キロ）やOsaka Metro（138キロ）、東京都営地下鉄（109

郊外のLRT

キロ）を上回る。乗客数は年々増加し、1日当たり338万人（2019年）に達する。住宅地には大量高速鉄道より容量の小さい高架鉄道（LRT）も計29キロが開業しており、1日当たり21万人が乗車している。

2019年5月に発表された『陸上交通マスタープラン2040』によれば、2030年までの10年間で、トムソン―東海岸線などが開通し、東京メトロと東京都営地下鉄の合計（304キロ）を上回る360キロの鉄道網となる計画である。

マレーシアのジョホール・バルとの間に鉄道を整備する計画もあり、紆余曲折を経たが2020年に計画が再開されている。クアラルンプールとの間で高速鉄道を整備する構想も両国間で合意され、2016～18年頃には具体的な進展がみられた。しかし2018年後半に凍結・延期が決まり、2021年元日にはついに建設計画の撤回が発表された。

MRTと合わせて公共交通を担っているバスは、1日当たり乗客数が410万人（2019年）とMRTを上回る。MRT整備が進むなかにあっても、さらなる充実が図られている。2012～17年に実施されたバスサービス改善プログラムでは、政府資金によりバスを5年間で1000台増加させた。

公共交通と同時に自動車やタクシーによる移動も十分に快適であり、シンガポールは「渋滞のない国」としても知られている。この快適な移動を可能にしているのは、何といっても自動車交通抑制の取り組みである。なかでも最も重要な取り組みはロードプライシングであろう。1975年に導入されたロードプライシングは、道路混雑が激しい都心部の規制区域へ自動車が進入するのに対して料金を賦課することで、交通量を削減しようというものである。導入から20年余りの間は、あらかじめ購入しておいたライセンスステッカーを自動車のフロントガラスに呈示しておき、規制区域への入口で監視員がチェックするというものであった。ただしステッカーはノンストップでチェックされた。この方式はエリア・ライセンシング・スキーム（ALS）と呼ばれていた。

１９７５年にALSが実施された当時、ロードプライシングを導入していた国は他に存在しなかった。しかし道路混雑による非効率を解消するために、料金を引き上げることで道路を利用する必要性のあまり高くない人々には遠慮してもらうというシンガポールのやり方はきわめて合理的かつ先進的であった。その後、ロードプライシングはオスロ、ロンドン、ストックホルムなどで実施されている。

１９９８年になり、ALSは料金徴収を電子化するエレクトロニック・ロード・プライシング（ERP）へと移行した。狭域無線通信を用いたこのシステムにより、時間帯、場所（都心部に加え高速道路も）、車種などに応じて細かく料金を変化させることが可能となった。実際、ALSの料金設定は「１日ライセンス」または割安の「昼間ライセンス」のみであったが、ERPでは最短で5分刻みで料金が変化している。２０２０年初めの料金表では乗用車の場合、最高6シンガポール（S）ドルであった。料金は原則として3カ月ごとに見直され、調査された速度が目標より遅かった場合には料金引き上げ、速かった場合には料金引き下げとなる。料金徴収ポイントも混雑の実態を反映して変更されている。

しかし新型コロナウィルス感染症への対応で２０２０年4月7日から部分的なロックダウン「サーキット・ブレーカー」が実施され、交通量の減少が確実となったことから、同6日からERPは停止された。「サーキット・ブレーカー」は6月2日以降、段階的に解除され、交通状況の調査に基づき

7月27日から一部で1Sドルの課金が復活した。その後も2020年末時点では通常より低い料金が課されている。

次世代ERPシステムの導入に向けた準備が始まっており、走行距離に応じた課金も視野に、汎地球測位航法衛星システムを用いたERPの開発が進められた。2012年5月からは4企業体によるシステム評価テストが実施された。2016年2月には三菱重工業と現地企業NCSの企業連合による受注が発表された。予定より遅れているが、2021年後半から1年半かけて導入される。新システムへの移行に際しては、車載装置が無料で配布される。対距離課金は導入されないことになり、区域及びポイントベースの課金という枠組みに変更はない。

ERPのガントリー

さて、ロードプライシングと並んで重要な取り組みは1990年から実施されている車両割当制である。新しく登録できる自動車台数に上限が設けられ、車両購入許可証（COE）を毎月2回行われる公開入札で落札した人だけが自動車を購入できるのである。こうして道路容量の拡大を上回るような自動車保有台数の増加が未然に防止されているが、許容される自動車保有台数増加率は2017年11月からついに0%となった。COEを公開入札により配分するという手法もユニークである。日本であればくじ引きや申込先着順とされるところかもしれない。公開入札の優れた点は、自動車を保有する必要性の高い人から順に購入することができることである。ここにもシンガポールの効率性優先の考え方が表れているといえよう。

こうした努力の結果、2019年の自動車保有台数（自動二輪車を除く）は約83万台、総人口の6・9

人に1台の割合と、高所得国としては低い保有率に抑えられている。乗用車に限ると約63万台、9人に1台の割合である。

1994年末に一時COEのプレミアム（価格）が10万Sドルを超えるまでに高騰し大きな問題となった。その後プレミアムは低下し、値下がりを期待する国民の声を受けて入札方法の改善も進められた。たとえば、当初は入札者の提示価格がお互いにわからない封印入札方式であったが、2001年6月からは公開電子入札が試行され、翌年4月からは本格実施されている。しかしプレミアムは2010年頃から高騰の兆しを見せ、2012〜13年には再び10万Sドルに迫った。政策を担当し国民の不満にさらされる陸上交通庁にとって正念場とも見えたが、その後はなだらかな値下がり傾向にあり、2020年には3万〜4万Sドル台となった。

最後に、世界の都市でいかに対峙すべきか課題となっているライドシェアに触れておこう。シンガポールには世界的大手のグラブが本拠を置き、東南アジアの都市を席捲している。シンガポールでもライドシェアの普及が目覚ましいが、PHC（プライベート・ハイヤー・カー）として制度化されている。2015年9月からタクシー予約サービスへの規制が施行され、2017年7月からはライドシェアの運転手のPHC運転免許証が制度化されるとともに、PHC予約サービス業に対しても運転免許証や自動車保険の確認義務などが課された。さらに2019年8月に成立したP2P旅客輸送業法のもと、翌年10月からはP2Pオペレーターを路上型、予約型、カープール型に区分している。いずれもタクシー事業と同様の運賃の透明化が求められることになる。

（兒山真也）

54

観光産業

★MICEの起爆剤としてのIR★

マーライオン、そしてその前に立つ統合型リゾート（ＩＲ）のマリーナベイ・サンズは多くの日本人にとって、シンガポールと聞いて思い浮かぶ代表的な観光スポットだ。

シンガポールを訪れた外国人の来訪者は２０１９年に１９１１万人と、４年連続で過去最高を更新した。日本を含めて７０００社以上もの多国籍企業が集積し、その多くがアジア太平洋地域を統括する拠点を置くシンガポールでは毎週のように国際会議や展示会も開かれ、都市別の国際イベントの開催件数で常に世界最上位にランクインするという国際会議・展示会・報奨旅行（ＭＩＣＥ）の一大国際拠点でもある。ＭＩＣＥを含む観光産業はシンガポールのＧＤＰの約４％に貢献する重要な産業のひとつだ。

カジノ併設型のＩＲは、観光客を集客し、そして国内の展示会・会議産業を振興し、シンガポールの観光業界の底上げを図るために開発されたものだ。ＩＲのひとつ、マレーシアのゲンティン社が経営するリゾート・ワールド・セントーサは２０１０年２月14日、シンガポールの観光施設が集積するセントーサ島に開業した。そして、同じ年の６月23日、アメリカのラスベ

統合型リゾート（IR）の１つ、マリーナベイ・サンズとマーライオン像

ガス・サンズ社が経営するマリーナベイ・サンズが開業した。開業後、両社の業績は当初の予想を上回る伸びを示したが、開業までの道のりは決して順調だったわけではない。

両ＩＲが開業するまで、シンガポールは１９６５年の独立以来、カジノは禁止されてきた。それが、一転、カジノ解禁に踏み切ったのは２００４年3月12日のこと。ジョージ・ヨー貿易産業相（当時）が国会で、カジノ開設に向けた検討方針を発表した。カジノ導入へと舵を切ったのは、特に中国、インドなどアジア新興国からの観光客導入の起爆剤になるとの期待があったからだ。

この当時、観光旅行先としてのシンガポールの競争力は低下していた。周辺国のタイやインドネシアなどのリゾートへの人気が高まる一方、小さな島国の都市国家であるシンガポールには美しいビーチもなく、山や湖など大自然に恵まれているわけではない。同国の観光収入は１９９５年以降、伸び悩んでいた。とくに２００３年の新型肺炎（ＳＡＲＳ）流行時には観光客が激減し、国内経済も大きく低迷した影響で失業率が１９８６年以来の高い水準へと上昇した。カジノの解禁で観光客を呼び込むだけでなく、大量の雇用創出も狙ったのである。

しかし、カジノ解禁に対して、国民も、また閣僚内でも反対意見は強かった。ヨー貿易産業相の2004年3月12日の前掲の発表から1年にわたり検討した結果は、2つのIRの設置だった。ただし、シンガポールが目指したのは、マカオのカジノのようなギャンブル専門の集積地ではない。リー・シェンロン首相は2005年4月18日のカジノ解禁の発表の中で、ギャンブル場だけでなく、ホテル、レストラン、会議場、テーマパークなどを内包した「統合型リゾート」という概念を、初めて国民に紹介した。政府はカジノ事業者に与えるカジノ営業ライセンス（30年間、3年ごとに見直し）の条件として、施設内のギャンブル場の面積とゲーム・マシン台数に上限を設定した。また、国民の間にギャンブル中毒者を増やさないようにするためのセーフガードとして、国民に対しては入場料を徴収するほか、広告規制などを設けた。最終的には、リー首相が演説で「私が全責任を取る」と明言して、カジノ解禁に理解を求めたのである。

2つのIRのうち、都心部にあるマリーナベイ・サンズは、大型展示会・会議施設が設けられ、国際展示会・会議に出席するビジネス・パーソンをターゲットにしている。一方、セントーサ島のリゾート・ワールド・セントーサにも展示会・施設があるものの、ユニバーサル・スタジオや大型水族館も設置され、よりレジャー客を呼び込むよう計画された。リー首相の発表後、2008〜09年には世界経済危機があり、マリーナベイ・サンズを開発するラスベガス・サンズが資金難に陥るなど紆余曲折を経て、2010年にようやく2つのIRが開業した。

開業後、両IRが予想を上回る成功を収めたのは、世界経済危機からの回復と開業とのタイミングが重なったことが大きい。また両IRは、狙っていた中国やインドネシア、インドなどアジア新興

図　外国人来訪者の推移（単位：人、前年比〔%〕）

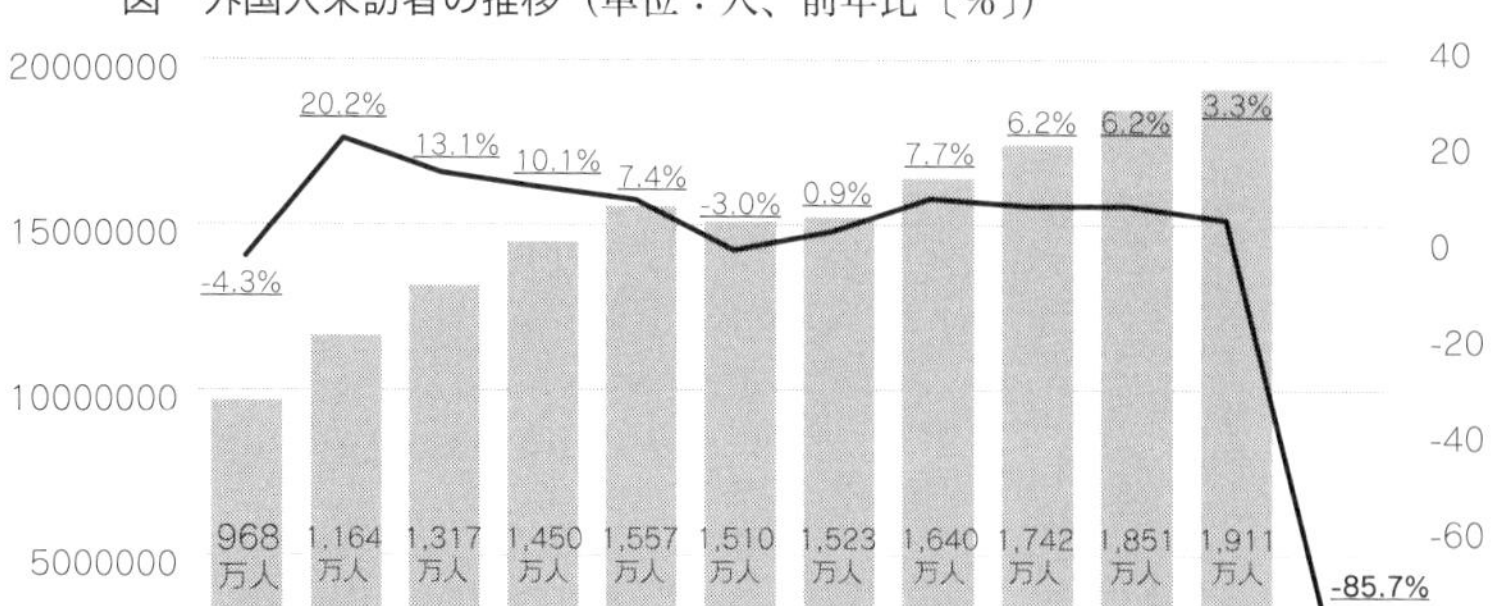

出典：シンガポール観光庁（STB）

国の観光客を呼び寄せることに大きく貢献した。さらに、両ＩＲの開業で国内の展示会・会議スペースが大きく拡大し、イベント業界も活性化した。このほか、２カ所のＩＲは合計で約２万２４００人もの直接的な雇用も生み出したのである。

外国人来訪者はＩＲ開業の２０１０年以降、４年連続で過去最高を更新後、２０１４年に中国人観光客が減少して前年を割ったものの、その後再び増加に転じた。しかし、外国人の増加幅はＩＲ開業当初と比べると縮小傾向にある（図参照）。政府は２０１９年４月、２０１７年３月に期限を迎えていた独占保証期間を２０３０年末まで延長する条件として、両ＩＲに既存施設への追加投資を求めた。このためラスベガス・サンズは、経営するマリーナベイ・サンズに隣接する土地に４つ目の棟を開発し、全１万５０００席の大型劇場に、展示会・会議施設、全１０００部屋の高級ホテルを建てる計画を発表。また、マレーシアのゲンティンは、リゾート・ワールド・セントーサ内に新たなアトラクションを追加すると共に、合計1100室のホテルも新たに開発する計画を明らかにした。両事業者の追加投資額は、90億シンガポールドルに上ると発表された。

しかし、この両IRによる追加投資も翌2020年に入り、大きな見直しに迫られている。新型コロナウィルスに伴う渡航規制で、真っ先に打撃を受けたのが観光業界である。2020年3月以降、シンガポールを訪れる観光客の足取りはほぼ止まったまま。IRも4月7日から3カ月にわたり、感染対策のために門を閉じた。7月1日から営業再開したものの、施設内の人の行き来が新型コロナ前とはほど遠い状況が続いている。2020年の外国人来訪者は274万人と、前年比85・7％減少した。リー首相は11月19日、「旅行が2021年になっても正常に戻ることはない。正常化には2年かかる」との見通しを示した。

大型国際会議や展示会も感染対策のため2020年4月以降、開催できない状態が続き、MICEの一大拠点としての地位は揺らいでいる。しかし、同年10月からは大型イベントについて、入場前に入場者の検査を行い、対人距離を取るなど感染対策を施した上で実験的に開催する試みを始めている。IRが新型コロナ収束後も、世界からの観光やビジネス客を呼び込む起爆剤であり続けることができるか、再生に向けて手探りの動きが始まっている。

（本田智津絵）

55

スマート・ネーション

★デジタル化、新型コロナで加速★

ショッピングモールに入る時には入り口に貼られたQRコードに、スマートフォンをかざしてチェックイン。そして、またスーパーマーケットに入る時には再びスマートフォンをQRコードにかざして、チェックイン。新型コロナウィルス感染防止対策で導入された入退室システム「セーフエントリー」の使用が2020年5月12日に義務化されて以来、シンガポールではすっかり日常化した光景だ。

新型コロナウィルスの感染防止策のひとつの柱として政府が重視したのは、感染者の徹底した追跡調査である。セーフエントリーは政府による追跡調査を補完し、効率的に行うために導入された。このシステムは、スマート・ネーションの取り組みの一環として開発されたものだ。

スマート・ネーションとは、リー・シェンロン首相が2014年11月24日、「シームレス（円滑で利用しやすい）なテクノロジーを活用することで、すべての人に刺激的な機会をもたらし、意味のある充実した生活ができる国」と定義したように、人工知能（AI）や、データアナリティクス技術など最新の情報通信技術（ICT）を用いて、人々の生活を豊かにすると共に、新しいビジネス機会の創出を狙った国家構想だ。

政府がＩＣＴの活用を推進するのは、スマート・ネーションの取り組みが初めてではない。１９８０年に行政機関へのコンピューター導入とコンピューター産業の育成を柱とする5年計画「国家コンピューター化計画」が導入されて以降、中期的な計画に基づくＩＣＴ導入が進められてきた。ただ、これまでＩＣＴインフラの整備や産業振興に力を入れていたのに対し、スマート・ネーション構想ではＩＣＴを活用してシンガポールが抱える社会や経済上の課題を解決することにフォーカスしている。

ショッピングモールやオフィスなどに入口には「セーフエントリー」を使って入場するための QR コードが用意されている（2020 年 8 月 15 日撮影）

その後、スマート・ネーション構想の下、日々の暮らしから、ビジネス、行政などあらゆる場面で、デジタル技術を活用した様々な実験的な取り組みが行われている。たとえば国民向けの保健サービスでは、健康情報や食事管理、万歩計など人々の健康向上を目的とした携帯アプリ「ヘルシー３６５」の導入や、心臓発作などを起こした場合に近くにいる応急措置のボランティアに通知するアプリ「マイリスポンダー」などがある。また、相手の携帯電話番号が分かればスマートフォンを使って即時決済ができる「ペイナウ」に代表されるキャッシュレス化に向けた取り組みも進んでいる。さらに、政府が保有する個人情報を、民間企業を含む第3機関にも事前承諾の上、提供を認める「マイ・インフォ」がある。たとえば、銀行で口座開設したい場合、マイ・インフォを使えば、口座開設のフォーム記入の手間が削減されるだけでなく、政府がその本人を確認するため、銀行側で本人を認証する必要がなくなるメリットがある。

このほか、電子政府サービスにアクセスする際のパスワードとして２００３年から「シングパス」が導入されている。２０１８年10月からはこのシングパスのセキュリティー強化のため、携帯アプリを使って本人を認証する「シングパス・モバイル」が新たに導入された。

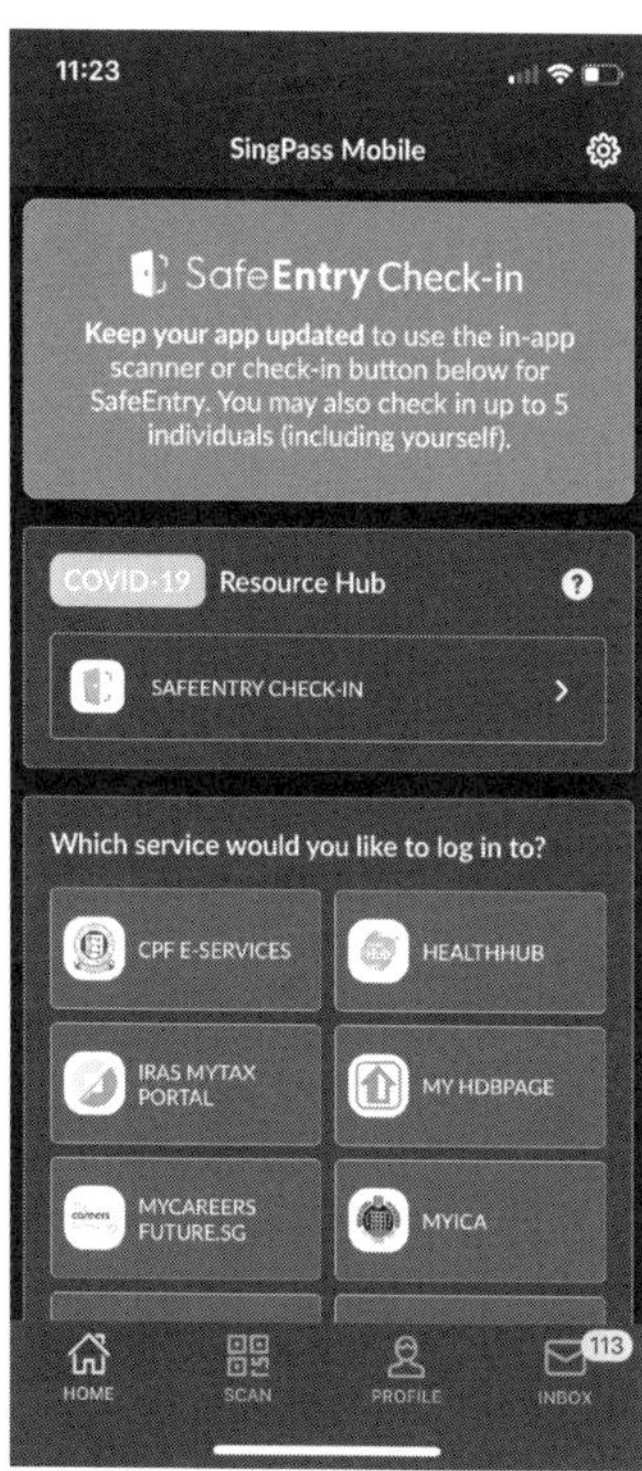

シングパス・モバイルの画面：携帯を使って納税や、社会保障サービスなどにアクセスできるだけでなく、セーフエントリーを使って入退室する際に毎回個人情報を入力することなく、政府が保有する個人情報を使って自動入力できる

シングパス・モバイルは新型コロナウィルス対策でも活用されている。2020年5月から、冒頭の「セーフエントリー」で本人認証するのに、シングパス・モバイルのアプリを開いて、QRコードをかざせば自動的に本人の必要な情報が自動登録できるようになった。その後、同アプリ上の記録を通じて確認された感染者が同じ時間に同じ場所を訪れていたか通知する機能も追加された。

このセーフエントリーやシングパス・モバイルを開発したのが、政府テクノロジー庁（GovTech）である。同庁は2016年10月、行政サービスのデジタル化を中心にスマート・ネーション構想の執行機関として情報通信省の下に創立された。翌2017年5月からGovTechは、首相府管轄下に移行している。

GovTechが新型コロナウィルス対策に必要なシステムを迅速に開発できるのは、庁内にエンジニア人材を自前で抱えていることがある。同庁の職員は2020年7月時点で2800人で、このうち約1000人がエンジニアだ。自前で開発できる体制を庁内につくることで、必要なシステムを速やかに開発し、仕様変更できる体制もとれている。シンガポールがテクノロジーを活用した新型コロナウィルスの感染対策を導入できたのも、スマート・ネーション構想に基づくデジタル化を推進し、必要な基盤が政府内にすでにできていたことは大きい。

新型コロナウィルス流行に伴い、在宅勤務やオンラインショッピングが増え、キャッシュレス化が進行するなど、一層のデジタル化が否応なく進んでいる。日々の生活やビジネスの場面でのデジタル化を、スマート・ネーションの取り組みが支えている。

（本田智津絵）

56

都市計画

★都市機能、集中から分散へ★

面積わずか728平方キロの小さな島の都市国家シンガポールの都心部は、最南部にある。海岸沿いに立ち並ぶ高層ビル群の足元には、豊かな街路樹が植えられ、その間には歩道が整備され、最も目立つ場所には今やシンガポールの象徴ともなった統合型リゾートのマリーナベイ・サンズが立つ。

わずか55年前、シンガポールの独立時には都心部の光景は今とは全く違ったものだった。マリーナベイ・サンズが立つ土地は埋め立てておらず、海が広がっていた。その海にそそぐシンガポール川は、川沿いの倉庫街に荷物を運ぶ船で混雑し、養豚場のゴミや生活排水も投げ込まれ、悪臭が漂っていた。多くの住人が都心部に集中して、混雑化していた。

シンガポールの都市計画を管轄する政府機関が、「都市再開発庁（URA）」という名称なのは、同庁の最初の役割が都心部にいた人々を郊外に移動させ、都心部を再開発することだったことの名残だ。URAは元々、住民が郊外に移転後に都市部の再開発を担うHDBの一部局として1968年に発足した。その後、1974年に国家開発省傘下の政府機関へと格上げされた。そして、1980年代に都心部の再開発が一段落後、

図　1971年、シンガポール政府が採用した40～50年先の国土計画「コンセプトプラン」

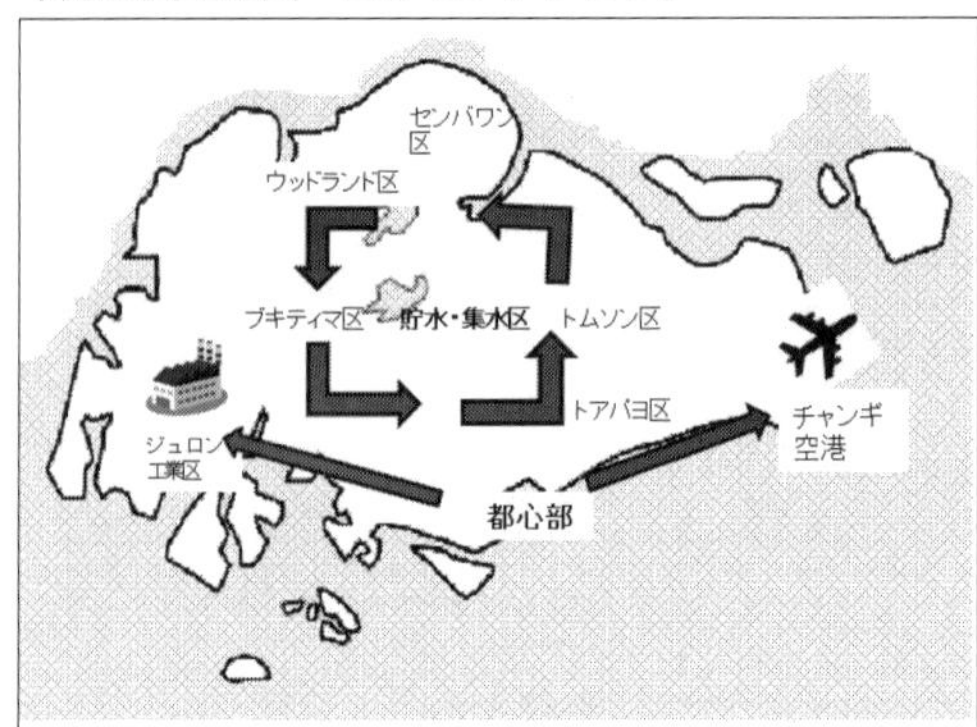

出　典：Chua Beng-Huat, Political Legitimacy and Housing Stakeholding in Singapore

1989年に国家開発省の都市計画部門と合併し、国土全体の土地利用計画策定する中心的な政府機関となったのである。

シンガポールが最初の都市長期計画「コンセプトプラン」を、国連の支援を得て策定したのは1971年である。このコンセプトプランは、まさに今のシンガポールの基本形が描かれていると言っていい。同計画では、シンガポールの中央部の貯水池を中心に輪を描くように、トアパヨ、トムソン、センバワン、ウッドランド、ブキティマに、公団住宅街（タウンシップ）を配置した。それぞれのタウンシップには、学校や宗教施設、店舗や軽工業施設が配備され、その街の中で生活がすべて完結できるように計画された。住宅街の整備と共に、都心部や国内各地に点在していた村々から人々を新しく開発した公団住宅に移住させた。そして、工業の拠点を当時沼地だったジュロンとし、東部のチャンギは海岸を埋め立てて新しい空港を開港。東西、南北、そしてタウンシップを結ぶ高速道路が建設され、その後は大量高速鉄道（MRT）が開発されたのである（図参照）。

コンセプトプランとは、40～50年後の将来を見据えた長期的な国土利用計画である。URAはこれをさらに、10～15年先の中期計画「マスタープラン」に落とし込み、国内の開発を指導している。長期計画は10年ごと、そして中期計画は５年ごとに人口の伸びや経済のニーズに応じて見直しを行っている。ＵＲＡは最新の計画案をウェブページに公開すると共に、都心部にある同庁本部の地階で公開し、一般からの意見を収集した上で最終調整を行っている。

シンガポールが長期計画通りに国づくりができたのは、この国ならではの特殊事情もあったと言っていい。島国である同国には、近隣の国々のような農村部からの人口の大量流入といった問題はない。また、政府にとって有利な土地収用法があったことで、政府が工業開発や公共住宅に必要な用地を市場改革よりも安価な価格で、同法が１９９５年に改正されるまで取得できた。さらに、最大与党・人民行動党（ＰＡＰ）が長期安定政権で、国会の議席をほぼ独占してきたことも、長期的な国土計画を遂行できる基盤ともなったのである。この他、国民の社会保障基金である中央積立基金の存在も、国民が公共住宅を購入しやすくすると同時に、基金の余剰資金を住宅開発に充てることを可能にした。

しかし、シンガポールの都市計画が成功ばかりしてきたわけではない。コンセプトプランでは、計画立案のための人口想定値も設定されるが、２００１年発表のプランでは向こう40～50年先の人口想定が５５０万人と設定された。しかし、政府が２０００年代に外国人移民の規制を緩和して、積極的に外国人を受け入れた結果、人口がその想定値を上回る勢いで増加。２０００年に４０３万人だった人口は、２０１０年に５０８万人へと、10年間で１００万人以上増加したのである。想定を上回る増加に対して、住宅供給が追い付かずに住宅価格が高騰。そして鉄道やバスなどが混雑化し、悪化する住環境に加え、物価高と国民の不満が高まり、政治問題の一因ともなった（第21章「移民」参照）。

政府は２０１３年１月に人口白書を発表し、国土計画のための２０３０年までの人口想定値を

650万～690万人と設定した。この想定人口に基づいて策定された2013年の中期国土計画では、埋め立てによって国土を2010年時点の710平方キロから、766平方キロに拡大。一方で、人口の増加に対応できるよう、公共・民間の住宅を拡充すると共に、大量高速鉄道（MRT）網の拡大が計画された。そして、人口高齢化に伴う病院・クリニックの拡充が盛り込まれるなど、国民の生活の質の向上にもより重点が置かれた。

一方、南部に集中していた都市機能の分散化がこの30年、進行している。URAは1991年発表のコンセプトプランで、都市機能の分散計画を明らかにし、郊外の複数の街が再開発されている。この中で最も再開発の勢いが目覚ましいのが、工場集積地として開発されていたジュロンである。ジュロンは副都心のひとつとして、新たなショッピングモールなどが開発されると共に、政府機関の一部の移転も決められた。

さらに、南部にある既存の都心部も今後、西の方向へと海岸沿いに広がっていく計画だ。計画では、都心部のタンジョンパガー港のリースが2027年に期限を迎え、さらに西のパシル・パンジャン・ターミナルが最終的に西に開発中のトゥアス巨大港に集約される。この港の移転後の跡地に中長期的に、「南部ウォーターフロント」が開発される予定だ。さらに、マレーシアに面する北部から北東部のポンゴールにかけて次世代産業が集積する「北海岸イノベーションコリドー」が開発される。シンガポールは独立後20年については、住宅、工業、空港の郊外の移転を進めてきた。そして現在は、南部に集中してきた都市機能の分散が一層進み、シンガポールの姿は今も変わり続けている。

（本田智津絵）

57

所得格差

★見えない貧困★

シンガポールは世界でも最も生活費の高い都市であり、世界有数の富裕国でもある。都心部のシンガポール川を上流に向かって歩くと、月の家賃が50万円以上のプールや専用のジムなどを備えた高級コンドミニアムが立ち並ぶ場所にたどり着く。しかし、そこのカラフルなアルカフ橋に立って、対岸をみると、川沿いとその近くの丘の上とは全く異なる世界が広がる。丘の上に建つのは、貧困世帯向けの賃貸公共住宅（ＨＤＢフラット）である（写真参照）。賃貸のＨＤＢフラットに住むのは、世帯収入が１５００シンガポール（Ｓ）ドル以下の世帯の人々だ。家賃は、その世帯収入に応じて、月26～２７５Ｓドルと低く抑えられている。

国民の約８割がＨＤＢフラットに住み、その約９割が持ち家と、住宅保有率も高い。この高い住宅保有率を可能にしているのは、社会保障の柱である中央積立基金（ＣＰＦ）である。自身の給与と、雇用主が一定額の給与を積み立てる貯蓄制度であるＣＰＦは、入院など長期的な医療費用の支払いや、老後の年金、ＨＤＢフラットの購入資金にも使える。しかし、ＣＰＦに貯蓄がなく、ＨＤＢフラットを購入できない人たちのためにあるのが、賃貸HDBフラットなのである。

シンガポールにおいて貧困は見えにくく、他の先進国と比べるとホームレスの人々を目にすることも少ない。シンガポール国立大学（NUS）のリークアンユー大学院のウン・コックホエ助教授が2019年に福祉団体と協力して行った調査によると、路上生活をしている人は、シンガポール全体で推定921〜1051人だった。ホームレスの人々が比較的に少ないのは、貧しい人たちにも最低限、HDBフラットという家が保証されているからかもしれない。しかし、その家の存在が、貧困の実態をますます見えにくくしているとも言える。

橋の向こうは高級コンドミニアム、右に見えるアパートは賃貸 HDB フラット

シンガポールでは公式の貧困ラインは設定されておらず、最低賃金もない。このため、どれだけの貧困層が存在するのかの公式な数字は存在しない。しかし、賃貸HDBフラットの存在が示す通り、貧困層は存在する。所得最下位10％のシンガポール人（永住権者含む）の1人当たりの世帯収入は2000年には315Sドルだったのが、2020年に597Sドルへと上昇した。これに対し、所得最上位10％の1人当たり世帯収入は、2000年の5801Sドルから、2020年に1万3737S

図　1人当たりのシンガポール国民（永住権者含む）世帯月収の所得階層別推移　（単位：Sドル）

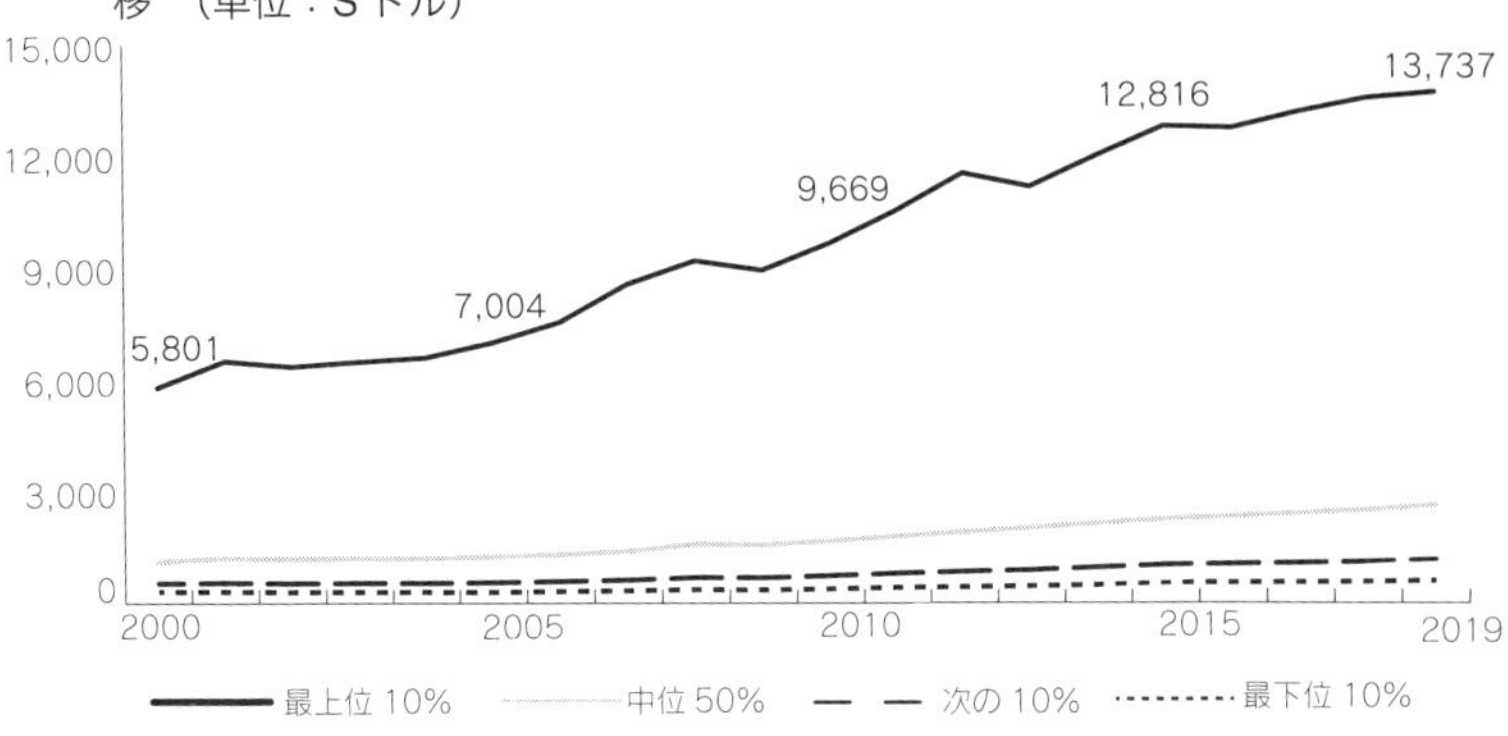

出典：シンガポール統計局

ドルへと上昇している。所得上位にある国民と比べると、所得最下位10％、そしてその次の10％の所得の上昇の勢いは鈍い（図参照）。

ただ、所得格差を示すジニ係数（1に近付くほど所得格差が大きい）は２００７年に０・４８２まで上昇した後、低下する傾向にある。２０１９年のジニ係数は２００１年以来、18年ぶりの低水準となった。低下した背景には、政府が２００７年以降、低所得者層の所得の底上げのための政策を相次いで導入したことがある。政府は２００７年に所得最下位20％の所得の一部を政府が補填する「ワークフェア所得補助制度」の導入を発表し、２００８年から約26万人の労働者を対象に支給を開始した。２０１１年には、55歳以上で月給１７００Sドル未満の高齢の低所得者の雇用主に一時金を支払う「特別雇用クレジット」を導入。また、政労使の代表からなる全国賃金評議会（ＮＷＣ）は２０１２年５月、２０１２／13年度の賃金ガイドラインで、基本月給が１０００Sドル以下の労働者の雇用主に、少なくとも50Sドルの定期昇給を与えるよう勧告した。NWCが具体的な数値目標を賃金ガイドラインに盛り込むのは1984年以来のことであり、以降、低所得者にターゲットを絞って賃金の数値目標を設定している。

さらに、2014年に最も給与水準が低い清掃作業員と警備員に限定して、月1000Sドルの最低月給を設定し、累進賃金制度を導入した。翌2015年には、造園や剪定作業にかかわる労働者にも、同様に最低月給と累進賃金制度を義務付けた。

さらなる所得の底上げを図るため労働者党など野党各党は、最低賃金の導入を求めている。しかし、これに対し、与党・人民行動党（PAP）は、導入には否定的だ。ジョセフィーン・テオ人材相は2020年7月1日、「最低賃金を導入するよりも、労働者がスキルを習得し、より責任を負うことで賃金を引き上げる累進賃金モデル（PWM）の導入が望ましい」と主張した。PAPによると、PWMの導入を義務付けた清掃人の所得は2014～2019年に26%上昇。警備員は同時期に所得が36%上昇したとしている。ただ、この特定の職種に限定した最低賃金とPWMを、他の職種に拡大するのは容易ではない。シンガポール最大の組合組織である全国組合会議（NTUC）は、飲食部門にもPWMの導入を模索している。しかし、飲食部門で働く労働者の賃金が上昇すれば、飲食価格も上昇する可能性があり、導入は簡単ではない。

また、シンガポールの低所得者層の多くは、60歳以上の高齢者である。冒頭の賃貸専用のHDBフラットを訪れると、廊下には手すりが設置されていたりすることが多い。これは、フラットに住む住人の多くが高齢者であることを示している。高齢者の多くは、英語と自分の母語の2言語教育（第30

章「教育制度」参照）の恩恵を受けていない。英語が話せなければ、シンガポールで働ける職種は、清掃人など低所得の職種に限られてしまう。さらに、ＣＰＦ制度が整備される前から働いていた高齢者は、自身のＣＰＦ口座に十分に貯蓄が積みあがっていないことも多い。家族からの資金的なサポートも得られない場合、老後の生活を支えるために働き続けなくてはいけない高齢者も少なくないのである。

さらに近年では、貧困が次の世代にも継承され、固定化してしまうことへの懸念も広まっている。超学歴社会のシンガポールでは、大学までの厳しい受験競争に少しでも有利になるよう、幼児の段階から親が塾や家庭教師に多額のお金を投じることは珍しくない。政府は２０１７年から、公立幼稚園を増やし、就学前教育を強化している。その背景には低所得者にも幼児教育の機会を与え、その後小学校への教育に移行する上で不利にならないようにする狙いもある。

しかし、所得格差は今後、再び拡大する見通しだ。新型コロナウィルスの流行に伴う不況の拡大で低所得者の人々ほど失業の問題が深刻化しており、格差の問題は再び深刻化している。新型コロナウィルスの政府タスクフォースの共同委員長を務めるローレンス・ウォン教育相は２０２１年1月25日、新型コロナ終息後にめざす世界として、真っ先に「公正でより公平な社会の実現」を挙げた。ウォン教育相は、幼児教育の改革だけでなく、より幅広い職種にＰＷＭを適用していく方針を示した。新型コロナ終息後に、格差のない新たな世界を実現できるのか、新たな取り組みが始まっている。

（本田智津絵）

コラム5

新型コロナ禍、ホテル隔離の悲喜劇

本田智津絵

2020年12月24日、東京から到着した乗客たちを乗せたバスはチャンギ空港を出て、高速道路と一般道路をゆっくりと走った。バスの行き先を知るのは運転手のみ。空港を出て約45分後、到着した。バスの窓から見えたホテルを見て、思わずため息が漏れる。これから14日間を過ごす、仮の「ホーム」だ。

この時、シンガポールは新型コロナウィルスの水際対策として、一部の感染低リスク国・地域を除く国々から到着した渡航者に対し、到着時に感染リスクに応じて7～14日間のステイホーム通告（SHN）をしていた。ステイホームとはいっても、実際に自宅で隔離生活ができるのは渡航先の感染状況が深刻でない、同居家族がいないなど、一定条件を満たした場合のみ。条件を満たさない場合には、指定された宿泊施設での隔離となる。

14日間を過ごすことになった404号室は、広さ15平方メートルほど。ダブルベッドで部屋はいっぱいで、机もない（写真参照）。窓の外に「ウォークイン価格、1泊67Sドル」と、隔離先のホテルの宣伝が見えた。隔離期間の宿泊先は、そこが高級ホテルでも、安宿であっても、1日3食込みで一律2000シンガポール（S）ドルだ。到着したクリスマスイブの夜、向かい部屋に泊まる2組のシンガポール人の家族から、怒りの声と共に、奥さんと思われる女性の泣き声も聞こえた。「窓もない部屋なんて、とても耐えられない！」。どうやら窓がない部屋もあったようだ。

12月24日時点の自宅での隔離者は568人、指定宿泊施設での隔離者が1万7234人。年末年始で帰国する国民も増え、大晦日には指定宿泊施設の隔離者は1万8000人を突破した。

隔離期間の間は、PCR検査以外は隔離先である部屋から一歩も出ることはない。部屋から離れれば自動ロックがかかって、戻ることはできない。隔離期間中には人材省や移民局から居場所を確認する電話が数回あるほか、立ち入り検査もある。SHNの隔離期間中に許可なく出歩けば、感染病法に基づいて最高1万Sドルの罰金と6カ月の禁固刑が科されるほか、外国人であれば最悪、就労パスなどを取り消される可能性もある。

14日間を過ごした隔離先のバレスティア地区のホテルの部屋

新型コロナウィルスに伴う渡航規制で2020年にシンガポールを訪れる外国人来訪者は前年比86％減となり、ホテルの経営が深刻な打撃を受けた。隔離者の指定宿泊先となることは経営を下支えする効果もあるが、それもスタッフの感染リスクを抱えながらの対応になる。

2021年8月現在も、一部の感染低リスク国・地域を除いて、海外からの渡航者の指定宿泊施設での最長14日間の隔離は続いている。シンガポール政府は、ワクチン接種者には今後、隔離義務を緩和していく方針だ。この厳しくも、不思議なホテル隔離体験も懐かしい笑い話となる日が早く来ることを、今は願うばかりだ。

政治を考える

VI

強く巨大な政府

58

人民行動党

★安定支配は国家の生存と繁栄の基礎★

表に示すとおり、内政自治権を得た1959年から今日に至るまで、人民行動党はシンガポール国会で圧倒的な議席数を誇っている。とくに独立後の1968年から1981年の補欠選挙まで13年間は国会の全議席を同党議員が占めていた。

「われわれのような面積の小さい資源のない都市国家では、余分なことに費やされるエネルギーはない。われわれは痩せて健康的でいるか、もしくは死ぬだけである」（1976年）と、リー・クアンユー首相は複数政党制は時間的にも人的にもシンガポールには適当でないとした。さらにリーは1982年、「人民行動党が政府であり、政府は人民行動党である。私はこのことに何の弁解もしない」と語り、シンガポールの安定と繁栄が人民行動党の一党支配ゆえに実現されたことを誇った。このように国家利益を決定するのは人民行動党であり、同党の安定した一党支配こそが国家の生存と繁栄の前提であると考えられている。

2010年で人民行動党の党員は約1万5000人、そのうち幹部党員は約2000人である。党員名は公表されていない。幹部党員になれるのは、党の最高意思決定機関である中央執行委員会（現在は2020年11月党大会で選出された12人と、その後に推薦された6人の18人で、氏名は公表されている）の3分の2の賛成を得た者のみで、かつ中央執行委員を選出する党大会に出席できるのは幹部党員だけである。このやり方は、リーを中心とする英語教育を受けたエリート（英語派）と華語教育を受けた左派の労働組合活動家や学生（華語派）が党の覇権を争っていた1957年に決定された。英語派は、華語派を党大会からも幹部党員からも締め出すことに成功したのである。現在まで続くこのやり方のメリットを、同党は、内部で派閥が形成される可能性は少なく、党の意思決定がきわめてスムーズに行われるためと述べている。なお、党員は年間7シンガポール（S）ドル（約560円）を党費として支払う。加えて、人民行動党国会議員は毎月650～1000Sドルが、閣僚はさらに高額が「寄付」として天引きされ、これらが党資金となる。

人民行動党ウエストコースト・グループ選挙区のmeet-the-people sessionの案内、左上のロゴは人民行動党のロゴマーク

また長い間、党の支部は選挙期間中以外ほとんど活動しなかった。長期にわたる同党の安定した一党支配ゆえに、党の組織と国家の組織はほぼ完全に一体化し、普段は国家組織が党の組織の代わりを果たしているからである。たとえば、コミュニティ・クラブ運営委員会に代表される国家の地域組織の運営に参画できるのは人民行動党国会議員のみである（第28章「コミュニティ・クラブ」参照）。

表　シンガポール総選挙（1959-2020年）

総選挙実施年	国会定数＊	人民行動党当選者数	野党当選者数	人民行動党得票率（%）
1959	51	43	8	53.4
1963	51	37	14	46.6
1968	58	58	0	84.4
1972	65	65	0	69
1976	69	69	0	72.4
1980	75	75	0	75.6
1984	79	77	2	62.9
1988	81	80	1	61.8
1991	81	77	4	61
1997	83	81	2	65
2001	84	82	2	75.3
2006	84	82	2	66.6
2011	87	81	6	60.1
2015	89	83	6	69.9
2020	93	83	10	61.2

＊59年と63年はシンガポール立法議会選挙。なお国会は一院制。
出典：*Singapore: The Year in Review*, the Institute of Policy Studies, 各年版、および*The Straits Times*, September 12, 2015, July 11, 2020.

1981年、人民行動党の国会独占を破って13年ぶりに登場した野党議員は、地域組織からボイコットされてしまった。「地域組織の役割は、政府の政策や方針を地域住民に正しく伝えるため」（政府）だからで、現在でもほとんどの地域組織に野党議員は参画できない。ただ、1989年に設置されたタウンカウンセルは選挙区をベースに組織されるため、野党議員も運営に関わっている。タウンカウンセルは全国に17あり、国からの予算と住民から徴収した資金を使って公共住宅の共有スペースや商業ゾーンの地区内清掃、ゴミ収集業務、エレベーター点検、駐車場のなどの維持管理業務、娯楽活動を行う。

なお、2011年総選挙で人民行動党の支持率は独立以来最低の60・1%となった。2015年総選挙では高い支持率を確保したものの、2020年総選挙の支持率は再び61・2%と低かった（表を参照）。深刻な危機感を抱いたリー・シェンロン書記長（首相）は、2011年末から党の刷新を訴えていて、各地の党支部は選挙区民の相談や要望を受けるmeet-the-people sessionを増やしたり、そのためのボランティアを募るなど、党活動を以前に比べて活発化させている。

人民行動党の長期に及ぶ安定した支配と野党の不在、党と国家の一体化による行政・経済運営によって開発体制の典型ともいわれ、またもはや政治が行われなくなったシンガポールは「政治なき行政国家」とも呼ばれる。だが、この表現は正確ではないだろう。国民の日常生活に政府が管理・干渉し、反対勢力の台頭を抑える政治がシンガポール社会の至る所にあるからである。

もっとも、このような長期支配によって国民の政治離れが進み、党首脳部は政治家を志す若手の指導者探しに頭を悩ませている。1990年代になると高級官僚や職業軍人が政治家としてリクルートされ、党や政府の要職に就くことが目立つようになった。2020年現在の閣僚20人中、9人は準政府機関トップを含む元高級官僚、4人は元職業軍人、3人が医者、その他は弁護士とビジネス界出身者である。閣僚の年収は2012年1月に国民の不満を和らげるために大きくカットされたものの、6600万〜1億7000万円（首相は1億7000万円）という高額で、アジアでは最も高い給与である。これは汚職を防ぐためという目的もあるが、手厚い給与によって政治家を志す若手をリクルートして長く地位にとどまらせるためである。

（田村慶子）

59

治安維持法

★評価が割れる植民地時代のレガシー★

治安維持法とはシンガポールの治安を維持するために、司法の手続きを経ることなく容疑者を検挙し拘禁するという、いわゆる行政拘禁を可能とする一連の法令を指す。現行の治安維持法は１９６３年に施行された国内治安法（ＩＳＡ）である。本章では本法が施行された歴史と当時の時代背景を振り返る。

ＩＳＡの直接的なルーツは、１９４８年７月21日に英国植民地政庁により制定、施行された非常規則条例と、その条例に依拠して制定された一連の非常規則である。この条例はシンガポールの隣国マラヤ連邦において制定されたものを、ほぼそのままシンガポールに導入したものであった。同条例は、同年、マラヤ共産党のおもにマラヤ連邦での武力蜂起に対応するために制定された。同条例では総督の非常事態宣言の下で、総督が必要と認める法を制定することや、治安を乱す恐れのある者を拘禁することを可能としていた。この条例は「非常」事態に対応するために制定されたものであったため非常事態宣言の効力は３カ月間に限られていたが、議会の決議で延長は可能であり１９５５年10月まで延長された。

さて、シンガポールにおいても脱植民地化のための制度改革が徐々に進み、1955年からは議会の過半数が民選議員となり、執政（行政）権の一部も民選議員に委ねられた。このように部分的ながら民主的な統治機構を整えた上で、植民地政庁は非常規則条例の取り扱いを議会に求めた。首席大臣に就任した労働戦線のディビッド・マーシャルは選挙戦においては非常規則条例の廃止を訴えていたが、首席大臣就任後は労働運動や学生運動の高まりで社会の混乱が深刻化し現実的な対応をせざるを得ない状態に追い込まれ、非常規則条例と同様に植民地政庁による行政拘禁を可能とする治安維持条例（PPSO）を議会に提出し成立させた（1955年10月21日施行）。ただし、マーシャルはPPSOを成立させる際に、これを恒久法とするのではなく3年間の時限立法とする一方、拘禁の是非の最終判断を上訴裁判所にて3人の判事に求めることを可能とする条文を盛り込んだ。PPSOはこの後、辞任したマーシャルの後を受けて首席大臣に就任したリム・ユーホックの下で、マ

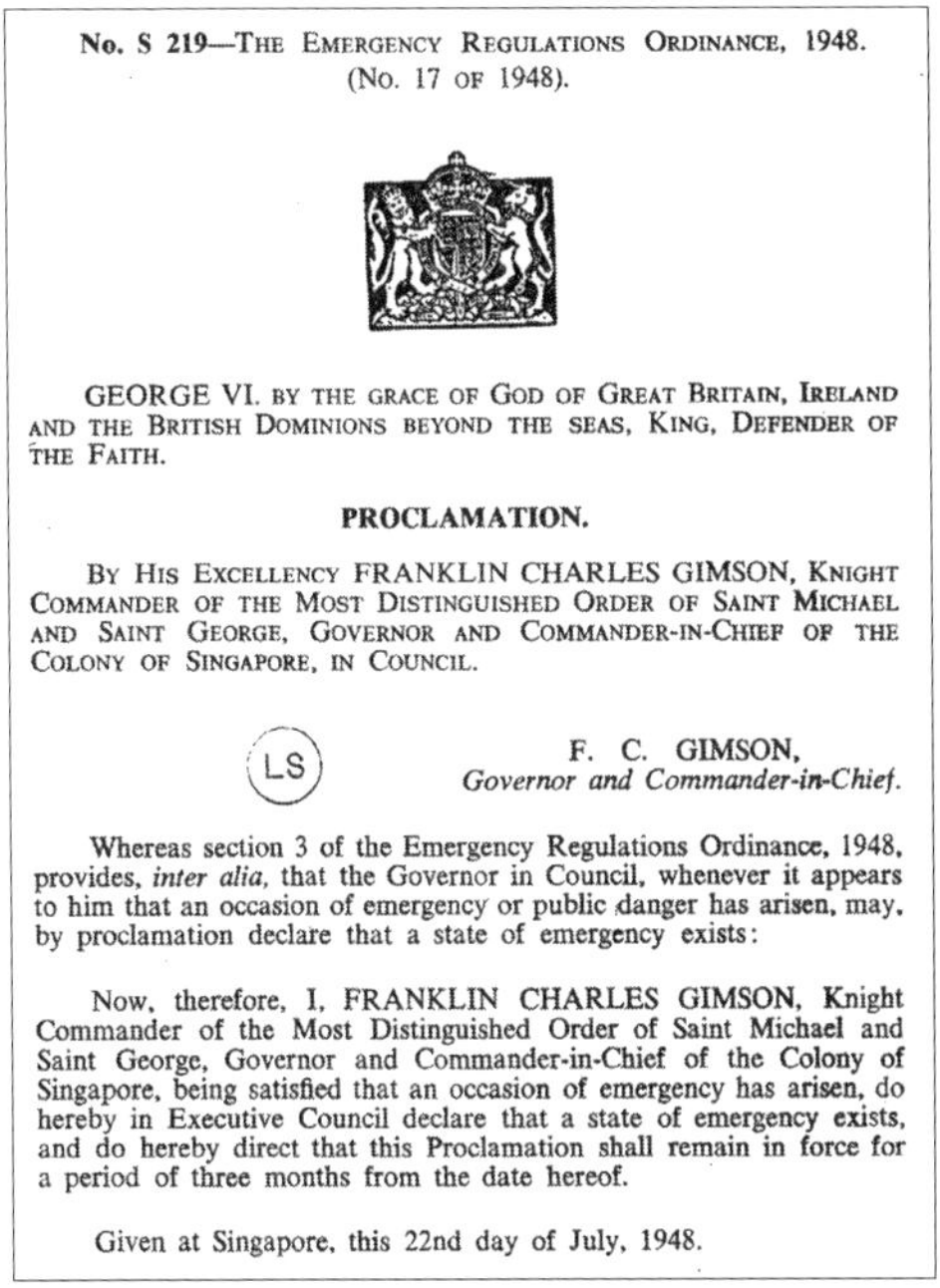

No. S 219—The Emergency Regulations Ordinance, 1948.
(No. 17 of 1948).

GEORGE VI. by the grace of God of Great Britain, Ireland and the British Dominions beyond the seas, King, Defender of the Faith.

PROCLAMATION.

By His Excellency FRANKLIN CHARLES GIMSON, Knight Commander of the Most Distinguished Order of Saint Michael and Saint George, Governor and Commander-in-Chief of the Colony of Singapore, in Council.

F. C. GIMSON,
Governor and Commander-in-Chief.

Whereas section 3 of the Emergency Regulations Ordinance, 1948, provides, *inter alia*, that the Governor in Council, whenever it appears to him that an occasion of emergency or public danger has arisen, may, by proclamation declare that a state of emergency exists:

Now, therefore, I, FRANKLIN CHARLES GIMSON, Knight Commander of the Most Distinguished Order of Saint Michael and Saint George, Governor and Commander-in-Chief of the Colony of Singapore, being satisfied that an occasion of emergency has arisen, do hereby in Executive Council declare that a state of emergency exists, and do hereby direct that this Proclamation shall remain in force for a period of three months from the date hereof.

Given at Singapore, this 22nd day of July, 1948.

非常事態宣言の発令書（抜粋）
出典：政府印刷局

ラヤ共産党との関連が疑われる労働運動や学生運動の活動家の検挙の際に積極的に活用された。

1959年になると英国はシンガポールに国防と外交を除く、完全なる内政自治権を認めた。しかしこの際、国内治安は国防と密接に結びついているとして、その所管を自治政府ではなく、英国の代表3名、シンガポール国の代表3名、そしてマラヤ連邦の代表1名から構成される国内治安審議会に委ねた。これ以降PPSO執行の権限は植民地官僚から同審議会へと移された。また同年に政権与党となったのが人民行動党（PAP）であった。PAPは結党宣言（1954年）において非常規則条例の廃止を訴えていたが、政権に就いた後は失効が迫っていたPPSOの延長を決定し、上訴裁判所への申し立て制度を廃止した。

1961年にマラヤ連邦とシンガポールなどを合併するマレーシア構想が持ち上がると、それに反対するPAPの左派勢力は党から追放され新党（社会主義戦線）を結成する。その動きと前後して、リー・クアンユー首相は、新党の指導者らが共産主義者であるとラジオ講話などで主張し、同党への攻撃を強めた。こうした状況の中、国内治安審議会は1963年2月にPPSOを発動して社会主義戦線の幹部を含む113人の一斉検挙を行った。

話は前後するが、マラヤ連邦では1957年に英国植民地からの完全独立が認められ1960年に非常事態宣言が解除されるのを機に、行政拘禁を可能とする恒久法として同年6月にISAが制定された。そのため、1963年にシンガポールがマラヤ連邦との合併を果たすと、シンガポールにおいても同法が適用されることになった。シンガポールのマレーシア時代は長く続かず1965年8月9日に分離独立することになったが、この際シンガポールはマレーシアのほぼすべての法律を引き継ぎ、その中にＩＳＡも含まれていた。マレーシアから独立した後もＰＡＰ政府はマラヤ共産党との関係が疑われる政治家などに同法を執行し、このことが結果的に政権基盤を固めることに繋がったと指摘されている。

これまで見てきたように、治安維持法はおもに共産主義者の活動を取り締まりの対象としてきたが、こうした容疑で検挙されたのは１９８７年に22人が検挙されたのが最後になった。21世紀に入ってからの執行例ではイスラーム過激派によるテロ活動に関連する容疑者の検挙が多いが、ＩＳＡが警戒する国内の秩序を乱す行為はこの他、民族間の対立を扇動する行為、スパイ行為、外国勢力と共謀する行為などの活動も含んでいる。

治安維持法はえてして人権問題との関連で議論されることが多いが、同法と議会制民主主義の基礎となる普通選挙制の確立との関わりについて簡単に述べる。１９４８年の非常規則において植民地政庁は住民の氏名、住所、国籍、出生地、性別、職業、顔写真、指紋などを記録した上で身分証明書を発行し、その携行を事実上義務づけた。非識字者も多かったこの時代に、こうした作業を通して植民地政庁は住民の属性を正確に把握し有権者を特定、１９５５年には選挙人名簿のイギリス臣民を対象とした自動登録制に基づく普通選挙制が実現した。

治安維持法に基づく行政拘禁は果たして正当な治安維持活動であったのかをめぐって、過去に拘禁された人物やその支援者などが中心となって議論が続いている。マレーシアではＩＳＡは２０１２年に廃止されその代わりとなるテロ対策法を制定したが、ＰＡＰ政府はシンガポールの安全を確保するために必要な法令であるとして廃止の予定はない。

（板谷大世）

60

弱小野党

★「個人政党」から脱皮できるか？★

２０２０年6月でシンポールには30の政党が登録されているものの、そのうちの半数近くは総選挙で候補者を出したことがなく、名前だけの政党と言ってもよい。ただ、２０２０年7月の総選挙は、11の政党から１９１人の候補者が出馬し、無所属1人と合わせて１９２人もの候補者が国会の議席を争うというにぎやかな選挙となった。

もっとも、与党人民行動党（ＰＡＰ）と今回の総選挙で躍進した労働者党（ＷＰ）以外は、個性の強い党首の人気やその知名度に支えられた「個人政党」である。ただ、ＷＰでさえ、２０００年代初頭までは「個人政党」であった。

ＷＰは、シンガポールがまだイギリス植民地だった１９５７年に創設された。創設者ディビッド・マーシャルは１９５５年の選挙で勝利し、シンガポール初の首席大臣（独立国家の首相に当たる）になったユダヤ系弁護士である。彼はイギリスから内政自治権を勝ち取れなかった責任を取って首席大臣を辞職、当時の連立与党を離れてＷＰを設立した。ただ、当時のＷＰはマーシャルの人気に支えられていたため、１９６３年に彼が政界から退くとほぼ壊滅状態となった。

そのWPを建て直したのが、伝説的な野党闘士J・B・ジェヤラトナム（1926～2008年）である。大きな目と浅黒い皮膚、がっちりとした体形のインド系弁護士の彼は、1981年補欠選挙でPAP候補者を破り、独立以来続いていたPAPの国会全議席独占を阻止した。国会でたった1人の野党議員として激しいヤジをものともせずに政府与党に論戦を挑む彼の姿に国民は同情し、野党の重要性を認識した。しかし、たった1人でも与党は彼を見逃さず、WPの過去の会計報告に虚偽記載があったとして告訴されて有罪となり、巨額の罰金を科されて1986年に議員資格を剝奪された。

伝説の野党闘士J・B・ジェヤラトナム

彼が再び総選挙に出たのは1997年である。グループ選挙区から出馬したものの僅差で落選し、非選挙区選出議員制度（第61章「選挙制度」参照）を利用して国会議員となった。ただ、彼は以前にこの制度に強く反対していたため、国民の一部には彼に対する失望が広がり、また高齢になったため以前のような鋭さは影を潜めた。彼は2001年に党を離れて改革党を新しく立ち上げたが2008年に心臓発作で死去した。

このように創設から2000年代初頭まで「個人政党」だったWPの支持基盤を広げ、組織を強固なものにしたのは、1956年生まれのロウ・チアキアンである。彼は長い間休刊となっていた党機関紙『ハンマー』を再発行し、インターネットによる情報の発信を開始、若手党員を募った。彼はまた自分の選挙区であるホウガン地区を歩き回って、住民の話に耳を傾け、方言（潮州語）と華語を使って華人住民の心を摑んだ。彼は1999年総選挙で当選して以来ずっと議席を守り、2011年総選挙ではホウガン選挙区を若手のWP候補者に譲って5人チーム区であるアルジュニド選挙区に移り、チームを率いて当選した。彼にホウガンを任された若手は、圧倒的な差をつけてPAP候補者を退けた。

ロウの呼びかけに応えて入党したのが現在の党委員長で法学者シルビア・リム（1965年生まれ）である。その後も、海外の有名大学で学んだ国際弁護士など、これまでならPAPに入党したであろう華やかな経歴を持つ若手がWPに次々と入党し、英語教育を受けた若いリベラル層の支持者を増やした。2018年にロウに代わって新書記長となったプリタム・シン（1976年生まれ）の下、WPは2020年総選挙で躍進したのである。

1980年に創設されたシンガポール民主党（SDP）は、弁護士チアム・シートン（1935年生まれ）が設立した党である。チアムはその穏やかで細やかな気配りをする人柄で支持を広げ、1984年総選挙でPAP候補者を破って当選し、WPのジェヤラトナムに続く2人目の野党議員となった。ただ、常にPAPに論戦を挑むジェヤラトナムとは対照的に、チアムは国会ではあまり目立たず、選挙区での地道な活動に専念した。チアムはその後も3回の選挙で再選された。しかし、1991年にチアム

第60章

弱小野党

の誘いでSDPに入党したチー・スンジュアンとチアムが対立し始め、チアムは党書記長を辞任して離党し、1996年にシンガポール人民党に参加した。彼は1997年総選挙にはシンガポール人民党候補者として出馬して再び当選、その後も2006年総選挙まで議席を守り続けた。彼は2011年総選挙でグループ選挙区から出馬したものの、PAPのチームに敗れた。2019年に彼は体調不良を理由に政界から引退した。チアムを失った人民党は、2020年総選挙でグループ選挙区と1人区に合わせて5人の候補者を立てたものの、PAPに全く及ばなかった。

チアムが離党した後にSDPを率いたのは、チー・スンジュアン（1962年生まれ）である。チーはチアムのような穏健路線ではなく、警察の許可なく抗議活動を行って逮捕されたり、国会での発言が名誉棄損であるとリー初代首相から訴えられて議員資格を剝奪されるなど、常にPAPへの対立姿勢を前面に出す政治家である。2020年総選挙期間中のTV討論にSDPを代表して参加したチーは、PAPのビビアン・バラクリシュナン（外相）に激しい論戦を挑み、彼の変わらぬ対決姿勢を国民に見せた。ただ、SDPが2020総選挙でチーが書記長になって以来最高の37・4％（候補者を出した選挙区の平均得票率）を獲得したのは、常に強気な彼への支持もさることながら、国民が1人でも多くの野党議員を国会に送ってPAPへの「白紙委任」を避けたいと考えたからである（第65章「2020年総選挙」参照）。

改革党の第2代書記長として党をけん引しているのは、伝説の野党闘士ジェヤラトナムの長男ケネス・ジェヤラトナム（1959年生まれ）である。父親似の大きな目とがっちりとした体格の彼であるが、父親ほどの迫力はない。2020年総選挙では、グループ選挙区（5人区）と1人区ひとつに候補者を立てたが、PAPに惨敗した。

2019年に結成されたばかりのシンガポール前進党が、候補者を立てた選挙区での平均得票率が40・85％とかなりの善戦をしたのは、第65章（2020年総選挙）で述べるように、党首タン・チェンボク（1940年生まれ）の存在が大きい。ただ、高齢のタンが次の選挙に出ることは難しいだろう。そのため、PAPに肉薄したウェストコーストのグループ選挙区候補者2名が非選挙区選出議員制度の対象になったものの、タンは自分ではなく、「国会という場がどんなところで、どのように議論が進むのかを体験してもらうために」若手2名を国会に送り込むことを決めた。シンガポール前進党の今後は、この2名の活動がカギになるかもしれない。

このように、WP以外の野党はまだまだ「個人政党」であり、中心となる党首がほぼ1人で党を支えている。どのように人材を集めて党組織を強固なものにしていくか、課題は多い。

（田村慶子）

61

選挙制度

★与党有利の制度★

シンガポールで実質的な普通選挙が行われたのは、1959年である。それ以前にも選挙は実施されていたが、イギリス植民地支配下での限定選挙であり、選挙権はイギリス臣民（イギリス直轄植民地で生まれた者）にしか認められなかった。シンガポールで自治・独立に向けての気運が高まるなか、1957年に「シンガポール市民権条例」が成立し、イギリス臣民であるか否かを問わず、一定の条件を満たすものには市民権を与えることになり、22万人に上る中国生まれの者にもようやく選挙に参加する権利が与えられた。

シンガポール人は21歳になると選挙権が与えられる。ただし、投票は義務制である。移民たちの関心を高めるために、1959年の総選挙から理由なく棄権すると選挙権を失い、回復するためには少額であるが、一定の金額を支払わねばならなくなった。義務制は今日まで続いている。投票のやり方は日本同様秘密投票であるが、投票用紙の通し番号によって国民の投票行動はチェック可能である。政府はこれを「責任ある投票行動を国民に促すため」と説明し、これまでチェックしたことはないと言明している。

国会議事堂

国会は一院制で、議院内閣制度が採用され、首相が最高責任者である。選挙制度は１９５９年から１９８４年総選挙までは小選挙区制であったが、１９８８年から小選挙区と並列してグループ選挙区制が導入された。この制度は数人がひとつのチームを作って立候補し、有権者は個人ではなくそのチームに投票するという制度である。ひとつのチームのなかには必ずマイノリティのマレー系やインド系などを入れなければならない。これによって圧倒的に華人に偏りがちであった国会議員の民族比率をより人口比に近づけるためである。

ただ、グループ選挙区が作られても、マイノリティの非華人はそれほど増加していない。１人区のみであった１９８４年総選挙で人民行動党が立てた非華人候補者は15人、グループ選挙区が並列された１９８８年は16人、１９９７年19人、２００６年でようやく21人、２０１１年で22人となった。それよりも注目すべきは、グループ選挙区を作るための選挙区再編が人民行動党一党支配の維持に大きく貢献していることであろう。再編によって、野党有利の選挙区が真っ先に統合もしくは分割されているからである。１９８１年の補欠選挙で国会における人民行動党全議席独占を13年ぶりに破った労働者党党首Ｊ・Ｂ・ジェヤラトナムの選挙区アンソンは、統合されて消滅した。また、１９８８年、

１９９１年総選挙でともに野党への支持率が高かったユーノス・グループ選挙区は、野党が勝利する最初のグループ選挙区となり、野党議員が一挙に５人程度増えることが予想されたが、１９９７年総選挙直前の新たなグループ選挙区増加によって分割され、他の２つのグループ選挙区にそれぞれ吸収されてしまった。野党が高い支持を得ることが予想される１人区も、順次統合されていった。人民行動党支持率が１９８０年代以降60％強であっても議席のほとんどを獲得できるのは、このような有利な制度ゆえである。

　さらに、グループ選挙区は、ただでさえ人材に乏しい野党に複数の候補者をそろえさせるという大変な労苦を強いる。グループ選挙区が導入された１９８８年には３人チーム区が13設けられたが、総選挙のたびに増加し、１９９７年総選挙では４人チーム区が５つ、５人チーム区が６つ、６人チーム区が４つ作られ、グループ選挙区だけで74議席（全81議席）となった。２００６年総選挙では４人チーム区がなくなり、５人チーム区９つ、６人チーム区５つで、野党にはますます不利な制度となり、批判が高まった。そのため、２０１１年総選挙から４人チーム区が復活し、２０２０年総選挙は４人チーム区と５人チーム区合わせて17、１人区14で争われた。

グループ選挙区の例――人民行動党タンジョンパガー選挙区（5人区）

また、人民行動党はグループ選挙区のチームには必ず現職の大臣を1人入れ、大臣が選挙キャンペーンの中心的な役割を担うという戦術をとっている。こうすればかなりの有権者は、マスメディアによく登場する大臣のチームに投票すると予想されるからである。選挙キャンペーン期間以外ではほとんど活動がマスメディアに載らない野党にとって、グループ選挙区はますます議席獲得の可能性を小さくさせている。だから2011年総選挙で野党が5人チーム区で、2020年総選挙でも野党が5人チーム区と4人チーム区で勝利したのは、画期的なことであった。

一方、人民行動党の長期支配に対する批判をかわすために、政府自ら野党議員を選出するという「非選挙区選出議員」制度が1984年に設けられた。これは落選した野党候補者のうち高い得票を得たもの数名を国会議員として指名するという制度で、野党議員を一定数認めるのであるからあえて野党に投票する必要がないことを国民に説明するためのものである。さらに1990年に制定された「任命議員」も野党候補者への支持を抑えることができる制度である。これは優秀な人材を社会各層から広く確保するために、国会が6名を超えない程度で議員を直接指名する制度である（2010年に9名に増加)。もっとも、非選挙区選出議員には選挙区がないので有権者と触れ合う機会はほとんどなく、「二流議員」と見なされることもある。世界でも例がないこの2つの制度は、政府与党が野党や国民の意見を広く採り入れていることをアピールし、人民行動党の一党支配をカモフラージュする効果を狙ったものといえよう。

（田村慶子）

62

リー・クアンユー

★シンガポール「建国の父」★

リー・クアンユーは1959年から1990年まで初代首相、その後は上級相、2004年からは顧問相として2011年まで内閣にとどまり絶大な影響力を行使し続けた。1819年にシンガポールを「発見」してイギリス植民地とし、その発展の礎を築いたラッフルズを「建設の父」とするなら、独立時に「未来のない都市国家」といわれたシンガポールに今日の繁栄をもたらしたリー・クアンユーは、まぎれもなく「建国の父」、「開発の父」であろう。

リーは1923年にシンガポールの裕福な客家(はっか)商人の家に生まれた。(注) すでに曾祖父の時代からシンガポールに住んでいる彼の家族は、早くから祖国中国との感情的な絆を断ちきり、英語を学んでイギリスの文化に慣れ親しんでいた。彼らのような華人は「英語派華人」と呼ばれていた。リーの父は、彼自身もそうであったように5人の子どもたちすべてに幼い頃から英語を学ばせ、とくに長男クアンユーには「イギリス人と同様になる」ことを強く希望していた。リー・クアンユーはラッフルズ・カレッジ（1928年に大学レベルの高等教育機関として設立され、1949年にマラヤ大学となる）に進み、日本のシンガポール占領

リー・クアンユー元首相（故田中恭子氏提供）

によって学業を中断されたが、戦後、奨学金を得てケンブリッジ大学で法律を専攻して弁護士の資格を得、１９４９年に最優秀の成績でケンブリッジを卒業した。彼の妻クワァ・ゲォクチュー（２０１０年死去）もまたケンブリッジを最優秀で卒業している。

　もっともこのように成績優秀であっても、彼のような英語教育を受けた人々（英語派）は当時のシンガポールではほんの一握りのエリートであり、大多数の華人は華語教育を受けるか無教育で、祖国中国との感情的絆を強く保持していた（華語派）。彼のような大衆から遊離したエリートが短期間のうちに権力を握るには、すでに大衆的基盤を持つ既存の勢力と連携しなければならないことは明らかである。リーはいくつかの労働組合や華語学校の学生組織の顧問弁護士を引き受けて、彼らに接近した。「１９５４年のある日、私たちは華語派の世界と接触した。華校の学生は徴兵令に強く反対し、あちこちで警察と衝突し、逮捕され、裁判にかけられていた。私たちは華語派世界――バイタリティとダイナミズム、革命に満ち、過去30年にわたって共産党が働きかけ、成功を収めてきた世界――に橋を架けた」。リーは華語派世界の若者との出会いとその後の連携をこのように回想している。この頃、彼は幼い頃から慣れ親しんだ英語名ハリーを捨てた。華語派と連携するには英語名は邪魔になるという判断であろう。

　彼も創始者の1人となった人民行動党は、リーに代表される英語派と華語派の連携した政党で、１９５４年に結成式典が開かれた。イギリスから内政自治権を獲得した１９５９年、初の総選挙が行われて人民行動党は圧勝し、リーは36歳の若さで首相となった。だがその直後からマラヤ連邦との統合問題をめぐって両者は分裂し、左派の華語派は野党を結成した。もっとも野党はイギリスから徹底的に弾圧され、シンガポールが独立した1965年には人民行動党は覇権を確立、リーは絶大な影響力を持つようになっていた。

彼は決して国民に親しまれるリーダーではない。常に「シンガポールの進むべき道」を指し示し、国民を強引に引っ張っていくタイプである。「何が正しいのかを決めるのは我々です。国民がどう思うのかを気にする必要はありません」——こう明言する彼は、天然資源はなく、マレーシアとの関係は最悪で、政治的には吹けば飛ぶような独立時の都市国家を生存・繁栄させるために、徹底した介入を国民生活に対して行い、批判勢力を「合法的に」封じ込めるための法を次々と制定し、民主主義よりも開発を優先する「開発体制」の典型といわれる社会を作り上げたのである。

クワァ・ゲォクチューとの結婚式（1950年9月、故田中恭子氏提供）

彼を突き動かしたのは、強い危機意識である。シンガポールを沼地に建つ80階建てのビルになぞらえ、「我々は非常に不安定な地域にいる。積極的な意味で周囲の国々から差別化でき、自分を守ることのできる政府や国民がいなければ、シンガポールは存続できないだろう」、「欧米の民主主義は必ずしもよい統治機構や安定、繁栄につながらない」と断言し、政治的な異論を受けつけなかった。

シンガポールが生き残り、「新興工業経済地域（N

2015年3月25日～6月28日に国立博物館で開催されたリーの追悼展

ＩＥＳ）の優等生」として繁栄するようになっても、彼の権威主義的な政治手法はあまり変わらなかった。２０１１年総選挙キャンペーン期間の終盤、リーは野党優勢といわれたグループ選挙区で「野党が勝利したら、この選挙区の人びとは5年間ずっと後悔して暮らすことになろう」と脅しめいた演説をして、ひんしゅくを買った。

独立から50年を迎える２０１５年３月、彼は91歳で死去した。国葬までの6日間、国会議事堂に安置された彼の棺に哀悼の意を捧げた人、あるいは全国各地に置かれた祭壇で手を合わせた人は、のべ１４０万人にものぼった。シンガポール総人口の約4人に1人が訪れたことになる。長い列に何時間も並んで哀悼の意を捧げた人の中には、彼の統治のやり方を快く思っていない人も多かっただろう。しかし、小国シンガポールに繁栄と安定をもたらした人物として、人々はそれぞれの政治的立場を超えて、彼の存在には一目置いていた。１４０万もの人々は、「長い間ご苦労様でした」と彼に最後の別れを告げたのである。

（田村慶子）

（注）客家とは元来中国の西部に住む漢民族であったが、4～19世紀にかけて南下し、中国から東南アジアまで広く住むようになった。独自の方言（客家語）や風習を維持し（女性が纏足をしないことは有名）、強力で攻撃的といわれる。

63

リー・クアンユー後の首相たち

★「建国の父」の偉業との苦闘★

ゴー・チョクトン

リー・クアンユー初代首相の後を継いで1990年に第2代首相となったゴー・チョクトンは、1941年シンガポールに生まれた。少年時代に祖父と父が相次いで死去したため家は貧しく、政府奨学金を得てシンガポール大学（現在のシンガポール国立大学）に進学、卒業後に総理府の官僚となった。1969年に政府系海運会社に配属され、社長として赤字だった会社を黒字に転換させたことで注目された。1976年総選挙で当選して政界入りし、貿易産業相や第1副首相という重要ポストを歴任し、「リー・クアンユーの後継者の1人」と目されるようになった。

ゴーのような第2世代指導者（リーを筆頭とする第1世代指導者の後継世代）を選抜するプロセスは、まず総選挙の人民行動党（PAP）新人候補者選びから始まる。新人候補の対象となるのは、高級官僚、専門職従事者（弁護士、医者、研究者）、民間企業の役員などで、現職のPAP国会議員などから推薦された者である。

第1段階では、PAP内に組織された「選抜チーム」がリストアップされた対象者に対してインタビューや心理テストなどを行い、知性や感情、誠実さや忠誠心を調べる。第2段階では、価値観や能力についての質疑応答が、リーをはじめとする第1世代指導者も同席して行われる。第3段階では第1世代指導者がおもに質問を行い、最終的にはリーが決定するといわれている。ただ、彼は長男シェンロンの選抜プロセスには参加しなかった。

新人候補者が当選して党や政府の要職に就いても、第1世代は「後継者候補」に度々の人事異動を通して様々なポストを経験させて能力を見て、能力が劣ると判断すると容赦なく切り捨てる。ゴーも1981年の補欠選挙を指揮して失敗し（野党の労働者党候補者がPAP候補者を破って当選）、政府の重要ポストから一時退いていた。

国会議事堂の中でリー・クアンユーの後ろを歩くゴー・チョクトン（中央の背の高い人物）

このような若手の登用と切り捨てを繰り返して1985年に第2世代指導者グループが誕生し、そのなかから互選でゴーが選ばれた。なお、その後の第3世代指導者、第4世代指導者も、党内の新たな「選抜チーム」が中心になってトップ指導者の意見を聞きながら選抜されている。

もっともゴーが首相に就任した当時は、第3世代指導者グループのトップであるシェンロンが首相になるまでの「つなぎ」とみなされたが、シェンロンが悪性リンパ腫で公務を離れたため、ゴーは予想外の長期政権を担うことになった。ただ、いつも強気で相手をねじ伏せるリー・クアンユーに比べて、どこか自信なげに穏やかに話すゴーに、多くの国民は好感を持った。さらに彼は首相就任直後に、初代首相時代のような強権的統治ではなく、「ソフトで寛容な統治スタイル」を掲げたため、国民は政治的自由化の到来を予感した。

しかし、就任直後の1991年総選挙でPAP得票率が急落して野党が4議席を獲得したため、彼の統治は以前の強権主義的なものに戻ってしまった。彼自身はこの転換をどう思っているのかはわからない。ただ、2011年総選挙期間中に、野党から出馬した自分の元第1秘書を貶める発言をしたことから考えると、就任直後の「ソフトで寛容な統治スタイル」は、首相交代を内外に印象付けるためのポーズだったのかもしれない。ゴーは2004年に首相を退任、その後はしばらく上級相として内閣に残り、2020年に引退した。

リー・シェンロン

第3代首相となったシェンロンはリー・クアンユーの長男として1952年に生まれた。英語教育を受け、ケンブリッジ大学で法律を学んだ両親は、家庭ではほとんど英語で話すが、シェンロンを含む3人の子どもたちをすべて華語学校に通わせた。同時に、マレー語の家庭教師をつけてマレー語も習得させた。幼い時に習得した華語、マレー語、英語能力は、多言語・多文化社会であるシンガポールにおいて彼の政治家としての地位を揺るぎないものとする一因となった。

シェンロンは華語の中等教育を修了後に国立ジュニア・カレッジ（英語）に進学して、卒業時には大統領奨学金を獲得した。大統領奨学金はその年の成績優秀者数人に与えられる最も名誉ある奨学

リー・シェンロン（2020 年総選挙のポスター）

金である。カレッジ卒業後の1971年にシンガポール国軍に入隊、軍の海外奨学金も獲得した。この2つの奨学金で、彼は両親の母校ケンブリッジ大学で数学を学び、その後はアメリカの軍事士官学校に1年間滞在した後に、ハーバード大学で行政学を学んでから帰国して軍隊に復帰、1984年総選挙で政界入りする直前には准将として国軍序列第3位であった。

当選した直後の1985年、シェンロンは国防担当国務大臣と通商担当の国務大臣を兼任、さらに経済不況打開のために設置された経済委員会委員長として脚光を浴び、首相就任も間近といわれた。だが、直腸に悪性リンパ腫が発見されてしばらく公務を休んで97年に復帰し、2004年の首相就任となったのである。

なお、弟シェンヤンも国軍奨学金を得て、ケンブリッジ大学とスタンフォード大学で学び、数年前まで準政府機関であるシンガポール・テレコムの最高経営責任者を務めていた。妹ウェイリンはシンガポール大学医学部を卒業して医者になった。妻ホー・チンは大統領奨学金を得て進学したシンガポール大学工学部を最優秀の成績で卒業して、現在は政府の持株会社テマセク・ホールディングの経営最高責任者である。

シェンロンの性格や物事の進め方は父に酷似しているといわれる。彼も父同様にシンガポールは脆弱な国家であるから、野党をはじめとする批判勢力の拡大を容認するような「贅沢」は時間と人的資源の無駄であると考えている。このような政治姿勢ゆえにシンガポールが抑圧的で独裁的な国家であるという批判に対しては、「シンガポールに独裁的というラベルを貼るならそれでもいい。我々はそのラベルを受け入れるし、それで満足である」（２０００年）と答え、国民生活への政府の様々な干渉や規制を改めるつもりはないと述べた。

ただ、近年は社会福祉予算の拡充を含めて様々な政策を見直している。２０１１年総選挙期間の終盤にＰＡＰ劣勢が伝えられると、国民に政策の誤りを謝罪し、選挙終了後には父とゴー前首相を内閣から外して「刷新」のイメージを国民に伝えるなど、国民との対話路線も重視するようになった。

しかし、２０１６年に起こった父の遺言をめぐる「きょうだいの争い」で、リー・クアンユーの息子としての彼のカリスマ性は削がれてしまった。長年住んだ邸宅を取り壊すという父の遺言の解釈をめぐって弟と妹が兄のシェンロンを非難する声明を公表したのが発端で、弟と妹は連日のようにフェイスブックに兄を批判する投稿を行うなどしたため、争いは国民的関心事になった。シェンロンは国会で経緯を説明して早期の収束を図り、邸宅の扱いは今後の政権が決めるという方向で混乱は沈静化しつつある。ただ、弟の息子のフェイスブックへの投稿を問題視して裁判にもちこむなど、首相や政府への批判は容認しないという高圧的な態度は変わっていないようである。

ヘン・スイキャットとローレンス・ウォン

２０１１年総選挙前に次期首相に内定したヘン・スイキャットは１９６１年生まれで、ケンブリッジ大学で経済学を修めた後にシンガポール警察に勤務し、１９９３年にハーバード大学で修士号を修得した。教育省官僚を短期間務めた後にリー・クアンユー初代首相の首席個人秘書となり、その仕事ぶりで同氏から高い評価を獲得した。２０１１年総選挙で政界入りし、教育相や財務相という要職を歴任し、２０２０年総選挙後は、第１副首相、財務相兼経済政策調整相になった。ただ、２０１６年に閣僚会議中にくも膜下出血で倒れてしばらく意識不明だったことがあり、健康面で不安がある。これをカバーして次期首相の地位を固めたのは、彼の穏健かつ堅実な人柄、優れた実務・調整の能力にあるといわれ、第４世代指導者グループの信頼は厚い。

しかし、ヘンは２０２１年４月「60歳という年齢は激務に耐えられない可能性がある」として、次の首相候補の座から突然降りてしまった。ただ、年齢は表向きの理由で、２０２０年総選挙で野党躍進を許した責任を取ったものと推察されている。

その後の内閣改造で、次期首相候補が就任する重要ポストである財務相に任命されたのはローレンス・ウォンだった。１９７２年生まれのウォンは、ミシガン大学院で経済学、ハーバード大学院で公共政策の修士号を取得した元官僚で、２０１１年の政界入り後、教育相などを歴任した。もっとも、他にも有力な首相候補がいるため、ウォンが次期首相になるかどうかはまだわからない。ヘンも副首相兼経済政策調整相として内閣に残っている。

ただ、次期首相が誰になるにせよ、求められるのはリー初代首相のようなカリスマ性ではなく、経済を回復させるための政策を打ち出し、また政治体制の民主化も進める指導者であろう。（田村慶子）

64

新型コロナウィルスと政府の対応

★独立以来の危機に、新型コロナの感染拡大★

２０２０年４月７日、シンガポールは新型コロナウィルスの感染拡大を阻止するため、職場閉鎖に踏み切った。営業が継続できたのは医療やスーパーマーケット、銀行など生活に必要不可欠なサービスのほか、製造、貿易活動のみ。多くの人々が在宅勤務や、オンライン学習を余儀なくされ、街からは人影や車の行き来が途絶えた。感染の回路を断ち切るという意味で、「サーキット・ブレーカー（回路遮断器）」と政府が名付けたこの部分的ロックダウンは当初、１カ月と予定されていたが、感染が収まるどころか拡大し、結局６月１日まで延長されたのである。

シンガポールがこうした厳しいロックダウンに踏み切らざるを得なかった大きな理由のひとつが、建設現場などで働く外国人労働者が住むドミトリー（寮）での感染の急拡大である。４月１日に感染者は累計で１０００人だったが、部分的ロックダウンが終了した６月１日には３万５２９２人と、わずか２カ月で２万人以上増えた。この感染者の９割以上が、ドミトリーの外国人の労働者だったのである（図参照）。

シンガポール政府の感染対応に対しては当初、その迅速な対

図　ドミトリー在住の外国人労働者の新規感染者及び、それ以外の国内の新規感染者、国外の新規感染者の推移（単位：人）

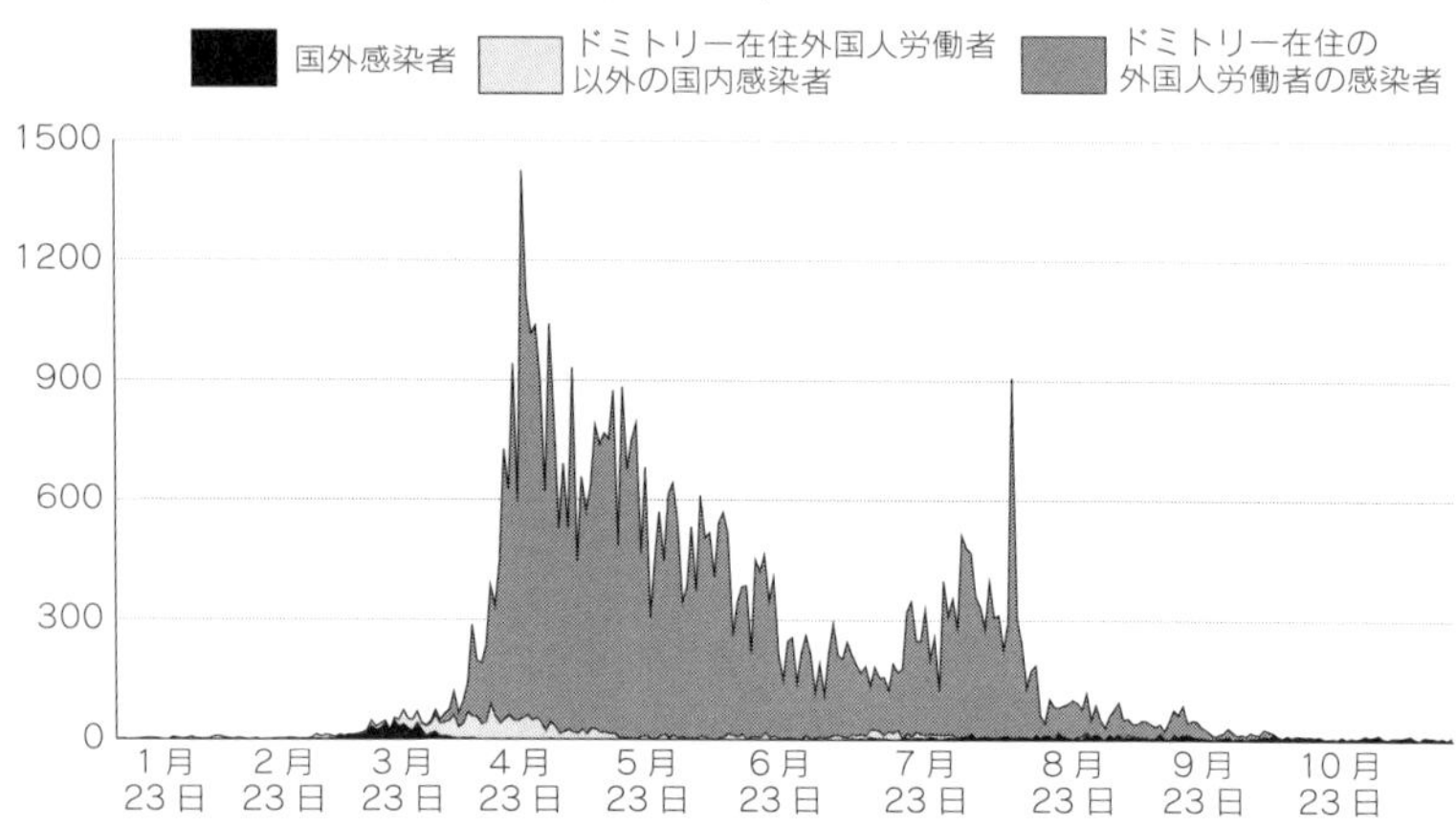

出典：シンガポール保健省

応に国外からの評価の声も高かった。中国湖北省武漢市からの旅行者から最初にシンガポールで感染が確認されたのは1月23日。その後、シンガポール人の間でも感染が広まったものの、3月上旬までは1日当たりの新規感染者が平均10人以下に抑えられていた。しかし、3月30日に、ドミトリーでの最初の感染クラスターが確認された後、一気に他の複数のドミトリーへと感染が広まった。感染者のピーク時の4月20～21日には外国人労働者だけで1日当たりの新規感染者が1000人を超えたのである。

シンガポールでは、建設現場や造船プラントなどで働き、ドミトリーに住む外国人労働者は約32万人に上る。なぜ、これら労働者の間で大量の感染者を出してしまったのだろうか。それは、そのドミトリーの厳しい住環境によることも多いと指摘されている。労働者はひとつの部屋に8～12人が密集して居住し、食事するのも集団で食べ物を分け合って食べるなど、どうしても感染が広まりやすい環境の中で暮らす。その上、感染した労働者が休日に、リトル・インディアのショッピングセンターなどに集中して、他の労働者らに感染が広まり、別のドミトリーへと拡散してしまったものと推測されている。

ドミトリーでの爆発的な感染を封じ込めるため4月7日に、専門の政府タスクフォースが設置された。軽症の感染者、そして回復した労働者については、国際展示会場やクルーズ船、港に設置したプレハブ施設などに、分散して収容した。ドミトリーの感染者はロックダウンが終了後も増え、労働者の1日当たりの新規感染者が100人を下回るようになったのは、8月中旬以降になってからのことである。低熟練外国人労働者の間で感染が拡大してしまったことで、国内外では労働者らの厳しい生活環境に改めて批判の声も上がった。

一方で、これだけの感染者を出しながらも、シンガポールは世界的にも感染による死亡率が最も少ない国のひとつでもある。また、多くの感染者を出しながらも医療崩壊を起こさずに済んでいるのは、2003年の新型肺炎（SARS）の時の経験も大きい。SARSの流行時には国内で238人が感染し、このうち33人が死亡した。SARSの際には情報管理のため、軍が導入されデータ分析にあたった。この経験を受けて設置されたのが国立感染症センターである。センターが開設されたのは、新型コロナウィルスの流行の前年、2019年9月。同センターではすべての病院内の全ての患者、医療関係者、ベッドや器具に至るまで、センサーや監視カメラのデータを用いて捕捉。人工知能（AI）で、感染者の入退院のタイミングを予測して、医師や看護師を配置している。

このほか、シンガポールが重視したのは、徹底した濃厚接触者の追跡、隔離、そして感染の有無

サーキット・ブレーカー最中の2020年5月19日の夕方、人影が消えた繁華街オーチャード

を診断するPCR検査である。感染者の濃厚接触者を見つけ出すにあたっては、人海戦術だけでなく、捜査を補完するためのテクノロジーも積極的に活用している。携帯電話のアプリを使って入退室する際の情報を記録するシステム「セーフエントリー」が4月23日に導入された。そして6月末から濃厚接触者が近づいたかを把握するための追跡アプリと端末「トレーストゥゲザー」の導入も段階的に進んでいる（第55章「スマート・ネーション」参照）。

新型コロナウィルスの政府タスクフォースの共同委員長を務めるローレンス・ウォン国家開発相（当時、現財務相）は6月9日、国民向けのテレビ演説で、2カ月にわたる感染の回路を遮断するためのサーキット・ブレーカーに踏み切った理由を、第1に感染者の追跡能力の向上させるため。そして第2にPCR検査の能力を拡充するためだったと説明した。PCR検査の能力は5月時点で1日当たり約8000件だったのが、6月に約1万3000件、11月までに4万件に増えた。検査は海外からの入国者に行われるとともに、ドミトリー在住の外国人労働者全員に対しても検査が行われ、その後、職場に復帰しても2週間ごとの検査が続いている。

サーキット・ブレーカーが6月1日に終了して、翌2日からは3段階で経済活動を再開した。その後、2021年に入りシンガポールでは終息に向かうと思われたが、変異株の感染拡大により感染防止策の再導入と再会を繰り返している。

サーキット・ブレーカーが遮断したのは感染の経路だけではない。国内経済に与えた影響は、深刻だ。感染防止のための入国規制でチャンギ空港からも人影が消えた。国民の雇用を維持し、景気を下支えするためにも政府は2020年に5回にわたり、総額約1000億シンガポールドル以上もの経済対策を投入した。リー・シェンロン首相は6月7日、国民に向けたテレビ演説で述べたように、同国は「現役世代、最大の危機に直面している」。リー首相は、「我々がいま、どのような選択肢を選ぶのかによって、我々がどのような人間になりたいのか、どのような価値を未来の世代に伝えるのかを決めることになる」と訴えた。国内の感染はコントロールしたかのように見えるシンガポール。国内経済の立て直しと共に、将来の国家を導く新しい価値観をどう選択するのか、まさしく独立以来の正念場を迎えている。

（本田智津絵）

65

2020年総選挙

★「二大政党制」の萌芽？★

独立後13回目となる総選挙は、２０２０年7月10日に投票が行われた。与党人民行動党（ＰＡＰ）があえてコロナ禍のなかで選挙を実施したのは、今後の生活不安を抱く国民が実績ある与党に投票するだろうこと、圧勝して次期首相に内定しているヘン・スイキャットを中心とする第4世代指導者（第63章「リー・クアンユー後の首相たち」参照）への信任を得たかったからである。

今回の総選挙の主な争点は、拡大する収入格差、雇用の確保、外国人労働者の規制であった。これまでの選挙とは異なり、政治集会は禁止され、政見放送はテレビとラジオ、ソーシャルメディア上のみで、1グループ5人までの徒歩でのキャンペーンだけが認められた。

これまでで最も多い11の政党が参加し、グループ選挙区17（4人区と5人区）と1人区14の合計93議席を争った総選挙の結果は、表に示すように、前回大勝した与党ＰＡＰが10％近く得票率を落とし、代わって野党労働者党（ＷＰ）が2つのグループ選挙区と1人区ひとつの計10議席を得るという快進撃をした。また、昨年結成されたばかりのシンガポール前進党（ＰＳＰ）は議席獲得には至らなかったものの、ウェストコーストというグ

表　2020年総選挙　主要3政党の獲得議席数（候補者数）、得票率

政党	得議席数（候補者数）	得票率%（前回との比較）
PAP（人民行動党、与党）	83（候補者93人）	61.24%（－8.62%）
WP（労働者党）	10（候補者21人）	50.49%（＋10.74%）＊
PSP（シンガポール前進党）	0（候補者24人）	40.85%（初の総選挙）＊

出典：*The Straits Times,* July 11, 2020.
＊ WPとPSPはすべての選挙区に候補者を出していない。両党の得票率は候補者を出した選挙区の平均得票率である。

ループ選挙区でＰＡＰにわずか３・４％差まで迫った。その他の野党も善戦し、野党勢力の健闘が目立った結果となった。

　ＷＰが快進撃をしたのは、第１に質の高い候補者を数多く集め、具体的な政策を提案できる政党であると有権者が確信したこと。とくに、初めて行われたテレビ討論に登場した経済学者のジェイマス・リム（１９７６年生まれ）は、ＰＡＰのビビアン・バラクリシュナン外相と互角に渡り合っただけでなく、失業保険や最低賃金の具体的な提案を行って注目された。リムが笑顔を絶やさず穏やかに話したことも好感を持たれた。

　第２に、ＷＰのプリタム・シン書記長（１９７６年生まれ）の指導者としての資質を高く評価したことである。投票日直前に、ＷＰの候補者で26歳と若いが著名な社会活動家ライーサ・カーンが以前にフェイスブックに投稿した内容をＰＡＰが問題視し、「彼女は議員としての資質に欠ける」と非難した。書記長は彼女に謝罪と説明をさせた上で彼女に代わってマイクを握り、「彼女の社会活動家としての資質とその活動内容をＷＰは高く評価している。候補者から降ろすつもりはない」と言い切った。もしＰＡＰ候補者が同じ問題を起こしたら、党指導部は容赦なく切り捨てたであろう。リムとカーンを擁したグループ選挙区（４人チーム区）がＰＡＰのチームに競り勝ったのは、ＴＶ討論でのリムの存在感とカーンの事件の影響が大きかったためであろう。

２０１９年に結成されたばかりのＰＳＰが善戦したのは、タン・チェンボク党首（１９４０年生まれ）の存在が大きい。タンは、１９８０年にＰＡＰから出馬して２００６年に引退するまで６回の総選挙で平均77％という高い得票率を獲得した人気ある政治家だった。彼の人気は、非選挙区選出議員制度に反対するなど党に対して是々非々の立場を貫いたこと（この反対によって彼は党から「警告」を受けた）、医師として長年地域医療に尽力した功績、元ＰＡＰ議員だった彼がＰＡＰを離れて野党を結成した「心意気」であろう。

WP書記長プリタム・シン（WPホームページ The Workers' Party (wp.sg) より）

PSP党首タン・チェンボク（2020年総選挙のポスター）

　さらに、リー・シェンロン首相と対立を深めている弟シェンヤンがＰＳＰ支持を表明して党員となり、タンとともに徒歩キャンペーンに参加したことでも注目を集めた。もっとも、口数の少ないシェンヤンが演説をすることはほとんどなく、立候補もしなかったが、メディアは彼を追い続け、一定の効果を上げたのは間違いないだろう。

　ただ、このような野党候補者の資質や「心意気」だけでなく、国民がＰＡＰに「白紙委任状」を与えない選択をしたことが、野党全体の得票率を高めた要因である。

　２０１１年総選挙で史上最低の得票率だったＰＡＰは国民の不満に耳を傾け、外国人の規制や社会福祉政策を見直すなど積極的な施策を打ち出し始めたものの、政府がオンライン上の情報を監視できるようにするフェイクニュース情報操作対策法を2019年に強引に成立させるなど（第27章「マスコミ事情」参照）、従来の強権的な手法は変わらなかった。有権者はPAPに変化を促すために、より多くの野党議員を国会に送り込んだのである。

総選挙後、リー首相は、イギリスの制度に倣って、シン書記長に「野党指導者」という地位を与え、国会内での活動に必要な人員や資源を割り当てることを表明した。これは、野党を「排除すべき存在」と軽視してきたこれまでの姿勢を改め、野党を「代替政策を提案できる存在」とみなすことであり、「二大政党制」の萌芽を予感させる出来事である。ただ、躍進したとはいえ、WPは国会で10議席を有するに過ぎない。10人の議員の活動を含めて党としての実績を積み上げ、国民の期待に応えていくことが求められるだろう。

一方のPAPは、ヘン・スイキャットを中心とする第4世代指導者の今後に不安を残す結果となり、ヘンは2021年4月に次期首相候補の座を降りた。今後PAPは、コロナ禍で雇用を確保するための施策、特に外国人労働者の規制をどうするか、またWPが国会でより強く主張するであろう社会保障の充実をどう進めるのかという課題に取り組み、国民の信頼を取り戻すことに尽力すると思われる。

（田村慶子）

関連書ガイド

全　般

岩崎育夫『物語シンガポールの歴史―エリート開発主義国家の200年』中央公論新社（中公新書）、2013年。

田村慶子『「頭脳国家」シンガポール―超管理の彼方に』講談社（講談社現代新書）、1993年。

田村慶子『シンガポールの国家建設―ナショナリズム、エスニシティ、ジェンダー』明石書店、2000年。

田村慶子・本田智津絵『謎解き散歩シンガポール』KADOKAWA、2014年。

田村慶子『シンガポールの基礎知識―アジアの基礎知識2』めこん、2016年。

田村慶子編『マラッカ海峡―シンガポール、マレーシア、インドネシアの国境を行く』北海道大学出版会、2018年。

I　都市国家の登場：歴史を考える

明石陽至編『日本占領下の英領マラヤ・シンガポール』岩波書店、2001年。

アブドゥッラー（中原道子訳）『アブドゥッラー物語―あるマレー人の自伝』平凡社、1980年。

太田　勇『国語を使わない国―シンガポールの言語環境』古今書院、1994年。

許雲樵・蔡史君編（田中宏・福永平和訳）『日本占領下のシンガポール』青木書店、1986年。

越田稜編著『アジアの教科書に書かれた日本の戦争・東南アジア編（増補版）』梨の木舎、1995年。

小島英太郎「在シンガポール日系企業の過去、現在、そして未来―アジア通貨危機以降のシンガポールにおける日系企業動向」『シンガポール日本商工会議所（ＪＣＣＩ）月報』２０１６年10月号。

コリス・Ｍ（根岸富二郎訳）『ラッフルズ―その栄光と苦悩』アジア経済研究所、１９６９年。

信夫清三郎『ラッフルズ伝―東南アジアの帝国建設者』平凡社（東洋文庫１２３）、１９６８年。

清水洋『シンガポールの経済発展と日本』コモンズ、２００４年。

シンガポール市政会編『昭南特別市―戦時中のシンガポール』社団法人日本シンガポール協会、１９８６年。

シンガポール日本人会『南十字星―シンガポール日本人社会の歩み』（創刊10周年記念復刻版）１９７８年。

田村慶子『多民族国家シンガポールの政治と言語―「消滅」した南洋大学の25年』明石書店、２０１３年。

早瀬晋三『戦争の記憶を歩く―東南アジアのいま』岩波書店、２００７年。

渡辺洋介「シンガポールの歴史教科書にみる日本占領（１９６５-１９９４）」『全地球時代からの人文主義』（『新世紀人文学論究』第４号特別記念号）、２０２１年３月。

Ⅱ　多様なエスニシティ：人と文化を考える

アルフィアン・サアット（幸節みゆき訳）『サヤン、シンガポール』段々社、２０１５年。

市岡卓『シンガポールのムスリム―宗教の管理と社会的包摂・排除』明石書店、２０２０年。

一般財団法人自治体国際化協会「シンガポールの文化芸術政策にみる地域アイデンティティの確立と多文化共生」『CLAIR REPORT』第４９６号、２０２０年２月６日（http://www.clair.or.jp/j/forum/pub/docs/496.pdf）

宇戸清治・川口健一編『東南アジア文学への招待』段々社、２００１年。

奥村みさ『文化資本としてのエスニシティ―シンガポールにおける文化的アイデンティティの模索』国際書院、

２００９年。

滝口健「「生き残り戦略」としてのシンガポール文化外交―アジアにおける「クリエイティブ・クラス」争奪競争」伊藤裕夫、藤井慎太郎編『芸術と環境―劇場制度・国際交流・文化政策』論創社、２０１２年。

竹村嘉晃「『伝統』を支える多元的位相―シンガポールにおけるインド舞踊の発展と国家」『舞踊學』第38号、１２０-１３７頁、２０１６年。

竹村嘉晃「インド舞踊のグローバル化の萌芽―ある舞踊家のライフヒストリーをもとに」松川恭子・寺田吉孝編『世界を環流する「インド」：グローバリゼーションのなかで変容する南アジア芸能の人類学的研究』青弓社、２６４-３０４頁、２０２１年。

田村克己・松田正彦編『ミャンマーを知るための60章』明石書店、２０１３年。

田村慶子『シンガポールの国家建設―ナショナリズム、エスニシティ、ジェンダー』明石書店、２０００年。

田村慶子「シンガポールにおける性的少数者の人権と市民社会」日下渉・伊賀司・青山薫・田村慶子編『東南アジアと「ＬＧＢＴ」の政治』明石書店、２０２１年。

陳徳俊編（福永平和・陳俊勲訳）『シンガポール華文小説選（上）（下）』井村文化事業社、１９８３年・１９９０年。

根本敬『物語 ビルマの歴史―王朝時代から現代まで』中央公論新社、２０１４年。

盛田茂『シンガポールの光と影―この国の映画監督たち』インターブックス、２０１５年。

リム、キャサリン（幸節みゆき訳）『シンガポーリアン・シンガポール』段々社、１９８４年。

宗郷会館聯合総会 (Singapore Federation of Chinese Clan Association) ホームページ　http://www.sfcca.sg/

文化遺産の公式デジタル・プラットフォーム Roots.sg ホームページ　https://www.roots.gov.sg/

Ⅲ　管理国家の諸相：社会のあり様を考える

岩崎育夫『リー・クアンユー―東洋と西洋のはざまで』岩波書店、１９９６年。

シム・チュン・キャット『シンガポールの教育とメリトクラシーに関する比較社会学的研究―選抜度の低い学校が果たす教育的・社会的機能と役割』東洋館出版社、２００９年。

田村慶子・織田由紀子編『東南アジアのＮＧＯとジェンダー』明石書店、２００４年。

鍋倉聰『シンガポール「多人種主義」の社会学―団地社会のエスニシティ』世界思想社、２０１１年。

ハヤシザキカズヒコ・園山大祐・シム・チュン・キャット編『世界のしんどい学校』明石書店、２０１９年。

社会・家族発展省のホームページ　www.msf.gov.sg
ワークフェアのホームページ　www.workfare.gov.sg

Ⅳ　生存と繁栄の外交戦術：国際関係を考える

黄彬華・呉俊剛編（田中恭子訳）『シンガポールの政治哲学（下）リー・クアンユー首相演説集』勁草書房、１９８８年。

古賀慶「シンガポールの『準基地』政策―基地紛争の予防と管理」川名晋史『基地問題の国際比較』明石書店、２０２１年。

児玉修「ＡＳＥＡＮの設立と英米の世界戦略―シンガポールに注目して」『山形大学法政論議』５８／５９、２０１４年。

田村慶子「ＡＳＥＡＮ共同体とシンガポール」日本国際政治学会編『日本の国際政治学第３巻　地域から見た国際政治』有斐閣、２００８年10月。

防衛省・自衛隊「防衛省・自衛隊の人員構成」２０２０年３月31日（https://www.mod.go.jp/j/profile/mod_sdf/

kousei/)

マラッカ海峡協議会編『マラッカ海峡協議会50年史』２０１９年。

湯川拓「国際関係」川中豪・川村晃一編『教養の東南アジア現代史』ミネルヴァ書房、２０２０年。

リー・クアンユー（田中恭子訳）『中国・香港を語る』穂高書店、１９９３年。

Government of Singapore, "What is Total Defence?" (https://www.mindef.gov.sg/oms/imindef/mindef_websites/topics/totaldefence/about.html)

International Institute for Strategic Studies, "Asia,", *The Military Balance*, 120, 220-323, 2020.

Lee Kuan Yew, *From Third World to First - The Singapore Story: 1965-2000,* Singapore: Times Media Private Limited, 2000.（邦訳［小牧利寿訳］『リー・クアンユー回顧録―ザ・シンガポール・ストーリー（上・下）』日本経済新聞社、２０００年。

Lee, K. Y., Han, F. K., Ibrahim. Z., Chua. M. H., Lim. L., Low. I., Lin. R., & Chan. R, *Lee Kuan Yew: Hard truths to keep Singapore going*. Straits Times Press, 2011.（邦訳［小池洋次監訳］『リー・クアンユー、未来への提言』日本経済新聞社、２０１４年。

Ong, T., "S'pore must be a 'poisonous shrimp' to survive in a world of 'big fish,' LKY said in 1966", *mothership*, June 18, 2018.

Parliament., Official Report First Session of the Legislative Assembly: Part I of first session (Volume No. 24, Sitting No. 5), 1965.（https://sprs.parl.gov.sg/search/report?sittingdate=16-12-1965）

Prime Minister Office, Speech by Mr Lee Kuan Yew, Minister Mentor, at the S. Rajaratnam Lecture, 09April 2009, 5:30pm at Shangri-La Hotel.（https://www.pmo.gov.sg/Newsroom/speech-mr-lee-kuan-yew-minister-mentor-s-

rajaratnam-lecture-09-april-2009-530-pm-shangri)
Yeo, M., "How the F-35 could be a game-changer for Singapore", *DefenseNews*, February 10, 2020.

Ⅴ　多国籍企業のビジネス・ハブ：経済発展を考える

岩崎育夫『シンガポールの華人系企業集団』アジア経済研究所、１９９０年。
椎野幸平・水野亮『ＦＴＡ新時代　アジアを核に広がるネットワーク』ジェトロ、２０１０年。
ジェトロ『ジェトロ世界貿易投資報告』各年版。
シンガポール陸上交通庁（ＬＴＡ）"LTA Annual Report" 毎年刊行。
https://www.lta.gov.sg/content/ltagov/en/who_we_are/statistics_and_publications/reports.html
シンガポール陸上交通庁（ＬＴＡ）ホームページ https://www.lta.gov.sg/
シンガポール陸上交通庁（ＬＴＡ）"Land Transport Master Plan 2040", 2019.

Ⅵ　強く巨大な政府：政治を考える

板谷大世「シンガポールにおける内政自治権の獲得と治安維持条例（ＰＰＳＯ）―第二次世界大戦後から制憲会議までを中心に―」『広島国際研究』第17巻、２０１１年。

岩崎育夫『シンガポール国家の研究―「秩序と成長」の制度化・機能・アクター』風響社、２００５年。

清水一史・田村慶子・横山豪志編『東南アジア現代政治入門（改訂版）』ミネルヴァ書房、２０１８年。

田村慶子「リー・シェンロン時代の幕開けと課題」『海外事情』2004年10月号。

田村慶子「民主化に向かうシンガポール―2011年総選挙と活発化する市民社会」『国際問題』NO625、2013年10月。

田村慶子「シンガポール2015年総選挙と権威主義体制の行方」『国際政治』185号、2016年10月。

田村慶子「シンガポールの国家建設―「脆弱な都市国家」の権威主義体制の成立と継続」田中明彦・川島真編『20世紀の東アジア史Ⅲ各国史［2］東南アジア』東京大学出版会、2021年。

竹村嘉晃（たけむら　よしあき）［23］
平安女学院大学国際観光学部准教授

藏本龍介（くらもと　りょうすけ）［24］
東京大学東洋文化研究所准教授

鍋倉　聰（なべくら　さとし）［29］
滋賀大学経済学部教授

シム　チュン・キャット［30］
昭和女子大学現代教養学科教授、元シンガポール教育省政策企画官

湯　玲玲（Thang Leng Leng）［32］
シンガポール国立大学人文社会学部日本研究学科准教授

駒見一善（こまみ　かずよし）［37］
立命館大学国際教育推進機構准教授

椎野幸平（しいの　こうへい）［41、52］
拓殖大学国際学部准教授

古賀　慶（こが　けい）［43］
南洋理工大学社会科学部准教授／公共政策・国際関係学科学科長

佐々木生治（ささき　せいじ）［44］
マラッカ海峡協議会技術アドバイザー

兒山真也（こやま　しんや）［53］
兵庫県立大学国際商経学部教授

板谷大世（いたや　たいせい）［59］
広島市立大学国際学部准教授

〈執筆者一覧〉（執筆順、［　］は担当章）

田村慶子（たむら　けいこ）［1、2、3、4、5、7、8、10、25、27、28、33、34、35、38、39、40、42、58、60、61、62、63、65、コラム 1、コラム 3、コラム 4］
〈編著者紹介〉参照

渡辺洋介（わたなべ　ようすけ）［6］
大阪経済法科大学アジア太平洋研究センター客員研究員／NPO 法人ピースデポ研究員

小島英太郎（こじま　えいたろう）［9］
日本貿易振興機構（ジェトロ）企画部総括審議役

合田美穂（ごうだ　みほ）［11］
香港中文大学歴史学科兼任准教授

謝なおみ（しゃ　なおみ）［12］
フリーランス講師（日本語、日本文学）
上級教育法（修士）

藤田仁子（ふじた　ひろこ）［13、14、31］
南洋理工大学言語センター・SIM／バッファロー大学日本語講師

谷　繭子（たに　まゆこ）［15、19、26］
日本経済新聞社シンガポール支局記者

舛谷　鋭（ますたに　さとし）［16］
立教大学観光学部交流文化学科教授

齋藤梨津子（さいとう　りつこ）［17］
早稲田大学大学院文学研究科教育学コース博士課程在籍

近藤明日香（こんどう　あすか）［18］
日経グループアジア本社ゼネラル・マネジャー

本田智津絵（はんだ　ちづえ）［20、21、36、45、46、47、48、49、50、51、54、55、56、57、64、コラム 2、コラム 5］
ジェトロ（日本貿易振興機構）シンガポール事務所シニアアナリスト

市岡　卓（いちおか　たかし）［22］
流通経済大学教授

〈編著者紹介〉

田村慶子（たむら　けいこ、Keiko Tsuji TAMURA）
北九州市立大学名誉教授・特別研究員、NPO 法人国境地域研究センター理事長

［主要業績］
『多民族国家シンガポールの政治と言語―「消滅」した南洋大学の 25 年』（明石書店、2013 年）
『シンガポールの基礎知識―アジアの基礎知識 2 』（めこん、2016 年）
『東南アジアのＮＧＯとジェンダー』（明石書店、2004 年〔共編著〕）
『現代アジア研究第 1 巻―越境』（慶應義塾大学出版会、2008 年〔共編著〕）
『日本の国際政治学第 3 巻―地域から見た国際政治』（有斐閣、2009 年〔共著〕）
『謎解き散歩シンガポール』（KADOKAWA、2014 年〔本田智津絵との共著〕）
『東南アジア現代政治入門（改訂版）』（ミネルヴァ書房、2018 年〔共編著〕）
『マラッカ海峡―シンガポール、マレーシア、インドネシアの国境を行く』（北海道大学出版会、2018 年〔編著〕）
『20 世紀の東アジア史 Ⅲ 各国史（2）東南アジア』（東京大学出版会、2020 年〔共著〕）
『東南アジアと「LGBT」の政治』（明石書店、2021 年〔共編著〕）

エリア・スタディーズ 17
シンガポールを知るための65章【第 5 版】

2001 年 10 月 25 日　初　版 第 1 刷発行
2008 年 9 月 30 日　第 2 版 第 1 刷発行
2013 年 5 月 25 日　第 3 版 第 1 刷発行
2016 年 6 月 30 日　第 4 版 第 1 刷発行
2021 年 10 月 1 日　第 5 版 第 1 刷発行
2024 年 2 月 25 日　第 5 版 第 2 刷発行

編著者　田　村　慶　子
発行者　大　江　道　雅
発行所　株式会社 明石書店

〒101-0021 東京都千代田区外神田 6-9-5
電　話　03-5818-1171
ＦＡＸ　03-5818-1174
振　替　00100-7-24505
http://www.akashi.co.jp/

組版／装丁　明石書店デザイン室
印刷／製本　日経印刷株式会社

（定価はカバーに表示してあります）　ISBN978-4-7503-5253-4

JCOPY 〈出版者著作権管理機構　委託出版物〉
本書の無断複製は著作権法上での例外を除き禁じられています。複製される場合は、そのつど事前に、出版者著作権管理機構（電話 03-5244-5088、FAX 03-5244-5089、e-mail: info@jcopy.or.jp）の許諾を得てください。

エリア・スタディーズ

1 **現代アメリカ社会を知るための60章**
明石紀雄、川島浩平 編著

2 **イタリアを知るための62章【第2版】**
村上義和 編著

3 **イギリスを旅する35章**
辻野功 編著

4 **モンゴルを知るための65章【第2版】**
金岡秀郎 著

5 **パリ・フランスを知るための44章**
梅本洋一、大里俊晴、木下長宏 編著

6 **現代韓国を知るための61章【第3版】**
石坂浩一、福島みのり 編著

7 **オーストラリアを知るための58章【第3版】**
越智道雄 著

8 **現代中国を知るための54章【第7版】**
藤野彰 編著

9 **ネパールを知るための60章**
日本ネパール協会 編

10 **アメリカの歴史を知るための65章【第4版】**
富田虎男、鵜月裕典、佐藤円 編著

11 **現代フィリピンを知るための61章【第2版】**
大野拓司、寺田勇文 編著

12 **ポルトガルを知るための55章【第2版】**
村上義和、池俊介 編著

13 **北欧を知るための43章**
武田龍夫 著

14 **ブラジルを知るための56章【第2版】**
アンジェロ・イシ 著

15 **ドイツを知るための60章**
早川東三、工藤幹巳 編著

16 **ポーランドを知るための60章**
渡辺克義 編著

17 **シンガポールを知るための65章【第5版】**
田村慶子 編著

18 **現代ドイツを知るための67章【第3版】**
浜本隆志、髙橋憲 編著

19 **ウィーン・オーストリアを知るための57章【第2版】**
広瀬佳一、今井顕 編著

20 **ハンガリーを知るための60章【第2版】** ドナウの宝石
羽場久美子 編著

21 **現代ロシアを知るための60章【第2版】**
下斗米伸夫、島田博 編著

22 **21世紀アメリカ社会を知るための67章**
明石紀雄 監修　赤尾千波、大類久恵、小塩和人、
落合明子、川島浩平、高野泰 編

23 **スペインを知るための60章**
野々山真輝帆 著

24 **キューバを知るための52章**
後藤政子、樋口聡 編著

25 **カナダを知るための60章**
綾部恒雄、飯野正子 編著

26 **中央アジアを知るための60章【第2版】**
宇山智彦 編著

27 **チェコとスロヴァキアを知るための56章【第2版】**
薩摩秀登 編著

28 **現代ドイツの社会・文化を知るための48章**
田村光彰、村上和光、岩淵正明 編著

29 **インドを知るための50章**
重松伸司、三田昌彦 編著

30 **タイを知るための72章【第2版】**
綾部真雄 編著

31 **パキスタンを知るための60章**
広瀬崇子、山根聡、小田尚也 編著

32 **バングラデシュを知るための66章【第3版】**
大橋正明、村山真弓、日下部尚徳、安達淳哉 編著

33 **イギリスを知るための65章【第2版】**
近藤久雄、細川祐子、阿部美春 編著

34 **現代台湾を知るための60章【第2版】**
亜洲奈みづほ 著

35 **ペルーを知るための66章【第2版】**
細谷広美 編著

36 **マラウィを知るための45章【第2版】**
栗田和明 著

37 **コスタリカを知るための60章【第2版】**
国本伊代 編著

38 **チベットを知るための50章**
石濱裕美子 編著

39 **現代ベトナムを知るための63章【第3版】**
岩井美佐紀 編著

40 **インドネシアを知るための50章**
村井吉敬、佐伯奈津子 編著

41 **エルサルバドル、ホンジュラス、ニカラグアを知るための45章**
田中高 編著

エリア・スタディーズ

42 **パナマを知るための70章【第2版】**
国本伊代 編著

43 **イランを知るための65章**
岡田恵美子、北原圭一、鈴木珠里 編著

44 **アイルランドを知るための70章【第3版】**
海老島均、山下理恵子 編著

45 **メキシコを知るための60章**
吉田栄人 編著

46 **中国の暮らしと文化を知るための40章**
東洋文化研究会 編

47 **現代ブータンを知るための60章【第2版】**
平山修一 著

48 **バルカンを知るための66章【第2版】**
柴宜弘 編著

49 **現代イタリアを知るための44章**
村上義和 編著

50 **アルゼンチンを知るための54章**
アルベルト松本 著

51 **ミクロネシアを知るための60章【第2版】**
印東道子 編著

52 **アメリカのヒスパニック=ラティーノ社会を知るための55章**
大泉光一、牛島万 編著

53 **北朝鮮を知るための55章【第2版】**
石坂浩一 編著

54 **ボリビアを知るための73章【第2版】**
真鍋周三 編著

55 **コーカサスを知るための60章**
北川誠一、前田弘毅、廣瀬陽子、吉村貴之 編著

56 **カンボジアを知るための60章【第3版】**
上田広美、岡田知子、福富友子 編著

57 **エクアドルを知るための60章【第2版】**
新木秀和 編著

58 **タンザニアを知るための60章【第2版】**
栗田和明、根本利通 編著

59 **リビアを知るための60章【第2版】**
塩尻和子 編著

60 **東ティモールを知るための50章**
山田満 編著

61 **グアテマラを知るための67章【第2版】**
桜井三枝子 編著

62 **オランダを知るための60章**
長坂寿久 著

63 **モロッコを知るための65章**
私市正年、佐藤健太郎 編著

64 **サウジアラビアを知るための63章【第2版】**
中村覚 編著

65 **韓国の歴史を知るための66章**
金両基 編著

66 **ルーマニアを知るための60章**
六鹿茂夫 編著

67 **現代インドを知るための60章**
広瀬崇子、近藤正規、井上恭子、南埜猛 編著

68 **エチオピアを知るための50章**
岡倉登志 編著

69 **フィンランドを知るための44章**
百瀬宏、石野裕子 編著

70 **ニュージーランドを知るための63章**
青柳まちこ 編著

71 **ベルギーを知るための52章**
小川秀樹 編著

72 **ケベックを知るための56章【第2版】**
日本ケベック学会 編

73 **アルジェリアを知るための62章**
私市正年 編著

74 **アルメニアを知るための65章**
中島偉晴、メラニア・バグダサリヤン 編著

75 **スウェーデンを知るための60章**
村井誠人 編著

76 **デンマークを知るための70章【第2版】**
村井誠人 編著

77 **最新ドイツ事情を知るための50章**
浜本隆志、柳原初樹 著

78 **セネガルとカーボベルデを知るための60章**
小川了 編著

79 **南アフリカを知るための60章**
峯陽一 編著

80 **エルサルバドルを知るための55章**
細野昭雄、田中高 編著

81 **チュニジアを知るための60章**
鷹木恵子 編著

82 **南太平洋を知るための58章** メラネシア ポリネシア
吉岡政德、石森大知 編著

83 **現代カナダを知るための60章【第2版】**
飯野正子、竹中豊 総監修 日本カナダ学会 編

エリア・スタディーズ

84 **現代フランス社会を知るための62章**
三浦信孝、西山教行 編著

85 **ラオスを知るための60章**
菊池陽子、鈴木玲子、阿部健一 編著

86 **パラグアイを知るための50章**
田島久歳、武田和久 編著

87 **中国の歴史を知るための60章**
並木頼壽、杉山文彦 編著

88 **スペインのガリシアを知るための50章**
坂東省次、桑原真夫、浅香武和 編著

89 **アラブ首長国連邦（UAE）を知るための60章**
細井長 編著

90 **コロンビアを知るための60章**
二村久則 編著

91 **現代メキシコを知るための70章【第2版】**
国本伊代 編著

92 **ガーナを知るための47章**
高根務、山田肖子 編著

93 **ウガンダを知るための53章**
吉田昌夫、白石壮一郎 編著

94 **ケルトを旅する52章** イギリス・アイルランド
永田喜文 著

95 **トルコを知るための53章**
大村幸弘、永田雄三、内藤正典 編著

96 **イタリアを旅する24章**
内田俊秀 編著

97 **大統領選からアメリカを知るための57章**
越智道雄 著

98 **現代バスクを知るための60章【第2版】**
萩尾生、吉田浩美 編著

99 **ボツワナを知るための52章**
池谷和信 編著

100 **ロンドンを旅する60章**
川成洋、石原孝哉 編著

101 **ケニアを知るための55章**
松田素二、津田みわ 編著

102 **ニューヨークからアメリカを知るための76章**
越智道雄 著

103 **カリフォルニアからアメリカを知るための54章**
越智道雄 著

104 **イスラエルを知るための62章【第2版】**
立山良司 編著

105 **グアム・サイパン・マリアナ諸島を知るための54章**
中山京子 編著

106 **中国のムスリムを知るための60章**
中国ムスリム研究会 編

107 **現代エジプトを知るための60章**
鈴木恵美 編著

108 **カーストから現代インドを知るための30章**
金基淑 編著

109 **カナダを旅する37章**
飯野正子、竹中豊 編著

110 **アンダルシアを知るための53章**
立石博高、塩見千加子 編著

111 **エストニアを知るための59章**
小森宏美 編著

112 **韓国の暮らしと文化を知るための70章**
舘野晳 編著

113 **現代インドネシアを知るための60章**
村井吉敬、佐伯奈津子、間瀬朋子 編著

114 **ハワイを知るための60章**
山本真鳥、山田亨 編著

115 **現代イラクを知るための60章**
酒井啓子、吉岡明子、山尾大 編著

116 **現代スペインを知るための60章**
坂東省次 編著

117 **スリランカを知るための58章**
杉本良男、高桑史子、鈴木晋介 編著

118 **マダガスカルを知るための62章**
飯田卓、深澤秀夫、森山工 編著

119 **新時代アメリカ社会を知るための60章**
明石紀雄 監修　大類久恵、落合明子、赤尾千波 編著

120 **現代アラブを知るための56章**
松本弘 編著

121 **クロアチアを知るための60章**
柴宜弘、石田信一 編著

122 **ドミニカ共和国を知るための60章**
国本伊代 編著

123 **シリア・レバノンを知るための64章**
黒木英充 編著

124 **EU（欧州連合）を知るための63章**
羽場久美子 編著

125 **ミャンマーを知るための60章**
田村克己、松田正彦 編著

エリア・スタディーズ

126 **カタルーニャを知るための50章**
立石博高、奥野良知 編著

127 **ホンジュラスを知るための60章**
桜井三枝子、中原篤史 編著

128 **スイスを知るための60章**
スイス文学研究会 編

129 **東南アジアを知るための50章**
今井昭夫 編集代表 東京外国語大学東南アジア課程 編

130 **メソアメリカを知るための58章**
井上幸孝 編著

131 **マドリードとカスティーリャを知るための60章**
川成洋、下山静香 編著

132 **ノルウェーを知るための60章**
大島美穂、岡本健志 編著

133 **現代モンゴルを知るための50章**
小長谷有紀、前川愛 編著

134 **カザフスタンを知るための60章**
宇山智彦、藤本透子 編著

135 **内モンゴルを知るための60章**
ボルジギン・ブレンサイン 編著 赤坂恒明 編集協力

136 **スコットランドを知るための65章**
木村正俊 編著

137 **セルビアを知るための60章**
柴宜弘、山崎信一 編著

138 **マリを知るための58章**
竹沢尚一郎 編著

139 **ASEANを知るための50章**
黒柳米司、金子芳樹、吉野文雄 編著

140 **アイスランド・グリーンランド・北極を知るための65章**
小澤実、中丸禎子、高橋美野梨 編著

141 **ナミビアを知るための53章**
水野一晴、永原陽子 編著

142 **香港を知るための60章**
吉川雅之、倉田徹 編著

143 **タスマニアを旅する60章**
宮本忠 著

144 **パレスチナを知るための60章**
臼杵陽、鈴木啓之 編著

145 **ラトヴィアを知るための47章**
志摩園子 編著

146 **ニカラグアを知るための55章**
田中高 編著

147 **台湾を知るための72章【第2版】**
赤松美和子、若松大祐 編著

148 **テュルクを知るための61章**
小松久男 編著

149 **アメリカ先住民を知るための62章**
阿部珠理 編著

150 **イギリスの歴史を知るための50章**
川成洋 編著

151 **ドイツの歴史を知るための50章**
森井裕一 編著

152 **ロシアの歴史を知るための50章**
下斗米伸夫 編著

153 **スペインの歴史を知るための50章**
立石博高、内村俊太 編著

154 **フィリピンを知るための64章**
大野拓司、鈴木伸隆、日下渉 編著

155 **バルト海を旅する40章** 7つの島の物語
小柏葉子 著

156 **カナダの歴史を知るための50章**
細川道久 編著

157 **カリブ海世界を知るための70章**
国本伊代 編著

158 **ベラルーシを知るための50章**
服部倫卓、越野剛 編著

159 **スロヴェニアを知るための60章**
柴宜弘、アンドレイ・ベケシュ、山崎信一 編著

160 **北京を知るための52章**
櫻井澄夫、人見豊、森田憲司 編著

161 **イタリアの歴史を知るための50章**
高橋進、村上義和 編著

162 **ケルトを知るための65章**
木村正俊 編著

163 **オマーンを知るための55章**
松尾昌樹 編著

164 **ウズベキスタンを知るための60章**
帯谷知可 編著

165 **アゼルバイジャンを知るための67章**
廣瀬陽子 編著

166 **済州島を知るための55章**
梁聖宗、金良淑、伊地知紀子 編著

167 **イギリス文学を旅する60章**
石原孝哉、市川仁 編著

エリア・スタディーズ

168 フランス文学を旅する60章
野崎歓 編著

169 ウクライナを知るための65章
服部倫卓、原田義也 編著

170 クルド人を知るための55章
山口昭彦 編著

171 ルクセンブルクを知るための50章
田原憲和、木戸紗織 編著

172 地中海を旅する62章 歴史と文化の都市探訪
松原康介 編著

173 ボスニア・ヘルツェゴヴィナを知るための60章
柴宜弘、山崎信一 編著

174 チリを知るための60章
細野昭雄、工藤章、桑山幹夫 編著

175 ウェールズを知るための60章
吉賀憲夫 編著

176 太平洋諸島の歴史を知るための60章 日本とのかかわり
石森大知、丹羽典生 編著

177 リトアニアを知るための60章
櫻井映子 編著

178 現代ネパールを知るための60章
公益社団法人 日本ネパール協会 編

179 フランスの歴史を知るための50章
中野隆生、加藤玄 編著

180 ザンビアを知るための55章
島田周平、大山修一 編著

181 ポーランドの歴史を知るための55章
渡辺克義 編著

182 韓国文学を旅する60章
波田野節子、斎藤真理子、きむ ふな 編著

183 インドを旅する55章
宮本久義、小西公大 編著

184 現代アメリカ社会を知るための63章【2020年代】
明石紀雄 監修 大類久恵、落合明子、赤尾千波 編著

185 アフガニスタンを知るための70章
前田耕作、山内和也 編著

186 モルディブを知るための35章
荒井悦代、今泉慎也 編著

187 ブラジルの歴史を知るための50章
伊藤秋仁、岸和田仁 編著

188 現代ホンジュラスを知るための55章
中原篤史 編著

189 ウルグアイを知るための60章
山口恵美子 編著

190 ベルギーの歴史を知るための50章
松尾秀哉 編著

191 食文化からイギリスを知るための55章
石原孝哉、市川仁、宇野毅 編著

192 東南アジアのイスラームを知るための64章
久志本裕子、野中葉 編著

193 宗教からアメリカ社会を知るための48章
上坂昇 著

194 ベルリンを知るための52章
浜本隆志、希代真理子 著

195 NATO(北大西洋条約機構)を知るための71章
広瀬佳一 編著

196 華僑・華人を知るための52章
山下清海 著

197 カリブ海の旧イギリス領を知るための60章
川分圭子、堀内真由美 編著

198 ニュージーランドを旅する46章
宮本忠、宮本由紀子 著

199 マレーシアを知るための58章
鳥居高 編著

200 ラダックを知るための60章
煎本孝、山田孝子 著

201 スロヴァキアを知るための64章
長與進、神原ゆうこ 編著

——以下続刊

◎各巻2000円(一部1800円)

〈価格は本体価格です〉